戴國煇全集 

採訪與對談卷・八

◎未結集6：多元化的亞洲視野

目次

contents

未結集6：多元化的亞洲視野

輯一　歷史與文化交流

輯二　透視日本・中國與亞洲

輯三　共榮的亞洲族群

【圖表目次】

戴國煇全集 25

採訪與對談卷・八

未結集6：多元化的亞洲視野

翻　　譯：吳元淑・李毓昭・林琪禎
蔡秀美・蔣智揚・劉淑如
劉靈均
日文審校：吳文星・林水福・林彩美
邱振瑞・張隆志
校　　訂：邱振瑞

輯一

歷史與文化交流

潛心研究台灣史，戴國煇卓然有成

旅日歷史學者戴國煇，12年來第一次回到國內，探視了多位闊別十幾二十年的朋友，昨天他坐在台北市立棒球場觀看他帶來的日本立教大學棒球隊與私立輔仁大學賽球時，曾很感慨說：「沒回來的人的確很難體會到台灣社會今天特有的一般往上衝的活力。」

戴國煇是現今世界研究台灣歷史的權威之一，也是資料最豐富的「台灣近現代史研究會」的主持者。這個研究會設在日本立教大學，成員包含多位東京大學史學專家。1983年戴國煇曾以「訪問學者」身分接受美國柏克萊加州大學中國研究中心邀請講學研究一年。

戴國煇原來是東京大學農學院農業經濟學博士，以博士論文《中國甘蔗糖業之發展》〔參見《全集》10〕受到日本史學界肯定，再以史學博士身分跨入東洋史研究的領域。

目前他是立教大學教授，1982年，日本修改教科書中侵略中國史實的事件發生時，戴國煇成了日本傳播界請教意見的焦點人物。當時他曾為《世界》雜誌撰寫一篇評論〈教科書事件〉〔參見《全集1・為「教科書問題」給東鄰日本的評言》〕，嚴厲批評日本政府的偏失，他提出日本侵略鄰國是「可恕不可忘」的歷史事實，引起國際注意，美國學術界還將這篇文章英譯*列入文獻。

戴國煇的重要著作，幾乎全與台灣有關，受日本學界推崇的書包括《台灣霧社蜂起事件》、《台灣與台灣人》、《中國甘蔗糖業之發展》、《華僑》〔參見《全集》11〕。其他如《與日本人對話》、《日本人與亞洲》、《境界人的獨白》、《新亞洲的構圖》，都頗能以他特殊的洞察力，恰當觸擊被批判者的痛處。他堅持這種學術人格，使他多年來成為到處「受尊敬而不受歡迎」的人物。

回台北短短數日，要求他講演的單位很多，他都婉拒，一方面是因此次單純為中、日大學體育交流的任務而來，另一方面，他說：「我需要時間好好準備一個恰當的題目。」

幾位黨政重要人物，最近與戴國煇相會，對這名睽違已久的海外知名學者頗有期待，希望今夏他能來台「重操舊業」，下鄉看農村、漁村、鹽村，為台灣地區農業經濟貢獻一點力量。

此次除了為棒球事忙之外，戴國煇還身負另一項重任，就是聯合日本學者與台灣地區的學界人士，為日本弘文堂出版社撰寫一本介紹戰後台灣的過去、現在與未來的鉅著。戴國煇說：「從歷史性的動態看三十餘年來台灣地區社會、文化、經濟的變遷，想必有助於外國人理解台灣。」

最近他主持的「台灣近現代史研究會」出版日本學者若林

---

* “Advice For Japan As An Asian Neighbor”, University of Chicago，1982年12月。

〔正丈〕所著《台灣抗日運動史研究》，並且已分冊選譯《台灣現代小說選》。身在日本，戴國煇不忘他的故鄉，也不忘盡一份懷鄉人的義務——把故鄉介紹給異國朋友——這樣的「歷史性」工作，再沒有人能比他做得徹底，而更有良知了。

本文原刊於《聯合報》，1985年3月11日，2版。由記者楊憲宏報導

台灣從「慢性肝炎」步向「急性肝炎」

——訪戴國煇

戴國煇教授學農出身，1954年中興大學〔省立台中農學院〕農經系畢業，1966年獲日本東京大學農業經濟學博士，台灣桃園人。

他是現今世界研究台灣歷史的權威之一，也是資料最豐富的「台灣近現代史研究會」的主持人，該會並網羅不少治台灣史的人才，包括若林正丈、陳正醍等人。1963年，他為了專研日本帝國主義、探討日人統治台灣的真相（尤其是以糖業為首要的榨取手段），使他走上專治台灣史的學術道路。日後，並主要以《中國甘蔗糖業之發展》一書，謀得日本立教大學教授一職，再以史學博士身分跨入東洋史研究的領域。

3月7日中午，他率領日本立教大學棒球隊蒞台訪問比賽，並負責聯絡日本、台灣兩地的學界人士，為日本弘文堂出版社撰寫《戰後台灣的過去、現在與未來》一書*。他的重要著作深受日本學界推崇，包括《台灣霧社蜂起事件》、《華僑》、《中國甘蔗糖業史》〔《中國甘蔗糖業之發展》〕、《台灣與台灣人》、

* 應是指戴國煇編，《更想知道的華僑》一書，東京：弘文堂，1986年5月30日。

《新亞洲展望——如何創造芳鄰關係》〔《新亞洲的構圖》〕、《邊緣人的獨白》〔《境界人的獨白》〕、《日本人與亞洲》、《與日本人的對話》等。

旅居日本30年，立教大學教授戴國煇很驕傲地說：「我至今仍然持用中華民國護照。」這位台灣史研究學者旋風式的訪問台灣一星期，告別時堅定揮動他厚重有力的手說：「我還要再回來！」

回國一星期間，戴國煇每天忙得只有三、四小時的睡眠，他不停從人、事、物的觀察中一再檢定他的觀點。以具歷史眼光的觀察來看當前的一切現象，是戴國煇一貫的論證方式。他說：「必須以動態的、參與的思考方法來看今日發生的一切，才能真正對社會有幫助。」

他回國的這幾日，十信事件發展至另一個高潮，經濟部長徐立德辭職獲准。他很仔細的回顧這個案件始末之後指出，蔡家之敗在仍以「地下錢莊的意識形態經營一個現代金融體系」。他認為可慮的是：「為什麼台灣近幾十年來的進步工業產業體系，竟無法使這樣的意識現代化。」戴國煇覺得有關當局已有必要在人文層次上嚴厲檢討「台灣目前的『社會體質』的健康問題。」

一年多來，戴國煇從國內去的報紙上理解，台灣社會正逢多事之秋。他說：「感覺上，台灣的社會體質似乎正處於從慢性肝炎步向急性肝炎的過渡期。」他說：「十信帶給大眾傷痛之後，大家當然希望，這是一個獨立的癌瘤，割了病就好了；可是，我想警告的是，也許十信事件只是散布在全身的癌腫中的一塊。」

社會出現層出不窮的問題，是工業化過程不可避免的現象。

戴國煇說：「不怕問題發生，該怕的是社會是否具有解決問題的能力。」台灣地區多年來整個行政體系，比起日本的「官僚養成體系」，戴國煇說：「運作上圓熟程度有相當差距。」他認為這是社會是否能順利解決問題的重要關鍵。將來台灣應該在這方面建立「以學問、研究、專業能力為基調的事務官養成系統」才能應付未來20年內快速變動的世界局勢。

戴國煇說：「看見一名台大法科畢業生竟以教小學為業，我感到非常驚奇。」這是他以日本百年來「菁英政治」的訓練系統為對照所發出的感慨。在日本一名年輕人進入日本東京大學法科，便相當於進入了日本官宦路途。

這幾年台灣地區以自己的方式解決快速現代化的問題，大量「技術官僚」進入掌舵的行政體系中。戴國煇說：「我們不應該以為自然科學出身的博士就可以解決問題。這種辦法畢竟只能治標。」他說：「只有人文科學出身的眼界，才有足用的通才，來廣泛照顧社會全體。」他的觀察是，台灣的整體教化力量太過薄弱的原因：「恐怕是人文科學長期被社會忽略所致。」

中國人創見的「誠意正心修身齊家治國平天下」道理，戴國煇說：「日本人自明治維新後，真正在奉行不渝，中國人自己似乎並不身體力行，只是口頭唸唸而已。」

國內中央研究院的學者有意以戴國煇在東京的「台灣近現代史研究會」為主幹，在台灣成立學術性的台灣史研究會。這個交流如果開始運作，他將有更多的時間回國參與問題討論。

這幾天許多與他長談過的學者專家都感覺：「簡直不能相信他是一個離台30年的人。」因為他熟知、掌握著台灣社會種種脈動，就像長久住在這裡的人一般。這正是戴國煇教人覺得可敬可愛的地方。

回國這幾天，曾有中央官員問他演講的可能性，戴國煇說：「我考慮過談一談中日文化社會的比較。」他的有些觀點確有如利劍：日本人每年12月20之後，便不斷互相請客，舉行「忘年會」——把過去一年忘掉，過了春節便舉行「新年會」，一種新陳代謝的社會運轉觀念就在其間；中國人則受了歷史包袱的拖累，既忘不掉過去年，也過不了迎來的新年，老是「向後看」的性格，使中國社會改革進行緩慢。聽見他的批判，真不能不有感慨。

本文原刊於《前進》（週刊）第102期，1985年3月16日，頁48～49。
由林鴻採訪

食指的思想

——思考按捺指紋問題座談會

◎ 蔡秀美譯

時間：1985年2月1日

地點：TBS

與會：李恢成（作家）
戴國煇（立教大學教授）
大沼保昭（東京大學教授）
田中宏（縣立愛知大學教授）
金秀一（學生）
黃美和（學生）

大沼保昭（以下簡稱大沼）：我希望各位一面以日本戰後責任的觀點，檢討《外國人登錄法》上按捺指紋的問題，一面自由發言。

按捺指紋係針對居留日本一年以上的所有外國人（16歲以上）而規定的制度，在這些外國人中，也包含未受日本殖民統治，或幾乎與第二次世界大戰無關的人們。然而，另一方面，無可否認的，按捺指紋制度係為了防範因「八一五解放」〔譯註：日本戰敗宣布無條件投降，對於殖民地台灣是回歸祖國，對於朝鮮則是解放〕而高漲的在日朝鮮人運動，尤其是與日本共產黨的相結合，或是基於日本成為戰敗國後社會混亂中如何維持秩序的觀點，做為在日朝鮮人取締法之一環而設置的。

因此，按捺指紋制度有雙重含意。而且，正因為具有雙重的含意，所以關於其解決對策有各種議論，諸如有主張宜全面廢除，或有主張宜廢除關於在日朝鮮・韓國人，或有主張宜廢除在日朝鮮人（協定永住者）之按捺指紋制度。

今天出席者中有非常年輕的人，分別為作家李恢成先生、戴國煇先生，以及非法律專家但係面對指紋問題的當事人。所以，不必過分拘泥於技術性問題，我們想請教各位關於該如何思考此一雙重關係、日本人方面該如何接受，或在日韓國・朝鮮人該置於什麼位置、台灣出身者該如何因應等之高見。

鎖鏈「砰」一聲鬆掉了

金秀一（以下簡稱金）：雖然有指紋問題，但我最關切的是外國人登錄證一事，第一次登錄時，毋寧是很高興的。為什麼高興呢？因它像是身分證的感覺，有如可以證明自己的證照，像駕照一樣。因為當時也沒有登記本名，如同被同化了，但與其質疑這是什麼，不如說取得登錄證本身更令人高興。

其後，姜博、李相鎬在川崎以拒領登錄證者，出面成立「支援會」，我也參加了。此間，我開始認為按捺指紋是奇怪的；在重新認識的過程中，我認為自己畢竟要擁有「本名」而生存下去，若被迫接受按捺指紋，不是很奇怪嗎？所以我也萌生拒絕的想法，因而拒絕按捺指紋。

我在「支援會」二周年集會時，參加拒絕宣言。當時，最強烈的感受是束縛我本身的鎖鏈「砰」一聲鬆掉了，那時雖然或許不能稱之為被解放，但我開始感到十分舒暢。

雖然已有按捺指紋在人權上是有問題的說法，但對我而言，不只是按捺指紋，譬如提示出示「駕駛執照」時，聽到「外國人登錄證呢」等種種被束縛的話，都令我非常無法忍受。甚至當我想到金秀一以在日朝鮮人，或做為人被迫按捺指紋時，我就產生拒絕按捺指紋的想法。在我的心中，其實也沒有那麼堅定的想法。另一方面，實際上在地方上與在日朝鮮人的孩子交往時，會出現按捺指紋的話題。例如在高中生之間，大家都覺得很奇怪。雖然嘴巴說很奇怪，但是當實際上前往出入國管理局外國人登錄的窗口時，豈止拒絕，連質疑都不敢說。在日本社會大聲地喊「我希望做一個在日朝鮮人」來表現自己是相當困難的情況下，我認為自己必須做為同胞的先行者，所以自己就那麼做了。

另外一點乃是「支援會」召開成立會議的事。某第一代或第二代的在日朝鮮人母親表示這個會幾乎與實際生活沒有關係，也就是說似乎與吃飯無關吧。雖然這位母親說我們已經被同化了，但就拒絕按捺指紋這點來說，毋寧是年輕人正在努力的事。今天李先生也出席，我想聽聽第一代或第二代在日朝鮮人的想法。

大沼：金君，你是第幾代？

金：我是第二代，我的雙親都認為按捺指紋是奇怪的。不過，僅止於表示質疑。

田中宏（以下簡稱田中）：對於你的行動，你的雙親有何表示？有沒有表示是無可奈何的事？

金：事實上，他們也不十分清楚我拒絕按捺指紋；但若有警察來調查則會盡力阻止我。現在是還算可以的感覺。

田中：你有和雙親談過嗎？

金：代溝很深。可能只有我父親也未可知，但還沒有肯定我。很在意要如何在日本賺錢，他們只看我是否有好好地做，有類似這種情形。

由於是朝鮮人而不得不忍受

黃美和（以下簡稱黃）：我拒絕按捺指紋是11月10日。李相鎬先生在11月4日集會時，要求我做為預定拒絕者，與秀一一起站到前面，可是我此前未曾想過將按捺指紋的事當作自己的事。相鎬先生雖在我的身邊推行拒絕按捺指紋的活動，然而，我還是覺得這是與自己無關的事。

我拒絕按捺指紋之後約一個星期，十分煩惱該什麼時候向家人說出這件事，後來向兄弟說了。接著，就向我母親說明，清楚地表述自己的心情。她覺得我必須向父親說明。我父親一開始非常反對，他一面哭泣，我也一面淚眼汪汪地努力說出自己的心情，談了四個小時左右。當時，相鎬先生也來徵求我父親的同意。這是因為若不詳細說明拒絕按捺指紋時的狀況或問題，我父親就不會同意。

15歲第一次按捺指紋時，是和我母親一起前往。還記得當時雖然和朋友相約去遊玩而不去按捺指紋，但母親說因為我們是朝鮮人而必須去。那時還與她大吵一架。因此，那時所使用的「照片」表情很嚇人。由於照相時剛大吵一架，所以母親說妳一個人從這裡到市公所，自己去辦理吧，然後她就先回家了。因此，雖然我質疑為什麼要做這樣的事，但還是獨自到市公所辦完手續。碰巧市公所辦理外國人登錄的職員也是我從小非常熟識的人，所以沒有壓迫感。

按捺指紋時，我雖疑惑為什麼要這麼做，可是又想到「因為是朝鮮人，所以必須要忍受」，似乎在某個地方把自己殺了。由於向來也曾有像那樣不得不強迫自己同意的事，所以我覺得當時那樣做，就像是殺了自己般。

在我小學一年級時，雙親已有所自覺，將所有孩子從「日本名」改為「本名」。改為本名之後，同學的欺凌相當嚴重。其中因為必須以朝鮮人的身分生存下去，所以也十分努力。進入高中之後，參加朝鮮問題研究會的社團，向日本人同學說明自己的事，卻未得到預期的回應，總是發生糾紛，結果朋友紛紛離去。我之所以人際關係掉入谷底，因為意識到自己是朝鮮人皆是在被差別對待時，所以不能將朝鮮以好的形象放入自己的心中。雖然我知道朝鮮舞蹈等優美的文化，也投入其中。

我本身拒絕按捺指紋的行為時，上述朝鮮文化突然浮現在腦中馳騁。辦理手續時，雖不得不按捺指紋，但想到一旦按捺指紋後，腦中浮現一向穿著傳統民族服裝在跳舞、使用本名、各種朋友關係，究竟是為了什麼而做呢？而且想到若在這裡殺了自己，並以無可奈何的方式忍受著，誇張地說，不如死了算了。於是按捺指紋是我參加「支援會」的契機之一。

我也認為《外國人登錄法》本身有問題，必須經常攜帶證件之類的，十分捉弄人。即使做為一個好孩子也必須提心吊膽，撿到失物前往警察局時，立即被要求看「外國人登錄證」，性格因而也極端被扭曲。

在此一意義上，若僅看到一部分人，就可能被說成激進的在日朝鮮・韓國人也未可知，然而，這是因為有各種不同的條件啊！因按捺指紋而扭曲了性格。正因如此，我本身也希望單純地活下去、活得像自己。我向來在某些方面極為壓抑，拒絕按捺指紋之後，朋友認為我變得很開朗。雖然我自己並未意識到。

田中：有沒有和大學的朋友說過？

黃：有。

田中：秀一君，你什麼時候開始使用本名？

金：高二。

田中：黃君是小學一年級入學時嗎？

黃：是一年級學期中。

田中：在學期中你母親相當強制地要你改為本名嗎？

黃：是的。我母親說：「你們是朝鮮人，所以今後也要活得像朝鮮人。」從此與我母親一起努力。我不知道是不是母親的私房錢，好像送給圖書館朝鮮書籍《李潤福日記》〔《ユンボギの日記》〕等，一有機會便穿著朝鮮傳統服裝到學校。在這當中，將向來「お父さん」、「お母さん」的稱呼改為「アボジ」、「オモニ」，其後就常常使用朝鮮語的單字。

田中：是在日常生活中改變的！

黃：是的。

「我如不拒絕，就與死無異」

大沼：剛才似乎提到妳與大學的朋友談到拒絕按捺指紋的事。這麼做的話，會出現各種反應吧？向日本人學生提及時，對妳而言這種反應是個衝擊、受不了，或是受到激勵等。

黃：我感到衝擊的是高中時代就認識的好友說的話。我和她一起就讀和光大學同一學科，選修科目也幾乎相同。她是最親近、最了解我的人。然而，談到拒絕按捺指紋一事時，她突然說拒絕的行動是違反日本的法律，不太好吧，並說：「我也認為按捺指紋制度不好，但拒絕是違反法律的作法，是不好的。為什麼妳非這麼做不可？」我當場啞口無言。

當時，我充滿憤怒，激動地向她說：「我如不拒絕，就與死無異！」朋友應該不能理解我為什麼生氣吧。沉默持續好一陣子，之後我覺得自己也不對，她也不想因為這件事而破壞我們的友情，所以針對此事彼此再聊一次。我對她說，我想要讓她知道為什麼生氣，當時她也為我分憂。

事實上，上述意見是她父親的看法。總之，她父親不讓她牽扯到這件事。若她從事服務身心障礙者或各種志工，她父親是允許的；可是觸犯法律之事，則不被允許。最初，她向父親說過有某一朋友參加拒絕按捺指紋團體，但尚未把我的名字說出來。

因此，我對她說，妳還是應該和妳父親好好地談。那時我十分焦慮。我們向來談很多、很談得來，她為什麼無法向她父親提這事？我在家中也常和父親有衝突，究竟為什麼？

隔天上午她來的時候，眼睛浮腫，問她究竟怎麼了？她說她昨天和父親吵架了。聽了這番話之後，我也漸漸了解日本人的家庭，唉！日本人也真辛苦啊！從此我也談自己家庭的事或與父親的關係等，以前不便談的現在彼此可輕鬆地談了。

奇怪的是，說到未持有「外國人登錄證」時，日本人比我更用心，就我來看覺得很好笑，何必那麼用心呢？其後，志同道合的五個人在校慶時製作放大的「外國人登錄證」加以揭示。

田中：李先生，你有什麼看法？該回應年輕人了吧！

變成了地下生活者

李恢成（以下簡稱李）：金秀一君最初拿到外國人登錄證時，說感到很高興吧，我覺得非常有趣。我現在在想自己有那樣的感覺嗎？但記不起來啊！只是不知不覺就隨身攜帶著。而且因為我是個健忘的人，所以今天出門時，告訴自己「慢著」，將手伸入內口袋摸摸看，「有！好了」，有這種感覺存在。

因此，我的情況是經常有被威脅的感覺。我認為這樣的感覺是我這一世代的感覺吧。現在金君說自己最初是感到高興的，這是「發現自己的民族性」可當作證明之物，毋寧是天真的、明朗的感覺，是直率的事。若能做為光明的證據就好了。然而透過攜帶外國人登錄證，逐漸被同化成我們世代的感覺，正如黃君所說的「因為是朝鮮人，所以沒有辦法」，我也曾有一段如此調適自己的時期。像這樣逐漸改變，我們代代因住在日本而被強加精神的負擔。黃君使用性格被改變的說法，但的確是如此啊。

我認為雖然外國人登錄證只是薄薄之物，但頗能改變人的性格。更極端地說，把我們變成了地下生活者。在高度發達的文明化社會中，它變成如同一些裝置改變人的性格，使之無法自立束縛內部的東西，而發揮其機能的層面很大。我覺得這很有問題。針對這些人的感覺，法律必須切合時宜。

我稍微說一下本身的體驗。大學時代曾有過一週或十天忘了去辦理換證。於是帶著外國人登錄證前往戶塚警察署，那時讓我產生不自在的感覺。大體上，警察署是煞風景的地方吧！由於住在那裡的人彼此具有夥伴意識，所以有不同的感覺也未可知。對我們而言，在日常生活中警察是讓我們感覺到非我族類的人；對民族而言，即使僅僅如此也實在令人鬱悶。

由於我的情況遲了一週或十天，所以警察做了筆錄。然後問我，想上法院，還是以《簡易治罪條例》處以2,000圓的罰金。我想到自己很健忘，加上怕麻煩而得跑法院的話，結果將會如何呢？所以就很輕率地選擇「2,000圓」。關於這事，我究竟繳納與否也已記不清楚了。（笑）

總之，青年時期使我產生一種地下生活者的意識。大概是從16歲開始吧，我覺得若那是可換成喜悅之類的代價就好了，但若是非常黑暗的出發徵兆的話，則法律必須對外國人做根本性的轉換發想。來這裡的途中，我在電車上閱讀著「指紋問題討論資料」。對象雖是所有外國人，但總覺得是指亞洲人。這是從鎧甲之下時隱時現的文章與文體可看出。在幾處我劃了線，覺得特別是在指朝鮮人吧。說了自我矛盾的事因而暴露了自己，稍後也想試著談談這些事。

田中：關於剛才提及實際上是針對朝鮮人一事，我曾經從與白人結婚的日本人女性聽到這樣的事。他去辦理外國人登錄手續時，窗口的承辦人員一副很抱歉的樣子，似乎是勉強出來說明，卻說：「本來您不採指紋也可以，但因日本有許多朝鮮人所以……，由於不能只針對朝鮮人，因此讓您感到不愉快，十分抱歉，請多包涵。」美國人丈夫對日本人妻子說，日本市公所職員真是太過分。

美國人非常具有人權意識，也對歧視問題很冷靜。確實，「思考國際結婚之會」（主要是與外國人結婚之日本女性的集會），因孩子的國籍等各種問題，而舉辦各種集會，我是在那時聽到這些話。不過，那樣的話並不只是在集會上聽到而已，而是已經聽過幾次。某種意義上，窗口的職員是非常正直的。他想的是如同李先生所說的那樣。

李：再怎麼說是無法與他們成為朋友的。雖然很對不起市公所職員，他們似乎都非常客氣，對我們表現出很抱歉的樣子。因此去那裡的人應該都是個性不急且對外國人非常謙虛的職員，只是我認為畢竟無法做朋友。他們過於謙虛，無法自然地應對。不自然，而只一味謙虛，無論如何是但求平安無事的消極主義態度。因此，若遇到有這樣態度的人，請他們來參加座談將會很有趣，甚至匿名也可以。我覺得這種市公所的職員也真的很辛苦。

大沼：因身在組織之中吧。現在已經聽了三個人的談話。雖然名義上是對一般外國人的規定，但實際上從一開始即有管理在日朝鮮人之一環的面向。所謂日本社會對在日韓國・朝鮮人的歧視意識、歧視結構，可說反映出近代日本「脫亞入歐」所背負的原罪。並且，由於曾做為殖民地而被實質統治，所以從朝鮮以各種方式來到日本而與日本人接觸者為數最多。

在日中國人的情形

因此，我想請教戴先生的是台灣處在兩者中間的情形。台灣畢竟也是做為殖民地而處在日本的統治下；而且就日本的「脫亞入歐」之信仰而言，台灣被視為金字塔型階級組織中的下層。另一方面，朝鮮人在同一時期與共產黨結合而被非常強烈的警戒心對待，或是朝鮮人因從朝鮮半島偷渡入境而經常造成問題等情形，在在均與台灣的情形不同。就此既非白人也異於朝鮮人的立場來觀之，您如何看待目前似乎具有雙重特性的狀態呢？

戴國煇（以下簡稱戴）：我不久前正好去美國，友人送給我一年份的《朝日新聞》，上頭刊載此一「討論資料」的部分，我大致看過。原來情況已發展到這個地步……令我感到吃驚的同時，我們在日中國人，不論是來自台灣、大陸，雙方也都感到心疼。所謂的心疼，是指由於各位朝鮮人都很努力，而我們中國人則坐享其成而感到心疼。

強制按捺指紋做為對付在日朝鮮人的措施之一，係開始於1947年嗎？

田中：1947年時並未要求按捺指紋，1952年立法，實際實施則是1955年。

戴：這項措施我認為與中共革命有關，也與中國的社會主義革命和韓戰等一系列世界共產主義的情況有關。原來這似乎是以美國為樣版，因此必須將這點當作一個現實問題來思考。而且在目前的情況下，是否有必要持續〔譯註：按捺指紋〕當作問題提起，亦即似乎有可能提出因應歷史過程理解之看法也可以吧。

還有一點，在日中國人的情況一如各位所知，為數甚少。目前包含擁有日本國籍者約65,000人，仍保持中國國籍的定居者約4萬人，其餘的為旅行者或學生。其意義是和所有朝鮮人一起行動訴求時常產生猶疑。最近在大阪集會時，我聽到令人驚訝的發言。發言者係台灣出身已取得日本國籍的華僑富豪。集會中途陷入氣氛低靡，他為了使大家振作起來，於是提出指紋問題。他表示要向日本社會訴求指紋問題，並將日本的有心人士捲入，必須好好地感謝提出異議的朝鮮人。同時又說朝鮮人團結一起，我們有必要學習朝鮮人之類的話。他本人已取得日本國籍而躋身安全圈中，我以納悶的心情聽了他的演講。

還有一點是在日中國人的特殊情況。這是在日朝鮮人不容易理解，同時也是日本人所不能理解的部分。這並非意識形態，而是關於出身地的問題大致可分為從大陸前來日本者與來自曾經受日本殖民地統治的台灣者，兩者有所不同。再者現在的情況也在某種意義上仍繼續存在日本殖民地統治某方面的痕跡，所以有上述問題留下來。朝鮮人的情況是南韓、北韓均無分離的說法，常盼望統一。然而台灣出身者的情況，則似乎有期盼脫離「中國」而主張獨立的人——要說明為何主張獨立，需要相當長的時間。

很明顯的，來日本的台灣出身者幾乎都是台灣的中產階級以上。這些中產階級以上者，現在仍處於未能完全進入國民黨政權的狀況。雖說如此，他們本來就拒絕共產主義政權。而且，「反右派鬥爭」、「大躍進」、「文革」等持續進行的社會主義之「實踐」本身，現在已被掀開蓋子，不過是幻想而已，其造成很大的衝擊。大體上與我同世代的人對共產主義頗具警戒心，但只要與本身實際生活無關的部分，就幾乎不關心。不過，我認為年輕一代，尤其是擁有正義感或歷史使命感的年輕一代，仍有對中國大陸抱持某種夢想的人，現在連這些人都感到失望了。

在這種狀況下主張台灣獨立運動。抱持此一主張的人，大體上是能寫日文、能說日語的人，以致日本人有所誤解，認為台灣只有這種人。因此日本人相當普遍地產生日本在朝鮮的殖民統治做了不好的事，但台灣的殖民統治則沒做不好的事之「常識」。

對矢內原論文感到驚訝

我在名古屋的某大學演講時，批判了矢內原忠雄教授。我提出矢內原早期的論文是1948年10月的論文。矢內原在〈盟軍管理下的日本、戰後滿三年的隨想〉〔〈管理下の日本、終戦後満三年の随想〉〕一文中說了什麼呢？他說日本的殖民地統治與法國的同化主義相同。然而，法國的錯誤在哪裡呢？即過早將無法理解的自由和未被要求的解放給予了殖民地的原住民。我認為矢內原是一位了不起的基督徒，他留下名著《日本帝國主義下之台灣》〔《帝國主義下の台灣》〕一書。然而，我認為不只矢內原一人，八成的日本人東大教授似乎都抱持相同的看法。

李：恐怕不包含大沼先生吧。（笑）

大沼：或許當時也包含我，因那時99％的人都這麼認為。

戴：接下來的文章很有趣。矢內原說：「我不認為日本的殖民統治都是毒害的。至少經濟的開發和普通教育的普及，乃是給予殖民社會永續的利益。」這是結果論吧，他對殖民地統治的動機和具體的過程則完全不談。

我來東京是1955年，1956年進入東大，當時矢內原教授正好是總長〔譯註：校長〕。在台灣我已讀過《日本帝國主義下之台灣》一書，對我而言，矢內原雖不是神，卻是一位卓越的、有良心的學者。因此，我拚命研讀他所寫的東西。然而，在讀到這段時，我感到受不了，而且受了很大的衝擊。不過當我委婉地批判其看法時，有位矢內原的支持者非常生氣。那個人說：「那傢伙是什麼東西！什麼都不懂，還敢自以為是地做了批評。」事實上，也不是矢內原教授一個人的問題，此種狀況一方面在日本過去一直存在著，不，現在仍存在著。矢內原撰寫《日本帝國主義下之台灣》一書時，主要的資料提供者，係其後主張台灣獨立運動的階級的菁英分子，當時就讀東大的留學生除了提供資料，矢內原教授前往台灣調查時也予以招待與充當嚮導。最近我漸漸可以理解這並非矢內原教授一個人的責任，台灣方面也有責任。

這暫且不談，例如「割讓」一詞，根據《馬關條約》將台灣「割讓」。日本的社會科學者幾乎下意識地抱持因為是割讓，所以不是強盜或侵略者的感覺。其實這次香港問題也有如何思考國際法的問題，對英國首相柴契爾而言，永久割讓的香港兩個部分本來不歸還也可以。雖然只有租界期限到1997年的新界問題，卻說連同香港一並歸還。依向來慣例，委派特命全權大使即可，柴契爾卻前往北京表示「要歸還」。雖然這恐怕是政治秀。

所以，我想問日本人的是「割讓」到底是什麼？雖然我一直將割讓兩字括號起來，但無論是日本的馬克思主義派教授或進步主義派教授，都認為「割讓」是理所當然的。在短刀的威脅下沒什麼「割讓」不「割讓」的！

大沼：若要我說的話，我不知道戴先生對馬克思主義派或進步主義派教授，為什麼還有那樣的期待。（笑）

戴：這是大沼先生經歷過自1960年安保鬥爭到1970年代的各種事情之故。

大沼：不，到今天仍然如此。

與日本民主化之關聯

戴：我與其說有所期待，毋寧說對一般庶民的想法有疑義。同時，我們這些非日本人的亞洲人，最後若不與好的日本人建立夥伴關係，我們的奮鬥或訴求的確難以進行，且非常吃力。

無怪乎連一般有識之士也認為我們的訴求充滿各種怨恨辛酸。我被罵成：「那個傢伙總是喋喋不休，老是揭發日本殖民地時代的罪惡，而且那個傢伙還在日本工作拿薪水呢！」我們的訴求並非抱怨，而是在事實上與日本的民主化有所關聯，這是我們的忠告。為了使日本成為更好的社會，與鄰居一起建立有希望的明天，我們非繼續提出忠告不可。尤其若不說服大眾就不行。

因此今天我與兩位年輕人見面——其實我的孩子年齡也大約

與兩位相同，但在日中國人的情況不像在日朝鮮人那麼嚴峻。尤其是我個人的情況是受惠於職業，孩子們在學校當然並不使用「日本名」，從一開始就使用中國名。我在家從未聽說他們被欺凌的事。不過我兒子進大學選系時，選讀法律是不可能的，無法成為政府官僚或律師。

與在日朝鮮人相較，中國人還有可逃避之處。中國很大，還有像「阿Q精神」那樣的避難場所。就上述意義觀之，我在這裡想指出的是朝鮮的年輕人很堅強，其能量意味著什麼？我兒子的世代是有可逃避之處啊！雖然未與他們詳細交談，但我從其職業選擇就可知道。然而各位朝鮮人很堅強，與中國人不同。前述台灣獨立運動的例子也是如此。我希望一般人，也包含日本的當局者能理解這一點。若他們未理解，則台灣人及在日中國人並非未批判日本，而是他們未聽見；又，由於他們未聽見所以實際上是共犯。上述情況給在日朝鮮人添麻煩了，我希望講清楚。

大沼：我與李先生談話時，總是造成爭辯。今天也帶來一個爭議性的話題。

雖然在歷史上使用「if」一詞，乃是無意義的爭論，但若大膽地說，假設朝鮮殖民日本，朝鮮存在著在朝日本人。在那種情形下，朝鮮是否也會以《外國人登錄法》同樣地強制按捺指紋呢？一般大眾將如何看待要求廢除此制度的運動呢？這是無聊的問題，但是若沒有極普通的社會成員、俗人、凡人等如何思考的觀點，並不是戴先生所說的怨恨辛酸，而是即使有要把日本社會民主化——我也完全同意——那樣的心情，一般人也只是聽了後當作怨恨辛酸而已，在某種意義上，我覺得是理所當然的。

我認為確實如同戴先生所說的，應要有讓日本社會變好的心境來廢除按捺指紋制度。這是因為身為日本社會的一員，不論是在日韓國・朝鮮人、日本人還是美國人，是以「自己居住的社會是良好的社會比較好」的單純理由。

還有另一點，例如與戴先生和李先生見面說話時，想到讓自己擁有投票權和參政權的這個政府仍抱持惡法，於是讓自己面前正在說話的人感到非常不愉快；也不由得感到坐立難安，心情不好。用剛才李先生的話來說，這似乎就是人際關係不自然所致。有這樣的隔閡，老實說就是不愉快之感。這就是另一點。我認為這樣的感覺似乎一般人也有。

以美國為榜樣？

李：我稍微打斷一下好嗎？我認為戴先生談到的內容中有對於被視為日本進步主義派學者，是否在思想上已克服過去日本帝國主義在近鄰的亞洲各國進行殖民地統治，提出反命題。例如出現「割讓」之表現，但對朝鮮則採「併合」一詞。我認為這是對應於「割讓」的一種障眼法用詞。我想這樣的東西在進行反對按捺指紋運動時，如果行政當局表現出管理外國人之姿態時，我們用來對付行政當局所抱持自明治以降的傳統思想態度，是如何去克服其內部矛盾或落後，這是戴先生強調的要旨。

我一邊接受上述的看法一邊思考，您指出按捺指紋制度似乎是模仿美國的作法，今天我也想了解其究竟。我也覺得像是美國的作法。因尚未掌握證據，想聽聽各位的高見。我前往歐洲時也到過西德和法國，但並未聽到住在該地的韓國人說有按捺指紋一事。我不認為日本是受到歐洲影響而實施該制度。因此，我認為在政治結構中似乎仍然是美國的思考方法。在學術上雖然不清楚，但若看了法務省官員證明按捺指紋制度的正當性文件，他說在韓國也實施啊！我向在韓國的人打聽，韓國有住民登錄制度，但該制度其實是惡名昭彰的。聽說雖然實施住民登錄，但似乎1970年起開始必須按捺左右手拇指指紋。

大沼：不，是十指全部。

李：最近是這樣嗎？1970年代是按捺左右手拇指指紋。現在是按捺十指。這麼說來，日本官員的確如此說過。《朝日新聞》「論壇」欄表示，十指的話都可以，何況只是一指。（笑）因此私下說我們日本比韓國好，但問題的本質是不論十指或一指，不好的就是不好。我覺得這種想法在官員當中並非主流。因此，有如美國一打噴嚏日本就感冒一般，按捺指紋一事正是如此。韓國是當作維持分裂國家的手段而有效地實施該制度，但是日本則一面模仿韓國之例，是否有模仿也不知，但以使人有此感覺的邏輯向在日朝鮮人・韓國人採指紋。所以我覺得此一問題似乎不免被視之為是政治的不良風潮，以及是為了塑造政治、經濟、文化勢力範圍的手段。

大沼：李先生提及美國和歐洲，所以現在我想將剛才黃小姐與金君所說的事結合起來談談。日本經常與美國怎樣、歐洲怎樣進行國際性的比較，但基本上我認為這作法不太有意義。雖然李先生所說的事在學術上也有相當多的問題，但重要的是，如同李先生也提示的，不論是哪個國家做的，好的就是好，不好的就是不好。我只想提出一點做為問題，並聽聽各位的高見，分別是李先生使用「地下生活者」的用詞，以及黃小姐所說的「因為是朝鮮人，所以必須要忍受這樣的事」。這些話給人感覺是，雖然指紋是所有外國人被迫做的事，例如就像美國人和西德人一般他們並非直接面對過去日本的殖民地統治或日本社會的歧視對待——當然有以「外人」的形式的疏離感，但那毋寧是敬而遠之的感覺——的人們的情形，而在日韓國人・朝鮮人或是在日中國人的情況是，即使同一制度，但感受似乎也有很大的不同吧！

「若在美國就按捺，在日本則否」

關於這點令人印象深刻的是，辛仁夏小姐雖以高中生而拒絕按捺指紋，但因為想去美國留學，不得不哭哭啼啼地按捺指紋之事。她被問到：「美國也有指紋制度。若在美國，妳要按捺指紋還是拒絕？」，她說：「若在美國就按捺。因是在日本，所以拒絕。」我對此事留下特別的印象。

上述想法，正是戴先生一直被批判的滿腹怨恨辛酸之層次的事情；就人權的觀點觀之，本來指紋問題是人權的普遍問題，是應該被批評為奇怪的事。事實上，政府關係者中存在著這樣說法的人，學者當中也有。的確，若就人權的普遍觀念而言，按捺指紋與否是人的尊嚴問題，不論在美國、日本、韓國按捺，或是在哪裡按捺，應該是相同的，所以她的態度是奇怪的。然而，金君最初持有外國人登錄證時，曾說感到很高興。客觀而言，這也是異常的心理啊！不過，若處在因為自己是朝鮮人而經常感到需抑制之心理壓力社會中，或是處在始終不得不抱持因為是朝鮮人而無可奈何想法的情況下觀之，是無法簡單斷言的。我覺得似乎也必須在上述的日本歷史性中，思考按捺指紋問題之觀點——雖然那並非唯一的觀點。

李：沒錯。我的看法有二。雖然我曾說總覺得按捺指紋似乎是從美國傳來的「感冒」，但同時也認為按捺指紋有日本本身所獨有之處。讓我稍微補充說明，我到西德時，聽韓國人說西德的某新聞特派員、專欄作家曾去過美國的白宮。到美國白宮時，他因受到非常嚴格的警戒，結果被迫到處採指紋。他以非常德國人式的、冷靜的諷刺語氣批判說，雖然自己也到過克里姆林宮，甚至以色列，但都未被採指紋。因此，我尤其覺得指紋的思想，極端地說，似乎就是代表美國帝國主義。

然而，提到日本本身如何思考此一按捺指紋制度，乃是由於日本自明治以降獨特的「脫亞入歐」仍綿綿不絕地延續下來所致，我認為無論日本如何地重新整編還是依然存在著。所謂的指紋，雖然大沼先生說《朝日新聞》的論壇上說是人權問題，但他們打算用什麼與之對置呢？非人權問題的論據究竟是什麼呢？我覺得這裡非常有問題。

現在與兩位年輕第三代相近的朝鮮人所抱持的感覺，顯然是人權啊！我認為這是人性、自我認同被妨礙時非常率真且純真的人的吶喊，我認為雖然拒絕按捺指紋一事不一定很好，但鼓動此一行動的原因，並非在他們自己，而是來自行政當局的非人性。

大沼：關於辛仁夏小姐的感覺，如何思考呢？

黃：我與仁夏小姐相同。雖然剛才提到普遍理念之話題，但若單純思考人權，則不會覺得這是奇怪的。那是更扭曲的感覺，因為受到嚴重的歧視，生活中也可以體會，所以對教科書或各種書中所提到的人權並沒什麼感覺。在日常生活中，例如吵架時聽到對方說「滾回朝鮮」或說各種朝鮮的不雅用語等，就有所體會，加之各種歧視的緣故，我十分了解仁夏小姐的心理感受。

金：我因為本身人權意識很低，所以認為若日本人也全部按捺指紋的話即可接受。

大沼：也就是說並非只有在日外國人才須按捺指紋。

金：是的。若日本人也按捺指紋，就會感到可以接受。我覺得平日大家過著同樣的生活，鄰近的日本人也過著同樣的生活，我們卻在某方面必須根據《外國人登錄法》攜帶「外國人登錄證」，也必須按捺指紋。在人權意識上，按捺指紋常被說是奇怪的，但那種說法我無法支持。在此意義上，我覺得我的人權意識似乎很低。雖然也有人權的考量，但之前畢竟我感覺是要和日本人享有同樣待遇，因為有著一起生活這樣的意識。

戴：我想確認一下，在日本領取駕駛執照時，日本人要按捺指紋嗎？

大沼：不用啊。

戴：在美國領取駕駛執照時要按捺指紋喔！

大沼：那應該是各州不同。必須按捺指紋的只是少數的州。戴先生所說的是加州嗎？

戴：是的。我個人的情況與李先生等人有一點不同。我並非是戰前就來日本，所以並非被強制帶來，而是自己決定來的。我哥哥他們是以學徒出陣被徵召，但我是自己選擇的。當時按捺指紋一事是做為入國和居留的條件而不得不如此。可是我在美國居留一年，記得並未為了入國而按捺指紋。我是在美國取得駕駛執照，記得當時是有按捺指紋。

大沼：美國因時期而有不同。雖然移民需按捺指紋，但若未滿一年則不需按捺指紋，最近在實際的行政實務上，居留兩年或三年的非移民不必按捺指紋。我也居留兩年，但並未按捺指紋。

為何日本人不必按捺指紋

戴：這裡有一點不明確，返回日本後，換領駕駛執照時不必按捺指紋，我覺得很奇怪。這點就法律的考量，究竟是為什麼呢？加州為了發給駕照而必須按捺指紋。日本對我們外國人按捺指紋那麼有興趣，為什麼卻對一般日本人領取駕駛執照時不要求按捺指紋？

大沼：這正是奇怪之處。若想要那樣地確認是否為本人，即使駕照須按捺指紋也是理所當然的。未全面按捺指紋，卻只採外國人的指紋，若以金君的說法來說，不就是不合理地對待住在一起的人嗎？

李：這點我也想請教田中先生的想法，或許過於直接的提問，但指紋制度是確認是否為本人的最好方法嗎？

田中：關於這點，應是如此吧。

大沼：要之，是否為本人其實就是物理上的意義。

李：總之我對這樣的想法有疑問。不論在物理上、功能上，指紋確實是父母親授予我們且無法複製的。但是我的疑問是，是否只能依賴這點而建立人際關係呢？

大沼：對，對。

李：我覺得日本的法律精神是以這樣的完美主義為後盾，但這是否即為真正的法律精神呢？

大沼：我覺得是冷冰冰的精神吧。

李：為什麼會變成那樣呢？

大沼：明白的說，從各種治安的觀點形成心理的壓制效果，要之，已從各位身上取得指紋了，因此一旦犯罪或做什麼事馬上就知道。還有對從國外走私國內或間諜等，日本因為完整地取得指紋，而得以對犯法之事一網打盡，就是這樣的心理壓制效果。上述並非我第一個這樣說的，我只是加以解說。（笑）

李：不。我並不是向公所的代辯人詢問，而是由於兩位平日參與這種運動，所以向您們請教我所不知道之處。（笑）我忘記準備要說的話了。（笑）

田中：我想這可能是李先生想要表達的，我的感想是，基本上我認為官僚亦為日本社會實際情況的一個表現，所以其間並未有太大的歧異。日本社會對於外國人——即戴先生使用「自分」和「他分」之用詞——總而言之，日本社會對於異質事物有極度不信任感或不安感；一旦有什麼異質的事物，就盡可能希望使其轉變成同質，因而產生若取得日本國籍就可以解決之想法。

我認為最近成為問題的長野教員任用案例，簡言之即「若取得日本國籍，明日即可解決」之極為單純的想法表現。要之，若大家都相同就安心了。然而，若有不同的東西，則感到極度不安，而抱持不信任感。若再用更強烈的措辭，我認為日本社會的想法是不知道這些人將做出什麼，因而必須用特別的方式監視。

以指紋確認同一人身分，的確在技術上是精密度最高的方式，這是無可否認的。但我認為更不可否認的是，指紋是確認該人最精確的方法，但日本國人並不需要按捺指紋。剛才提到的駕照的情況和護照的發放均是如此。

若也考量選舉權的行使等，沒有很嚴格的規定倒是令人覺得不妥。若別人冒充行使選舉權，則是嚴重的事。然而，行使選舉權時——戴、李兩位先生或許沒有這種經驗——通常會寄來明信片般大小的投票通知。通知單上當然沒有「指紋」或照片。前往投票所時，也不必另外出示身分證或駕照。

若我記得沒錯，帶著投票通知前往時，投票所工作人員首先推定持有投票通知者就是本人，通常是確認出生年月日。持通知者回答何年、何月、何日生，工作人員確認無誤後發給投票單，於是確認名為田中宏的男子已行使選舉權。若有發現係冒名投票情事，就事態嚴重了，在日本人中也很多，但目前日本政府尚無必須按捺指紋的構想。

然而，只有外國人必須經常先規矩地證明持有外國人登錄證者之真實身分，非常吹毛求疵。我認為上述背景在於，對於特殊的事物完全有另外的行動方式，讓人不知道將做出什麼事來，這恐怕是造成歧視或偏見的根源及淵源。其結果，我直覺是，每個日本人所具有的意識、高級官員及法務省官僚實務者的意識，或維持此一制度的當局者意識之間，並未有那麼大的差異。

欠缺洞察人心的思想

李：指紋是確認身分的最好方法，這件事我怎麼也無法明白並抱持疑問。這只是非常簡單的解決方法，至少不是「有疑問則不罰」的發想。

我覺得關於人的意識形態，是要有如何看待人的原理性思考。人究竟是什麼樣的存在呢？自己是什麼人，絕非自己本身就可以證明。總之，我認為人係在與他者的關係上才被證明。若不將上述相對的想法或人性論的想法導入法律原理，則會貽誤法的適用性，而出現自以為是的危險性。談到法務省的官員，我想他們自身會永遠感到痛苦，因不得不持續懷疑人所致。因此，我認為這已落入完美主義的陷阱。我覺得那似乎是非人性的東西，所以欠缺發現人的思想。畢竟人是與他者的關係，例如親子關係可讓自己相對化，自己與兄弟之間也可讓自己相對化，或是與情人也是如此，這樣地擴大下去，若想在民族與民族之間發現自己，則必須從相對的存在之中發現。我覺得如果思考事物的方式，那樣原理性地動搖的話，僅將人當作「物質」來理解，似乎將陷入證據主義啊！

大沼：聽了剛才的發言，讓我覺得的確如此啊。關於李先生的看法，我認為日本的殖民統治及其後一般常說的「同化或驅逐出境」之外國人政策，兩者正是在原理性想法相連結。

同質社會、單一民族國家乃是神話，全然是明治以後的神話。在那之前並未有單一民族等的意識，而是如會津藩及薩摩藩等的意識。這不過是明治以後創造出來的神話，卻根深柢固延續至今。正因為如此，我認為說明人權普遍性的制式理解，與辛仁夏小姐、金君、黃小姐所說的「若在美國就按捺指紋，在日本則拒絕」，或「若日本國民也按捺，就沒那麼不好」等感覺的關係很重要。

雖然金君說自己的人權意識很低，但真的是那樣嗎？將金君的意識視為人權意識不足的人權觀念本身，難道沒有問題嗎？也就是說既然將人權視為普遍的理念，是否能斷定不論在日本或美國都不能按捺指紋呢？即使制式思考人權的想法就是自由平等，而平等應該是非常重要的核心。「若平等被侵犯就無計可施了」之想法我認為能充分成立。

此外，剛才李先生也提及一點，在自己的生活、社會之中極為理所當然存在的個人，對正要壓抑其天生直接反應之物所產生單純的抗拒，應該是人權意識的最核心點。這並不是因不普遍而無關人權問題。現在的日本社會只是處在過去發動戰爭、從事殖民統治的歷史延長線上。我覺得日本的「按捺指紋」與美國或韓國的按捺指紋各有差異的想法，似乎是理所當然。

戴：我反對「按捺指紋」的理由之一，是我認為經濟如此發達，而文化卻落後的管理社會制度很不好。為了能過像人一般的生活，廢除按捺指紋制度比較好。第二，若我的歷史理解有誤，請幫我訂正，就日本引進此一美國制度的時機觀之，顯然是具有預防共產主義革命以維護治安的一面。雖然我不想成為通情達理的外國人，但勉強言之，我認為即使從今天的中日關係來考量，或是就朝鮮半島的情況——也許過於理想主義，但是令人期待的情況——而言，日本當局應該放棄上述維護治安的想法，且應稍微有自信地以文化國家應有的姿態做下去。因此，我認為「按捺指紋」似乎不太好吧。第三，由於日本以貿易立國而如此地國際化，所以國內也非國際化不可。留下像這樣的差別待遇，難道不可恥嗎？第四，大沼先生已一再提及，包含喬治・歐威爾所提出的各種問題，隨著殖民統治而發生的在日朝鮮人今天的情況，可說是某種歷史的痕跡；我認為根據歷史的脈絡去掌握該問題的同時，仍必須好好地提出明天人們該如何生活的問題。

法西斯主義恐將復活

我從十餘年前對日本所謂同質社會、單一民族的神話，已表示異議——也包含我本身的評論活動——但是，我認為日本人今後要成為更好的國際人，勢必從這裡開始。亦即為了日本更好的未來，若不將異質的部分或其他的異議申述嵌入內部，恐怕會再出現一次法西斯主義。我想強調的是，我們做為日本人以外近鄰的亞洲人，有上述不安感。

李：我有同感。就新聞觀之，日本是世界上治安最好的國家。這樣不危險嗎？我認為有一些犯罪，日本反而健全吧！這樣的看法雖可能招致誤解，但我有這樣的感覺。而且還實施按捺指紋制度，難道日本就能變得健康嗎？我認為甚至犯罪率的消長並無法預先知道。

行政人員都有為日本的犯罪率是世界最低而感到高興的想法。然而現在戴先生指出，應注意的是如此徹底管理的作法對日本的國民大眾而言，反而是逐漸被強加不幸的要素，所以覺得某日會有突然出現法西斯主義的危險性。畢竟日本的犯罪率已過低了。當然這並不是說「怪人二十一面相」*很好（笑）。不過我認為目前的確過度壓制恐將成為無法暢所欲言的社會！

金：我想換個話題。之前曾有過拒絕按捺指紋的示威遊行。由於我坐在車後頭，所以知道街上行人的各種反應。當時聽到看起來像是OL的女士們有以下的對話：「喂，什麼是拒絕按捺指紋？」「外國人不喜歡那樣被強制按捺指紋吧？」她們是那樣的反應，「不喜歡吧！」（笑）。當時我心想原來她們是這麼想的。因此一面感到若是不被歧視就不能理解的話，換句話說，我們就反過來歧視他們就好了。但想想又不是這樣……。即使我們拒絕按捺指紋，周圍的人幾乎沒有反應；在愛拒絕就逕自拒絕的情況下，現在的我也感到悲哀啊！

雖然時下的青年經常被認為很輕浮，但總覺得其輕浮似乎與在日朝鮮人使用本名之前或被同化時，胡亂隨便的舉止相似呢！在日朝鮮人在中學鬧情緒起糾紛、完全不讀書吊兒郎當之時，經常說的話是：「反正看透未來了，現在先做快樂的事吧。」上述心理就如同現在的年輕人迷「塔摩利」〔譯註：1945年生，日本搞笑老牌主持人〕或「北野武」〔譯註：1947年生，日本知名電影導演〕等藝人的感覺一樣，這種感覺也感染了我。然後，我感到不安的是，自己能否在這樣的社會中，以在日朝鮮人身分抬頭挺胸地生活？似乎早晚會被擊潰吧！在這裡說出來的話，不知為什麼總有點特別的感覺，我想日本社會還很封閉吧！

---

* 指1984至1985年，日本多家食品企業遭匿名為「怪人二十一面相」的下毒威脅事件。

「為什麼猶太人被討厭呢？」

黃：與我的同胞說話時，雖出現各種話題，但唯有在做壞事時，報紙及電視新聞就會出現「本名」見到這樣的事，就令人感到朝鮮人犯罪者為數甚多。而在其他發生好事情的場合，大家都使用「俗名」，即使演藝界幾乎也是如此。因為是俗名，所以不為人知。

正因為如此，雖有不同的在日朝鮮人同胞，但有同胞說使團結逐漸崩潰的正是在日朝鮮人自己。我覺得正在被同化，很多時候總是感到非常寂寞。有些同胞已到了感覺不出自己受管理，卻說不覺得被歧視的程度，這樣的人說起來意外的多。

戴：現在妳說的事，事實上我曾向《朝日新聞》的幹部抗議過。總之，似乎發生什麼犯罪，就有已取得日本國籍的原朝鮮人○○之報導。日本人也有犯罪，在日朝鮮人的國籍明明已變成日本，應該不需有「原朝鮮人」的報導方式吧！在社會教育的意義上，《朝日新聞》難道不應再稍微認真地修正報導用詞嗎？我曾這麼說過。

現在聽到妳的談話而想起亞伯特・愛因斯坦寫過一篇非常好的文章，在有名的〈為什麼猶太人被討厭呢？〉之文章中，愛因斯坦這麼說。他是德裔猶太人，當他工作成果非常好或是德裔猶太人有工作成果時，均被當作德國人；然而一旦做了什麼壞事，就被說成「那傢伙是猶太人」。這在某種意義上並非是世界上孤立存在的問題。我認為我們所共有的近代，在任何地方都有共通的結構。當然，若因此逃入普遍的問題之中就不好，必須深化此一認識，我深切地感到似乎不能不如此因應吧！

李：因此，我認為重要的是被迫按捺指紋的外國人似乎在思想上、人性上必須有所準備。但是以純樸的民族情感從事反對運動時，卻會遭受反利用。說那不過是純樸的情感罷了。其實並不是這樣，而是有一基於做為人的原理的確切的東西。在此點上，我認為在日朝鮮人或在日韓國人在內部是否有被日本社會馴化的發想，我想必須要有反芻的疑問。

例如最近「在日」一詞頗為流行。我這裡也會接到電話，要我去講關於「在日」的議題。我一定會反問道：「在日是什麼意思？」對方也為之一愣，但若做為在日外國人的略稱，那麼在日韓國人或朝鮮人也不過占四分之三。因此，儘管有中國人、美國人、法國人，但上述的言語表現已產生排除那些人的錯覺。朝鮮人方面有「我們在日……」之說法，相對的日本人則會說「在日的人很辛苦啊」。

關於上述，我認為是善意的。另一點因為朝鮮半島分為兩個國家，以致不知道究竟該稱呼韓國人或朝鮮人較好，因有所顧慮而改稱「在日」吧？若是這樣，我想我們也有責任。

「祖國」與「在日的我們」

要之，「在日」一詞的說法，在我們心中「祖國」與「在日的我們」間的立場、形象或位置，隨著生活的基礎漸次變化，在日之類的問題遂變得重要，所以最後反映在說話時只用「在日」之用詞上。

也就是說「在日」一詞與使用同格助詞「在日的」均是一種思想語言。我不使用這樣的用詞。我將「祖國」和「在日的我們」之問題放在一個大圈子中思考。在日的我們雖具有特殊的條件，但我認為與南北朝鮮的同胞是同一民族。因此，我的想法並非「在日」，而是「住在日本的」。使用「住」這個動詞雖然很不方便，但嚴格地說應如此說才對。

在現象上，「在日的」或「在日」的表現做為潮流最近很風行。雖然我們內部將民族的存在以整個朝鮮半島去考量，好好地將「住在日本的我們」的權利問題切實與日本人連帶的立場去做，似乎比較不會留下後患吧！若不這麼做，我覺得將不知不覺地讓自己陷入「福無雙至，禍不單行」的情況。

大沼：剛才金君說他領取外國人登錄證時很高興。那是異常的意識，其後出現要做為能從自己的文化規定自己的認同意識的存在。那才是住在日本的日本人——在民族的意義上——這樣的存在觀之，也必然如此。由於日本人在日本社會居壓倒性的多數，非常無憂無慮，所以並未強烈感到考量民族認同意識問題的必要性。其實，認同意識的問題，雖然應該都存在於每一個人，但因自己是居社會壓倒性多數的一分子，所以並未出現「為什麼我是日本人呢？」、「我是日本人的理由為何呢？」等問題。

相反的，就血統觀之，即使是繼承朝鮮民族之血統的人，究竟自己如何思考與朝鮮半島，以李先生的話來說，亦即是與祖國的關係，固然因血統相同，所以是一項重要的因素，不過我認為血統似乎不是認同意識唯一的核心。

雖然剛才提到未感到歧視之在日韓國人或朝鮮人事例，但是這樣的人的確存在於目前的現實生活。在自己的實際成長過程中大概是不必思考這些的人。雖然偶爾在大學課堂的討論課上接觸過，但令我驚訝的是，也存在著除了血緣與朝鮮民族有關外，所有方面都是「日本人」的在日朝鮮人。

上述當然不用說，是因日本社會具有同化力或同化體質所致。以日本社會整體觀之，如同剛才戴先生及李先生所說的，會出現嚴格的管理社會是不好一事，確實如此。然而在其他方面，我認為仍不可否認的是，這樣的人以極為自然的方式存在之事實。

李：這還需要花費一整晚來討論哪（笑）！

田中：我補充說明一點。剛才討論到與美國的關係。我想討論的現實問題是，外國人登錄時要按捺指紋，在日本的政府機關檔案中可資證明者係始於1949年秋天。這正是剛才提及以占領軍前來日本的美國主管人員，向日本提議按捺指紋，而日本當局接受其提議後在內部討論如何做的紀錄。不過，值得注意的是，當時統籌外國人登錄事務之法務省民事局第六課的意見也附在其中。在該檔案中表示如下意見：「一、指紋是我國迄今在偵查犯罪以外，還不到一般使用的階段；二、尤其是本件的外國人登錄，係由於以朝鮮人為主要對象的關係，不對其他一般日本人施行，結果將形成強制這些特定人士，恐怕將引起令人不快的結果。」要之，是提出否定的意見呢！不知道是否因為此一緣故，該年12月外國人登錄令雖有相當大幅的修正（加強罰則等），但「指紋」並未被採納。

美國占領當局的負責人提這樣的意見，而內部討論該案時，附上負責部局之意見中有上述的敘述。1949年是朝鮮戰爭爆發之前，同時也是日本係戰敗國而朝鮮係被解放國，所謂非常單純的歷史現狀中——雖然美國占領政策正逐漸變質——但當時日本的官僚居然具有此一程度的正常感覺，我仍認為這似乎是很重要的事。而到1950年發生朝鮮戰爭，1951年——最近剛確認的——3月，國會針對若不更嚴格地推動外國人登錄，將有偷渡入境等其他的問題進行討論之際，法務省以已思考兩項新措施做答覆。其一為引進「指紋」，另一則為每三年換發登錄證，因間隔過大，所以改為「每年」。1951年3月提出建議，約一年後於1952年正式立法。畢竟還是有與美國的相遇、戴先生提出的反共政策，以及在東亞劇烈變動時，1949年10月1日中華人民共和國成立等事件，所以我認為這是在上述非常特殊的時期中，以維護治安的構想而引進的歷史遺物。

這就像李先生所提出的，強制按捺指紋制度，在現實生活中正發揮破壞人際關係的極原理性之處的副作用——透過二位年輕人的體驗可知：「與其按捺指紋寧可去死」之用語所表現的情況，目前正發揮那樣的作用。日本的殖民統治，做為歷史展望中的新事物，處於與在日本的亞洲人共存而必須被揚棄的時期，恰好被定位成以「小刺」留下的遺物。而且我認為按捺指紋與每個人具體相關——日本人，例如自治體的勞工〔譯註：指地方公務員〕也因採集指紋而有關係，並涉及各種層面——是從極為日常一般之處質詢日本社會的情況。乍看之下，按捺指紋制度雖可視為確認是否為本人的技術性制度——在很多情況下，制度均如此——但該制度是攸關人性根源之狀態或社會質樸情況的本質問題，並具有攸關人們生活方式的問題。我認為似乎已可大致確認的是，此一問題與指紋的具體運用實態之外，必須以極為人性的層次去探究該制度所具有的內容，而努力解決此問題。

大沼：指紋的議題，我試著傾聽在日韓國・朝鮮人實際拒絕按捺的經驗及各種生活史後，在入國管理議題被熱烈討論時，使用了「國內殖民地」一詞。也就是說，日本戰敗後雖放棄海外的殖民地，但是仍然未清算殖民地主義式的思考。在此一意義上，在日外國人問題雖具有一般的要素，但可說是過去的殖民地統治的現在式型態，所以確實存在「國內殖民地」問題的一面。我認為關於指紋的問題，不僅是一般的、普遍的外國人法制問題，同時也是在日本社會中，刻印前述歷史意義的問題，似乎有必要如此掌握！

本文原刊於《戦後責任》第3號，東京：アジアにたいする戦後責任を考える会，1985年夏季號，頁2～19

我的國家與日本
——透過異文化接觸的所學所思座談會

◎ 劉淑如譯

主辦：立教大學・豐島區教育委員會

時間：1985年6月29日

與會：那法・亞伯德爾薩馬德（立教大學大學院地理學專攻・斯里蘭卡）

丁果（立教大學大學院史學專攻・中國）

葛蕾妮斯・珊特娜（立教大學大學院觀光學專攻・澳洲）

趙漢喆（立教大學大學院觀光學專攻・韓國）

蘇珊・葛莉絲瓦德（立教大學大學院日本文學專攻・美國）

主持：戴國煇（立教大學史學科教授）

戴國煇（以下簡稱戴）：我是台灣留學生的老前輩。其實，今年我待在日本就要滿30年了；同時，我曾經在亞洲經濟研究所工作，或許因為這樣的關係，所以今天我才會受邀擔任主持人這個重任。

接下來就來談談留學。所謂留學，其實就是在別的國家學習，在某個意義上，它帶有發現他者進而發現自己，並在如此的反覆之下，加深對自我的認識或鍛鍊自我，使自我成長的性質。

同時，我個人也認為各位日本朋友擅於向他人學習，或者借鑑他人砥礪自我，日本人的各位向來就是這樣善加反省，是很優秀的民族。

就這個意義來說，今天除了要請來到立教大學的各位留學生暢所欲言之外，也要請大家主要針對日本具有批判性的，或者務必要讓日本朋友了解的事情來發言，盡量不要說一些好聽的話，這樣對彼此都好。

本來或許應該是女士優先，不過基於「有朋自遠方來，不亦樂乎」的道理，我們就先請斯里蘭卡的那法・亞伯德爾薩馬德同學來談一談，您為什麼會選擇日本做為留學國家？又為什麼選擇了立教大學？也請您順便自我介紹。

為何選擇日本做為留學國家？又為何選擇立教大學？

那法・亞伯德爾薩馬德（以下簡稱那法）：約20年前起，斯里蘭卡就有人來日本留學了。我在大學任職時，當時舉辦了各國的大學入學考試，於是我就考慮爭取政府的公費出國留學。這次在328人中，有6人被選上，就這樣，每年約有16人進入日本的各大學。

前來日本之前，我以為使用英語應沒問題，但來到日本之後，從去年〔1984〕4月起我就進入大阪外語大，約學了半年的日語，我立刻了解到以日語學習是很辛苦的。後來我覺得要是不拚命努力的話，就沒辦法讀書，所以一直很努力。

現在我已經進入立教大學研究所讀一年級，主修地理。說到地理，有世界地理，也有日本地理等，而我選的是都市地理這個特別的領域。為什麼我會選擇這個領域呢？因為在比較日本和斯里蘭卡之後我發現，由於日本是很早就開始進行都市發展的國家，因此它的都市都很有意思，也因此我才會想要做這方面的研究。未來我也會繼續努力，請各位多多指教。

戴：接下來請澳洲來的葛蕾妮斯・珊特娜同學發言。我聽說葛蕾妮斯同學第一次來到日本是九歲時，是嗎？

葛蕾妮斯・珊特娜（以下簡稱葛蕾妮斯）：我在東京已經住了一年半左右，目前在立教念書。我在澳洲的大學修過日文、經濟學和德文，畢業之後曾在旅遊業界工作。當時我得知立教大學這所學校，心想我一定到那裡念書。我目前尤其是在研究日本人對澳洲的印象。我修的是碩士課程，預定還要在日本念兩年書。

我和家人是在1970年舉辦萬國博覽會時來日本旅遊。我從小就對日文和日本感興趣，所以高中和大學時都學過日語。

大學畢業後，我曾經來日本短期住在日本人家庭裡，大約住了兩個月，因為這個經驗非常愉快，所以我就想來留學念書。回國之後，我隨即申請獎學金前來。

至於為什麼會來立教？因為我對觀光學很有興趣。不過，由於我們國家的大學並沒有開設這種講座，而立教在這方面很有名，它的觀光講座和觀光學系有悠久的歷史，許多老師們很了不起，對觀光學很有研究，我在這裡念得很有興趣，也很愉快。

我覺得立教大學的校園很美，與澳洲的大學比起來較小，不過與東京其他的大學相較，我覺得是很美的地方。我現在正努力學習日文和觀光學，請大家多多指教。

戴：接下來是來自美國的蘇珊・葛莉絲瓦德同學。蘇珊同學主修江戶文學。

蘇珊・葛莉絲瓦德（以下簡稱蘇珊）：我叫蘇珊，來自美國芝加哥大學的研究所，我正在芝加哥大學的東洋學部攻讀江戶文學。我之所以對江戶文學有興趣，理由是因為現代文學或古典、《源氏物語》有很多人在研究，但像江戶文學的戲作*之類的東西則不太有人接觸，所以我就產生了興趣。

我會選擇立教大學，是因為這裡有前田愛老師這麼一位在美國也受到極高評價的老師，他曾經短暫來過芝加哥大學，我因為想隨這位老師學習，於是前來就讀，請大家多多指教。

戴：果然是主修江戶文學的，日語講得真是好，不過我想是蘇珊同學的用心之故。聽到蘇珊同學這麼流利的日語，我想我們這些東亞人是不是應該自我反省一下呢？雖然我們努力在學英語，卻不太會講英語。

接下來麻煩來自中國上海的丁果同學。

丁果（以下簡稱丁）：我叫丁果，是去年十月從上海來的。我來日本之前，曾經在上海師範大學歷史學系當過助教，目前專攻東洋史，指導教授是戴老師。

我很早就對日本及日本的歷史感興趣，加上立教有戴老師及其他許多造詣很深的老師，所以就來到這裡念書，還請大家多多

---

* 江戶時代中期以降發達的俗文學、通俗小說，內容是滑稽、人情勸善等。

指教。

戴：接著，要請從鄰國韓國來的趙漢喆同學自我介紹。

我待在日本快三十年，其實一直都在觀察東亞的各種關係，在這個過程中，我發現非常近的國家實際上彼此心中卻是最遙遠的國家，當然那也是由於過去曾有過一段非常不幸的歷史之故。而東亞人彼此要如何去跨越這個歷史，這將是我們今天或明天的重大課題。

在此意義下，趙同學選擇了日本做為留學國家，現在又在立教大學念書，其中的心情請您坦白告訴我們。然後，談談我們要以什麼樣的形式才能建立起一個豐富且明朗的關係。請您自我介紹時順便談談好嗎？

趙漢喆（以下簡稱趙）：大家好，我來自韓國，名字叫做趙漢喆。剛才戴老師介紹說我的國家是離日本最近也是最遠的國家，不過我卻不這麼認為，因為我認為我的國家離日本非常非常的近。因此，雖然剛剛戴老師似乎對於我的發言有所期待，但我想今天我就把平時的想法告訴大家。

我之前在韓國的韓國外國語大學主修日文，因為從高中時代起，我就對日本有興趣。由於日本離韓國最近，兩者在歷史上也有著深厚的關係，所以才會想要學與日本有關的東西。

在進入立教之前，我也曾經在觀光的相關企業工作過一段時間，後來因為想一邊做些實務，一邊學些理論的東西，所以就帶著這個目標來到立教。尤其立教設有觀光學系，也有名師，而又想了解人為什麼要觀光，或者觀光所帶來的社會性影響等。目前已經修完碩士課程，在攻讀博士課程，請大家多多指教。

戴：謝謝，趙同學這一番話讓我很高興，像趙同學就沒有必要用我所想的那種形式來超越。剛才我聽到他是在一張白紙的狀況下，而不是在把自己劃地自限在歷史性的狀況下來到我們立教大學讀書，所以這份高興的感覺，我想和大家一起分享。

接著，我們談談留學生的生活。留學生的生活就如同各位在大學校園中的生活一樣令人難忘，而這到底也要感謝豐島區內居民對我們立教大學的善意和支持，所以大家才能夠在這裡學習。在這個意義下，我想請教蘇珊同學一件事，在妳美國的母校芝加哥大學和芝加哥這個城市，以及來到立教之後所看到的立教校園和豐島區池袋這樣的環境中，對此有什麼看法？或者有沒有什麼特別在生活上感到有趣或困擾的事？請談一談。

自己國家與日本的不同之處

蘇珊：芝加哥是美國三大都市之一，是一個大城市。東京也一樣是大城市，所以說起來應該有很多的共通點才是。當然像高樓大廈、大馬路或人潮眾多這點都是一樣的，但是我覺得這兩個城市性格互異，彼此並不相同。校園本身也是一樣，因為芝加哥大學比較小，而立教大學與其他美國的州立等大學比起來也較小，所以照理說應該是有相同點才是，不過還是有不同之處。

芝加哥大學可能是因為80％是研究所學生的關係，所以並沒有什麼「玩樂」，尤其芝加哥的氣候很不好，夏天很熱，冬天很冷，學生於是就傻傻地變成書呆子。來到日本之後，看到立教的校園，發現大家都開開心心地穿著漂亮的衣服，進到咖啡店裡也都談一些很有趣的事，又注意大家在看漫畫，我心裡就想，「這和我們不一樣」，於是我才有點了解到「玩樂」這種東西的觀念。因為我主要是在研究江戶文學及戲作，因此似乎能夠以現代的眼光去感受到所謂「玩樂」的有趣。

戴：以斯里蘭卡來說，就我所知，其國內過去也曾經發生過因為語言所造成的流血暴動。以日本來說，除了愛奴或沖繩的朋友之外，幾乎全國的方言都很類似，語言上也都能溝通。就這個意義來說，你來到日本之後，有關文化的發現有沒有一些特別的看法？如果有的話，請告訴我們。

那法：在文化上，與斯里蘭卡的國語比較後，我發現它與日文的文法好像很類似，所以斯里蘭卡的國語與這裡的語言也有相同之處。例如日語中的「あのね」，斯里蘭卡也是用在同一個意思。還有，「ない」有時也是表示相同的意思。當這種現象存在時，語言就會發生很多有趣的事。還有，也有在日語中是好的意思，但在斯里蘭卡語卻相反，因而有時也會令人驚訝。

說到語言在斯里蘭卡和日本之間有什麼文化上的關係，東京是一個玩樂的場所，還有就是日本人是如何變強大的這一點，在我們那裡的音樂中都有提到。一想到我們那邊不只對日本的語言，對日本的文化也是從以前就高度關心，覺得很有趣。

戴：不只是國與國之間的不同，自己國家內部文化差異的問題現在也成了全球性的問題。在這個意義下，以日本來說，應該說是幸運吧！它是屬於比較單一性的文化，這在世界上也是很罕見的，是相當特殊的國家。其中，稍微不一樣的是北海道的和人與愛奴人之間的關係。因此，我個人經常說，同時也認為日本必須先認清這個關係，這麼一來，它就會成為國內在思考國際性的問題或者日本人的國際化有益素材之一。

在這個意義上，我想請教澳洲的葛蕾妮斯同學，以澳洲來說，因為也是白人從歐洲移民過來，他們和所謂aborigine的澳洲原住民，也就是少數民族之間的問題，現在是以何種方式致力於相互間的融合或文化的相互理解？目前是處於什麼樣的狀態，又是以什麼樣的方式處理那些問題呢？如果知道的話，是不是能和日本朋友們分享一下？

葛蕾妮斯：這是我第一次介紹澳洲。澳洲雖然和日本一樣是島國，卻沒有什麼相似點，在文化上及人口方面都很不一樣，例如澳洲的人口有1,500萬人，與東京白天的人數幾乎一樣。

除了這點不一樣之外，在生活方面，東京的生活總是給人很侷促的感覺，到處都擠滿了人；而澳洲在地圖上雖然領土很遼闊，但其人口的80％住在四個都市，沙漠地區沒有人住，所以都市人口密度相當高。

原住民方面，我並不是很了解，不過他們幾乎都住在北邊，例如昆士蘭州或者北部地區。因為過去也發生過問題，所以政府也考慮訂定教育或健康的計畫，不過倒是沒怎麼在推動。學校方面以前都只教英文，但現在考慮到原住民（aborigine），所以也開始教母語。我認為這很重要，為了不讓文化消失，這是必要的。原住民也漸漸融入白人社會，工作上雖然有一點歧視，不過我想這種問題會慢慢消失吧！

至於校園或大學的問題，當然，因為澳洲很寬廣，所以校園也非常大，我出身的大學約有36,000人，校園的大小為立教的20

倍，非常漂亮，因為空間很大，所以生活起來很舒服。

要進去澳洲的大學我想沒那麼難，不過要畢業就難了。日本的入學考試很辛苦，而那邊若不拚命讀三年，就無法畢業。

那邊並沒有私立大學，都是國公立大學，所以學費都是免費的，這一點我覺得很好，但是日本的學費很貴，所以我的父母親都覺得負擔很重。

戴：剛才葛蕾妮斯同學的話稍微有提到一個國家中的優秀民族或者優秀文化，以及少數民族、少數人團體的文化問題，不知道朝鮮半島為什麼會沒有少數民族的存在呢？這一點我感到非常的驚訝。一般來說，任何國家都會有少數民族的存在，以第三世界而言，它尤其會因為牽涉到國家統一的問題而成為問題，然而韓國卻沒有。

就這個意義來說，我想請趙同學講一下日本和韓國在文化上的相似點及不同點，並請趙同學告訴大家，你來到日本之後，對於日本的文化、日本的社會或日本人生活的一些特別感觸。

趙：我自己現在也在思考很多事情，同時也想要在研究上分析這些，至於要怎麼去分析，我也還在煩惱。韓國距離日本最近，文化上也幾乎是屬於同一個型態的文化圈，像語言就是，還有很多儒教及宗教的背景等。

不過，我也知道有很多不同之處。只不過雖然知道，卻很難區別究竟哪裡不一樣。我剛來日本時，感覺眼前所浮現的很明顯地與韓國不同，但在這裡生活久了，我發現好像也不是之前所想的那樣。

從這一點來思考的話，所謂文化，和生活方式或住在該地的人的思考方式及價值觀等都有很大的關係。我覺得日本的文化存在著無法概括為一的多樣性。

韓國和日本幾乎都是同一個民族而無少數民族。約略比較一下的話，韓國是大陸延伸出來的半島，在這種狀況下，它擁有受到許多外敵入侵的歷史背景。以日本來說，雖然同一個島上也曾經紛紛擾擾過，卻有著潛在的同一性。從這一點看來，我認為日本有一個面相是在以前群雄割據爭霸的過程中，武士文化的色彩愈來愈濃厚。

韓國則是一直處於各種狀況中，從來沒有擁有強大的武力。因此，我想可看出其文化特徵主要是在「文」而非「武」。由此看來，我認為韓國是偏向於「文」的方面，柔軟而具多樣性。

我認為日本因在某一方面是由「武」支配著社會的實情，所以常很有效率或很整齊劃一地被規格化。因此我感覺人們的想法也幾乎被規格化了，語言、詞序等都是一樣。現在如果發生事件，韓國就會出現各種議論，但日本則自然地會朝向同一個方向去討論。

我常常在想這究竟是怎麼一回事呢？如此地被規格化，等於將人與生俱有的東西，在家庭教育或職場上再一次以社會性的規範重做一遍。感覺上大家都奔向同一個方向。這個部分很難分析，我也沒有辦法做出結論，還有很多研究的空間，我自己也在做，所以是不是請老師們或者各位日本朋友們不吝賜教呢？

戴：接著，請來自上海的丁同學談談。聽說丁同學是文革後的一代，文革過後完成大學學業，當時才二十多歲，擔任大學老師之後才來到立教。

上海和東京同樣都是世界性的大都市，同時，我們感興趣的是，上海在革命之前是國際性的港口，也是一個隨著國際化而頹廢的開放社會，但是社會主義中國建立後，就變得很封閉，相當禁欲。從這一點來看，丁同學是私費留學的，請你談一談，也順便比較一下上海和東京的生活，以及中國大學生的讀書方法與立教大學學生的讀書、玩樂方式等。

丁：上海雖然是亞洲第一個大都市，但現在和東京比較起來，感覺上卻落後許多。我是在上海出生長大的，所以我想就從這方面來談談對東京的印象等。

首先，東京的物價非常高。例如上海的房租是三元人民幣，換算成日圓約三百圓，非常便宜。另一點是在日本從事服務業的人，服務態度都非常親切、非常好，這方面中國就不行。對重視禮儀傳統的中國人來說，一定要反省。第三點是日本的中國料理店多到令人吃驚，影響日本人的飲食生活很大。不知道是誰說的：「中國用一雙筷子就和平征服全世界了。」這句話我來到東京之後終於了解了。

不過日本的中國料理風味我倒是想抱怨一下，我覺得它的日本風格非常強烈。當然，日本人將外來文化變成自己的東西的能力很強，不過我認為料理等最好還是保持它原來的風味。

戴：美國有名的大學幾乎都是私立的。像哈佛大學、哥倫比亞大學、芝加哥大學都是私立的，不過其實它們的圖書館都開放給大學附近的一般市民，這一點我是透過實際的生活體驗到的，我覺得這種營運方式很好。

日本因為人口密度相當高，所以大學圖書館要開放給市民或許有困難，不過我認為這個問題值得討論。剛才蘇珊同學說芝加哥大學完全沒有玩樂，不過前田愛老師是知道很多玩樂的文學研究者，所以聽說他聽完蘇珊同學講的話，就放心了。在這個意義上，在美國一個是研究所的作法，另一個是大學圖書館與市民的關係，這兩點各位日本朋友如果有什麼建議的話，請提出來。

蘇珊：不論我去國會圖書館，或者這邊的大學圖書館，最先感受到的都是椅子很難坐。像芝加哥大學等都有靠桌子的正襟危坐椅子，累了也有類似沙發的坐位，時常有人在那裡睡覺。這邊的椅子有一個問題是會讓人腰痛，沒辦法在圖書館待很久。

大學的圖書館我只知道立教的，也就是一般人並不會來，這可能因為它是大學的關係。不過像芝加哥大學，附近的居民都會利用它來查閱。

就這個意義來說，當然因為東京人口非常多，所以可能會有困難，不過我認為不妨較為開放的方式去經營圖書館。

珍惜傳統文化與自然

戴：我想問一下葛蕾妮斯同學，例如像澳洲，我們在看電視或電影時都會發現它是充滿綠意的、很棒的國家，日本現在也維持綠意盎然，且綠化運動的推廣也很興盛。從這個意義來看，葛蕾妮斯同學在九歲的少女時所看到的日本，與現在所看到的日本，有沒有什麼不同的感想？

葛蕾妮斯：我不太記得九歲來的時候的事了，不過我對日本的印象是很大、很熱鬧。我們去萬國博覽會時，人潮一下子很多，人擠人的，因各個國家的遊客都集中在同一個處所，所以很有意思。

最初到銀座或者到有名的觀光地時，我非常驚訝，因為不管走到哪裡人都很多，尤其當時我還是小孩，所以這些事情記得很清楚。

這12年來，日本變很多，人口當然也增加了，不過，似乎不太珍惜傳統文化。今年是國際青年年，我認為大家不要只是想國際的事，自己國家的事最好也要重視。例如現在的年輕人都不太了解歌舞伎或茶道，而我認為傳統文化是很棒的東西。

澳洲是一個年輕的國家，不太有這種傳統的東西，所以我看到日本就覺得很棒，因為我們沒有歌舞伎、和服或茶道這種傳統文化，所以有點羨慕，這一點希望大家予以關心。

戴：從韓國來的趙同學目前也在觀光學系進行研究，當我還是農學部的學生時，話題總是圍繞在日本、台灣與韓國的農業和農村的相互比較上去思考問題。當時因朝鮮半島非常寒冷，農民們砍下山上的樹木〔譯註：為了取暖〕，不知不覺使得自然遭受破壞，洪水等災害相繼發生，最後破壞了生態系，於是朝鮮半島的農業生產力的水準就陷入難以提升的惡性循環當中。

這個情況現在變得如何了？再者，關於觀光，尤其以韓國最近幾年的高度成長及工業化的速度來說，當然我想其中也有公害問題以及其他各種問題吧。

趙：剛才戴老師提到自然遭到破壞的問題，韓國和日本非常相似的一點是國土狹小，人口相對來說都過多了。當然我想在某個程度上是有破壞生態系，就像戴老師所說的，那裡的山很禿，有的地方很殺風景。

不過日本的殖民地時代結束後，國內的各種狀況都安定了，距離現在約三十年前起，就開始近代化了。近代化的政策，加上種種努力，且大家也都投入很多的心力在山上植樹，所以現在變得很好。當然在氣候上，以及因屬於岩石多的土壤，並不是適合樹木生長的狀況，不過綠意已經增加了。

隨著近代化，當然也出現了各種公害問題，雖然公害有一個要素就是愈延誤就愈難恢復，不過現在因大致在經濟發展及生活的提升方面投入非常多心力，所以還沒有餘力去考慮，特別是從大約1970年代後半起，大家對公害或自然的關心程度愈來愈高，所以各種對策或研究都很興盛。

第一次從韓國來到日本的人，對日本的印象就是綠意非常多。例如若到日光地區，就會非常羨慕高速公路兩旁盎然的綠意。當然日本好像也有人批判與歐美各國尤其是與歐洲相較，日本的綠意非常少，不過如果韓國在這個部分也能向日本多學習，尤其日本的人口密度雖然高，但很多事情卻能夠很有效率去完成，所以韓國如果能夠把這些學起來，進而去推動對策，我想是很好的。

戴：接著，是斯里蘭卡的那法同學。那法同學是伊斯蘭教徒。我們立教大學是聖公會的教會學校，而我是非基督徒，卻能忝列教授的末座，從這個意義來說，我想應該可以說是聖公會的傳統或立教大學的包容吧！那法同學雖然是伊斯蘭教徒，卻來到教會學校的基督教立教大學求學，不知道在這裡關於宗教生活方面有沒有什麼感到不相容的地方？或者有沒有特別的感想？

另外，以伊斯蘭教徒來說，應該會有飲食生活方面的問題才是，不知道有沒有因為這種問題而造成在日本生活上的不便？或者有沒有透過飲食生活，看到日本文化與你國家的文化之不同？或者有沒有什麼特別在意的事或新發現？有的話，請告訴我們。

宗教與實際生活的關係

那法：我覺得這個問題真的很有趣。我是伊斯蘭教徒，進入立教時，我看到寫著聖保羅大學，不過以日本來說，對宗教的看法，在我來到日本之後很快就了解了。我了解到日本的象徵意味大於其實質性宗教。斯里蘭卡也是佛教國家，日本也是佛教國家，但如果拿斯里蘭卡和日本相較，就會發現彼此很不一樣，不一樣之處，就在於信仰的虔誠度。

我剛來日本時，飲食是最大的問題。例如我不能吃豬肉，但我認為日本的食物中最多的就是豬肉。不過，大概過了一兩個禮拜，這個問題就解決了，因為除了肉之外，還有很多食物。現在我已經習慣了，沒有感到困擾。

立教大學雖然是基督教大學，不過並不是大家都會去教會，我認為是不太具有宗教上的關係。

在我們那邊也是一樣，雖然我是伊斯蘭教徒，但是大學和宗教並無關係。斯里蘭卡有六所大學，雖然如此，各種宗教的人都能入學和畢業。我想立教也一樣，所以並沒有問題。

剛才老師談到宗教，斯里蘭卡在文化上、社會上都有很嚴格的地方，就像現在大家在報紙或電視所看到的，它有種種集團的問題，這在十年前就已經開始慢慢演變成問題，現在則是處於最嚴重的狀態。宗教集團若彼此不了解而有了誤解，就會產生種種問題，這不只是斯里蘭卡，全世界各國都一樣。

日本的伊斯蘭教會有兩個，一個在神戶，一個在東京的代代木。日本的伊斯蘭教徒人數大約有八千人。為什麼沒有逐漸增加呢？我想是因為有各種問題，像是文化上的問題，或者用餐的問題等均是。

為何日本會引發貿易摩擦？

戴：日本現在是世界上的經濟大國，尤其是這幾年，貿易摩擦的問題不斷地被大肆渲染。當我們用現象來看待經濟摩擦或貿易摩擦的問題時，就可以用商品的國際競爭力或貿易的不平衡等各種形式來討論，但我認為實際上無論如何，其背後還是存在著文化的不同、想法的不同，以及心理的問題。

在這個意義下，現在貿易摩擦最有問題的是在日、美之間。所幸蘇珊同學似乎很了解日本，尤其是與文化或心理問題相關的部分，妳是否認為日美貿易摩擦的問題用這種解讀方式也是可行的呢？如果有的話，請告訴大家。

蘇珊：我是去年11月來到東京，我最先感受到的就是日本這個國家真富裕。當時我幾乎覺得，如果金子是寶物的話，那麼這邊不就是一個遍地黃金的世界？

尤其我所屬的芝加哥大學周遭是一個甜甜圈型的貧民窟街，所以存在著貧富差距。來到日本之後，我發現整個日本幾乎都相當富裕。學生以及一般人都穿很好的衣服。

我在美國念大學時，曾經在日本的旅行社打過工，當時如果有日本人來美國旅行，一定會帶很多現金。總之，日本人很有錢，我想這一點全世界都知道。

從生活上及文化上來看，美國是採週休二日制，工作從早上八點到下午五點，五點一到就完全忘記工作，回到家裡享樂。到了週末，他們完全不會想到工作，而是盡情玩樂或享受假期。

不過，來到日本讓我嚇一跳的是，在搭晚上11時左右的末班電車時，發現有很多上班族喝酒喝到快要吐，於是我心裡便想，為什麼非得搞到這個地步呢？問朋友，朋友說那是公司的應酬，表示他們對工作非常專心，但這真的對身體或健康沒有危害嗎？

在這方面，我認為不要光想到經濟上的東西，可以稍微想想健康和享樂的事。因為我看到大學生們而學到玩樂這件事，所以相反地希望日本的社會人士能夠學著渡假放鬆。

雖然日本也很努力，但可能因此對健康或生活方面等產生不好的影響吧！如果晚上11時或12時丈夫還不回家的話，難道不會發生家庭問題嗎？日本人是不是可以思考一下這方面？

戴：日本的社會也有很緊張的一面，像我常常都是11時左右回家，喝酒其實有時也是為了消除壓力，所以這一點希望妳能夠理解。

這姑且就不提了。比日本還辛勤工作，目前正緊追日本之後的是韓國。最近好像是《朝日新聞》經濟欄裡的報導吧！它提到韓國的小型車已經超越日本的本田，且在美國市場的占有率也不斷提升。

從這個意義來看，趙同學您對韓國最近的工作方式與剛才蘇珊同學所提到的那方面相比較，有沒有什麼看法？

趙：剛才老師好像認為韓國產業的發達超越了日本，不過我認為並沒有這回事。要說明這一點會花很多時間，所以與其討論這件事本身，不如談一下它的基本想法。

我認為因為日本很尊重效率，因此推動社會的基本的價值觀成了以工作為中心。剛才蘇珊同學講得很好，不過，為了工作而犧牲自己的家庭和自己本身也無所謂，或者工作本身就是一種興趣的這種想法，我想全世界走到哪裡都不太會有。

想想工作不就是為了利益？不就是會有得有失？所以我們也只能這樣去思考所有的事情。例如經濟問題確實也是存在，而每個人也都努力地工作，以提升自己的生活水準，這非常好，但如果工作本身變成了目的是非常奇怪的。到後來人就會問自己，究竟是為了什麼而工作？

在這方面，韓國人現在也都設法努力工作，以期盼生活變好，不過大家也經常玩樂。請各位想起烤肉之類的畫面，吃得多，工作時自然會工作；回到家裡也會和家人享受生活。

有關文化上的事情，來到日本後令我感到不可思議的是雖然人與人之間都非常親切，彼此也都為對方著想、互相珍惜，但感覺上好像有什麼局限，也就是說為別人著想或親切，這些說穿了都是為了工作，一旦離開工作，好像就不是那麼一回事了。所以我認為日本的想法或邏輯本身似乎都是以工作為中心吧！

因此，雖然日本有一些貿易摩擦等，與韓國之間也出現種種問題，但彼此所主張的立場不同。若從韓國的立場來看，日本既擁有比韓國更好的技術，又是經濟大國，所以我主張日本不妨考慮把自己所擁有的東西分一些給韓國。不過，日本方面很多人都認為日本很努力才走到今天，所以無法馬上讓渡給韓國。

若根據這種邏輯，我想即使在國際關係上也無法進行真正的國際交流或合作，而如果永遠都只是從工作上的得失關係來衡量的話，那麼就什麼也無法成立。我想它的邏輯就是如果大家都這樣做的話，強者會活下來，而弱者就會被拋在後面。

在這方面，我認為不要只是執著於自己的想法，有時不妨也聽聽別人的意見，抱持更開放的想法。養育小孩時，我們也都會向小孩說，不能老是給人添麻煩。我們總是在想一些謹守自己分際的事，總是教小孩這些，而如果只是這樣的話，真正人性化的人就出不來了。以上是我想到的文化方面的東西所做的報告。

戴：哈佛大學的知名教授，也是美國前駐日大使賴世和（E. O. Reischauer）曾經說過，就算長期和日本人相處，也很難打進他們的世界，這一點就表現在日本人都不好意思直呼外國人的名字（first name）上。就這個意義來說，例如我要請教一下少女時期就來過日本，到現在和日本都還保持著關係的澳洲的葛蕾妮斯同學，日本的國際化落後嗎？還是不會？或者說要怎麼做才能讓日本人的心胸更開放一些？這方面妳是不是能發表一些意見？我們會很感謝的。

葛蕾妮斯：剛才我已經說過了，在日本的日常生活中，大家似乎常想到國際交流的事，但其中存在著各種問題，例如我們閱讀報紙時可以發現，它所指的國際印象幾乎都是指美國，其他國家幾乎都沒有報導，這一點我的留學生朋友很不滿。美國的新聞當然很重要，但歐洲也有重要的問題，卻總是以偌小的篇幅帶過，記者滿腦子只有美國。

世界上有很多國家吧！有關澳洲的新聞都是體育新聞，此外完全無法聽得到澳洲的事情。還有澳洲總理來訪時，新聞雖有報導，但他一回去馬上就沒有澳洲的相關新聞了。

我認為日本如果要國際化的話，最好考慮到各個國家。當然美國和日本的關係很親密，但以澳洲來說，日本是澳洲最重要的貿易國，最近雙方的關係也愈來愈密切，因此我認為日本最好也要為澳洲設想一下。

我來日本尋找出租公寓時，因為我是公費留學生，而且又是外國人，所以就發生一些問題，我聽說也有很多留學生的朋友遇到相同的問題。理由是什麼我不清楚，不過之前我並不覺得日本排外，但租房子時才發現原來不是這麼一回事。之前我來旅行時玩得很高興，住在旅館中，並沒有想到日常生活的事，但實際到這裡生活才發現有些事情令我很苦惱。

例如坐電車時常聽到有人說我是「外國人」，如果對方是小孩的話或許沒有什麼惡意，但如果一聽到有男生說我「好高大啊」，就覺得自己這個老外好像是從巨人國來的龐然大物。

還有像成田機場寫著alien，在我們那邊，alien有從外星球來的意思，因為我是從澳洲來的，不是從外星球來的，所以就感到很驚訝，而聽說有一些來日本旅行的人也有同樣的感覺。

在日常生活中，大家都很親切，但如果搭山手線，情況就有點不一樣了。要是在尖峰時間的話，因為大家都趕時間，所以很辛苦，這種對比我有點不能理解，也就是說像我如果要去學茶道或日本舞蹈，要在早上九點左右搭電車時，我就會覺得這是同一個國家嗎？

戴：日本與中國的關係有相當長的歷史，進入近代以後，不幸的歷史一直延續到1972年，中日邦交才終於恢復，但台灣的問題仍然懸而未決，那段期間大約發生兩次所謂的中國熱，最近在中國貿易的新熱潮中，也出現各種動向。

從這個意義來看，中日關係尤其是經濟貿易關係，目前恐怕是有史以來最大的，同時也是最好的。在這個良好的關係中，尤其丁同學目前正在研究歷史，特別是中日關係史，也就是說丁同學您是帶著要如何汲取中日關係的歷史教訓，以便有助於相互間新發展的問題意識來到立教的，因此，從這個角度來看，有沒有什麼感想？有的話請談一談。

丁：如果要談中日關係，當然中國與日本有長期交流的歷史，而且明治維新以後也有一段日本不斷侵略中國的不幸歷史，不過現在中日關係是處在一個非常好的時代，這是可喜的事。但問題是日本人，尤其是日本的年輕人是站在什麼樣的立場，或者說他們會從哪個角度去思考中日友好的現象呢？在思考這個問題時我們會發現，它還是存在著很多需要反省的重要問題。

當然現在中日友好的一個重要的內容是經濟交流，這個經濟交流雖然對兩國的發展都具有極重要的意義，不過如果只是從經濟交流方面來思考中日友好，或者如果只把中國看成是日本能夠利用的一個大市場，我想將會產生問題。如果是這樣的話，不只視野會變狹隘，其發展將有可能會破壞一些中日關係。未來如何去思考中日關係？這是日本或中國雙方都必須思考的事。

若說我在這裡對日本人，尤其是日本的年輕人有什麼期待的話，那就是中日兩國的年輕人的心與心之間一定要交流。當然，兩國在文化、風俗、習慣等方面有很大的不同點，但兩國人民都想要追求和平及人類美好的未來。在這個前提下，如果我們能夠彼此理解到對方的內心深處，我想我們就可以正確地反省過去的歷史，也能夠期待有光明的未來。

對日本的期望

戴：最後請今天參加的各位留學生先簡單地談一下您對立教大學最期待的是什麼，然後再講您對豐島區的居民、日本人，以及對整個日本有什麼期待。首先先請蘇珊同學發言。

蘇珊：我想這個問題實在是太大了，沒辦法簡單地說，不過無論是立教大學也好，豐島區也好，東京也好，日本也好，我最期待的，就像丁同學所說的，希望大家在心靈上可以互相了解。

有關葛蕾妮斯同學所提到的差異，我想發表我的看法。前不久我搭山手線時聽到一對母子的對話，那個小孩因為想看外面而吵鬧，於是他的媽媽就向他說：「你這樣會被笑喔！」但同樣的狀況如果是發生在美國，美國的媽媽則是會說：「不可以，不要再吵鬧了！」我想美國的媽媽不會說因為會被笑，所以不要再胡鬧，而是會說：「因為這件事是不可以的，所以不要再吵鬧了！」我覺得日本的朋友很在意他人的眼光，意思就是我認為日本的朋友相當注意差異的存在。從這個意義來說，而此差異在某一個情況下已經變成一個很大的問題。

因此無論是待在日本的外國人，或者是在日本出生的混血兒，少數人的確是存在的。總之，我期待日本人能夠平等地去看待這些人，這就是我的希望。

當然不只日本，美國也是，哪裡都一樣，所以丁同學所說的心靈上的互相了解，我想未來年輕人尤其必須做到。當然不只是對別人期望而已，我也會盡我所能來協助這樣的交流。

戴：這些年來日本不但一直發展國際化，對留學生的接受和對應的方式也有進步。尤其我在美國待了一年之後回來，看到按捺指紋的問題受到日本的地方自治團體積極以各種形式提出反命題的情況，就覺得日本竟然已經進步成這樣了。雖然未來會變怎麼樣還不清楚，不過我個人的看法是，對於國際化的各種型態的看法，在一般百姓的身上也已經開始出現了。

在這個意義下，按捺指紋的問題現在正被放大成為在日韓國人・朝鮮人的問題，有關這一點，是不是請趙同學簡單談一談？應該可以提供大家做參考。

趙：首先，剛才戴老師說希望我們能講出一些期望，我對立教大學的期望是，目前立教大約有三十二位留學生，雖然這比我剛到立教時增加許多，不過我覺得還是很少。從日本的經濟力，或從日本在世界上應有的地位來看，我認為還是很少。我想說的是希望立教能夠增加留學生的名額，也希望立教能夠讓專門為留學生設置的獎學金制度能夠更加完備。

我對豐島區居民的希望是，基本上國際關係的基礎在於人際關係，要之，我認為其基本是人情，如果少了它，無論做什麼都沒有意義。

歷史方面我不想說，不過，像在日本的歷史中，各位都知道有關在日韓國人有各種問題，其中包括庫頁島的問題。當然或許日本也關心領土的問題，但現在還有幾十萬的韓國人留在那裡，留在那裡的人大多沒有國籍。

從日、韓的歷史狀況來看，日本在殖民地時代為了自己，將幾十萬的韓國人帶到庫頁島，隨著終戰，撤出的只有日本人。之後好像也有一些外交上的機會，不過對救出那些人或幫助那些人返回故鄉，日本的態度並不積極，我認為這是非常遺憾的事。

就像剛才老師說的，最近出現了一些按捺指紋的問題，老師說那是非常值得高興的事，當然我也那麼認為，只是我覺得太遲了，那並不是各位日本朋友共同的關心，而是只限於一部分通情達理的人。多數人關心的程度還是很淡薄，很多人都認為自己為什麼要知道！

要說個人意見的話，當然按捺指紋就是不講道理地歧視人，因此我反對。雖然我們在韓國的成長過程中沒有殖民地的體驗，不過從歷史上有學到也了解到很多，所以無法忘記，也認為這是不能忘記的，我想這一點日本人也一樣。不過我認為不要因此而使彼此的關係惡化，這是有必要的，而且也不能忘記或無視於這件事情的存在，尤其關於住在日本的在日韓國人・朝鮮人有很多的問題，而其中之一的象徵就是按捺指紋問題的出現。

因此，這種事的背後是存在著剛才我所提到的日本價值觀，若與之結合來說的話，雖然日本在工作方面的邏輯很強，在經濟上也表現很傑出，但我認為它的人情邏輯或想法就比不上。這樣的說法或許很失禮，但我還是要坦白說出來。

若從歷史上來看按捺指紋的問題，我認為對在日韓國人・朝鮮人來說，應該要立刻讓這個問題解決。關於此問題意識，我想從豊島區的居民範圍再擴大一些，也就是日本的朋友們應該要好好想一下，你們是基於什麼背景而出現這種問題？又是抱持著什麼問題性？同時你們也應該要關心、注意這件事，並想想該怎麼做才能解決接下來的問題。

至於其他的問題，我和韓國以及各國的留學生或學弟妹們談了很多，大家在租屋時都很辛苦，有好多次學弟妹們，尤其是女孩子來和我商量時都邊哭邊說：「該怎麼辦才好？」

要租屋到房屋仲介公司去大多能找到，但一旦說出自己是外國人、是韓國人，對方的臉色馬上就變了，不是說要有證明文件，就是以其他理由連忙回絕，而且不只一間，許多間都是這樣，其實我也有過這種經驗。想到這種問題，就覺得日本好像一直都在進行國際化，但有許多面相卻不是如此。因此，我認為日常生活中的國際化或國際交流，這些問題未來必須實際且具體地思考才行。

葛蕾妮斯：日本是很棒的國家，存在各種機會，既有東京那樣世界主義的都市，也有傳統的京都或奈良；有鄉下，也有漂亮的風景。在此我有一個請求，那就是我來到日本之後想法開闊許多，我認為不只是自己的國家，嘗試思考國際交流關係是很重要的。現在世界已經變小了，大家都會去旅行，也有聯歡和拓展想法的機會，所以請大家務必去嘗試。

丁：就如同大家所說的，日本的經濟目前非常進步，已經僅次於美國了，如此一來，全世界各地都可以看得到日本的工業製品，中國到處也都可以看到三洋或三菱等的產品。

從這一點來看，日本的確是國際化了，因應於此，我認為日本若也能真正有一顆國際化的心就好了。

怎麼說呢？因為日本與別的國家不同，從歷史來看的話，它一直是以一個「單一民族」發展到現在，而這也為日本民族帶來正面和負面的影響。負面之一是帶給日本民族的心理很大的影響。由於日本民族的排他性非常強，日本人非常不願意接受外國人，就像趙同學剛才也有提到的，按捺指紋的問題也是問題之一，而我想這與日本經濟大國的印象是很不相稱的。因此，若要用一句話說出我對日本的期望，那就是我希望日本以後能夠更具備國際化的心胸。

那法：我想講一下斯里蘭卡與豐島區居民之間可以進行什麼樣的國際交流。因為市民與我的見面機會非常少，所以如果可以的話，我想介紹一下斯里蘭卡與日本的雙方關係。

我聽說30年前立教大學建築物很少，附近有很多小店，環境很髒，但發展卻相當快。

以斯里蘭卡來說，因為有過殖民地的時代，所以存在著種種問題，無法那麼早就發展技術等各種經濟性的東西。

不過我想日本與斯里蘭卡的關係從明治時代就開始了，而且因為雙方都是佛教國家，所以在佛教方面，弘法僧侶也有往來。

其次說到貿易關係，據說斯里蘭卡從日本輸入了1,300億日圓的貨物，同時也輸出了270億日圓的貨物到日本。從日本輸入的，很多是汽車或電機製品類的科學性的東西。

距今10到20年前，當時還是殖民地時代，所以斯里蘭卡那時受到英國很大的影響。當時的想法是，汽車也好，什麼都好，只要是英國製的就是最好的，比其他國家的都好。這種想法逐漸改變，現在變成日本的東西非常多，只要說到汽車或者卡車，90％以上都是日本製的。

同樣的，電機製品98％左右也都是日本製的。國際關係方面，斯里蘭卡與日本現在都差不多，非常接近，也會輸入寶石、紅茶或蝦子等原物料產品。

貿易關係一旦如此緊密化，在經濟以外的方面，東西就會以各種形式進來，像我們那裡的醫院中最近代化的教學醫院就是日本建造的，而現在日本的公司把斯里蘭卡的國會議事堂也設計成日本寺廟的形狀，加上日本的電器技術之類的東西很多都進口了，所以互動逐漸增加。

但就算往來變頻繁，日本人還是會問我斯里蘭卡是紅茶國家嗎？或者斯里蘭卡是佛教國家嗎？

我的國家是一個島國。日本面積有37萬平方公里，而我們那裡大約是6萬平方公里，雖然只有日本的六分之一，不過現在的問題不在於大小，而是心與心，以及經濟與經濟的關係都持續加深中。

對於目前斯里蘭卡正展開類似戰爭的國內問題，因為日本是愛好和平的國家，所以日本這方面的影響也增加了，我認為最好的是大家對和平愈來愈感到興趣。

我希望能有互相對話的機會，以便促進這樣的理解，而如果有這種機會，我也會盡我所能，向豐島區的居民介紹或說明。

戴：各位都提出來非常具體的建議。台上的發言在此告一個

段落，感謝各位的合作。（拍手）

1985年6月29日採訪

本文原刊於《立教》第115號，東京：立教大学，1985年11月（秋季號），頁6～23

台灣經濟面臨轉型，應發揮「匠」的精神

國際知名的農經專家戴國煇教授，昨晚在演講會中指出，台灣的經濟正面臨了轉型，應該發揮「匠」的精神，揉合外來文化的精髓，發揚為自己的、有個性的本土文化，而且尊重文化及投資文化必須與經濟發展融合，如此才能產生真正的產業文化。

昨晚這項演講是本報舉辦「國家前途的發展」系列演講會的第四場。

戴國煇教授昨晚的講題「從日本、美國看台灣——品質管制與匠的精神」。

戴教授首先談到品質管制的問題，他指出，日本於1956年才從美國引進品質管制的經營概念，但是，短短的十年間，這套經營概念就在日本的企業生根，快速的配合他們的工業，使得日本的企業產品很快的征服了全世界的市場，這種精神是值得國內企業學習的。

戴教授指出，產品的品質管制如果不好，將很難在國際市場一爭長短，日本汽車在市場之所以受歡迎，就是品質管制良好。

他們的品質管制之所以良好，就是他們的勞動規律上了軌

道，講究制度。例如，他們的員工在觀念上一定會有一個共識，就是產品不好絕對不是老闆個人的事，而是員工和老闆所共有的責任。

戴國煇教授指出，日本企業員工的精神，就是所謂的「匠的精神」。日本企業產品之所以能在戰後短短的幾年中，就進軍國際市場，就是這種精神使然。

他指出，匠的精神是應該被重視的，在日本，全國上下都很重視匠的正面價值，但在國內，國人卻經常以匠來卑視一個人的職業和身分，如教書匠、木匠、泥水匠等，這就是工匠的負面價值。

戴國煇教授表示，匠的精神可以解釋為敬業的精神及維護職業尊嚴的精神，這種精神深植於日本企業員工的心中。但是，國人卻老是把這兩種精神，馬馬虎虎的看待，經常用錢就可以妥協，換取職業的尊嚴。

戴教授又指出，國內最近經常在提到尊重文化及投資文化，這種現象是很可喜的。

但是，他又指出，尊重文化與投資文化不必與經濟發展對立，兩方面應該是融合發展的，如此才能產生出真正的產業文化，把文化揉合在產業裡。

他指出，產業也是有文化的，例如一項企業產品的外銷，就必須考慮到外銷對象的民族文化、生活習性，甚至於氣候，進而配以最適合的顏色。

他表示，日本企業很重視產業文化，相對的，國內的企業在這方面就顯得粗糙一些了。

戴教授指出，強調日本產業進步並不代表日本樣樣優於我國，而是希望國內的企業能夠透過日本這一面鏡子，來照出自己的外貌，給自己找定位，然後回過頭來創造自己的路。

本文原刊於《民眾日報》，1986年1月5日，2版。原副題「戴國煇應邀發表專題演講時指出，文化經濟融合產生眞正產業文化」

台灣教育素質較差，留學生以留美爲榮

日本立教大學教授戴國煇昨晚在演講會中，談及台灣的教育與日本的教育比較時指出，台灣的教育在量不比日本差，但是質就差了一點，而且留學生傾向以留美為榮，日本大學生則會留在國內研究。

他指出，一位台大的學生畢業後，如果同時面臨「留在台大當助教」或「拿哈佛的獎學金到美國去留學」兩種選擇，那位學生一定會選擇到美國去留學。

但是，如果是一位東京大學的畢業生，他一定會選擇留在東京大學當助教，紮根研究。

戴教授還指出，國內留學生很重視學位，出國留學後，總是非常急著在兩三年內取得學位，但是，日本的留學生則不會去過分的重視學位，而會去重視研究的成果。

本文原刊於《民眾日報》，1986年1月5日，2版

輯二

透視日本・中國與亞洲

中國・亞洲的當前局勢

——東南亞・台灣海峽・朝鮮半島與日本座談會

◎ 劉淑如譯

時間：1986年4月22日

地點：日中經濟協會

與會：吉田實（朝日新聞社編輯委員）

若林正丈（東京大學教養學部副教授）

戴國煇（立教大學史學科教授）

面對緊張局勢緩和的亞洲

戴國煇（以下簡稱戴）：今天我們邀集了《朝日新聞》的前任亞洲總局長吉田先生，以及香港總領事館的專門調查員若林先生，請他們來談談日本與亞洲的關係，以及中國與亞洲的關係。

目前存在一個現實的問題，那就是未來幾年東亞的軸心將是日本和中國，而朝鮮半島問題也隨著亞洲大會、漢城奧運的話題而開始出現一些動向。吉田先生主要是觀察香港、新加坡、東南亞國協，前不久也前往中國大陸及印度，且回程也經過越南、菲律賓，還去了首爾。而若林先生之前也去了台灣和香港，所以就請發表一下您在香港、身歷其境的看法，或者中國大陸的四個現代化及未來關於台灣海峽雙方當局的策略等。首先，先請吉田先生談談，也麻煩您順便自我介紹。

吉田實（以下簡稱吉田）：從1982年的1月到今年〔1986〕2月下旬的四年多以來，我都在觀察亞洲的局勢，前半段是待在香港，後半段則主要是待在新加坡。我待在香港的1982到1984年期間，大家都在談論香港將來會變成什麼樣子，所以那段期間香港人可以說是受盡不安、動盪的折磨。

要說在那種動盪的局勢中採訪而心裡面沒有感到不安是騙人的，但我現在仍然可以明白地說，香港獨特的機能並不會輕易喪失。我一直認為，香港對未來的中國大陸，以及包括台灣在內的整個亞洲來說，是一個相當重要的地方，沒有一個國家，也沒有一個區域可以取代它，而這樣的想法即使經過實地採訪也沒有改變。

經過將近兩年的中英交涉的結果，香港承認了一國兩制，也就是說，處於社會主義中國一角的香港認同了資本主義制度，而雙方也達成在1997年主權回歸之後的50年，香港可以不改變其制度或生活樣式的共識。當時我人在新加坡，在中英協商前後，從韓國到香港，很多企業都動了起來，以政治方面來說，大使級的人物被送進韓國的香港總領事館，而北韓也出現了像是外務大臣或金正日前往鄰接香港的深圳經濟特區的動向。

台灣方面雖然宣稱不承認中英協商，但實際上仍然透過香港進行經濟貿易活動，可見做為一個交通運輸基地及情報活動基地，香港仍占有非常重要的位置。

就東南亞觀之。印尼和中國邦交凍結之後，於1986年7月再度開始相隔18年的直接貿易，同年9月李光耀總理訪中，11月馬來西亞總理馬哈迪訪中，中國與東南亞國協的關係已經朝著改善的方向轉變。其背景主要應該就是中國採取從政治的時代大幅轉變為經濟的時代的門戶開放政策吧！

相反的，想想印尼或馬來西亞的立場，除了第一級產業的產品和原油價格的下跌之外，加上美國國內的保護貿易主義的抬頭、日美貿易摩擦、日本的非關稅壁壘，所以我想他們是有為了解救燃眉之急的情況。

亞洲的情勢由於牽扯到美、蘇的糾纏變動，所以非常複雜，不過1980年代前半段已經結束的現在，當我們回顧第二次世界大戰後的亞洲整體的關係時，雖然緊張和緩和的局勢不斷地重複，但整體來說，是呈現趨向緩和的動向。

回程時我也去了越南、菲律賓、香港及首爾，儘管未來還是會發生很多波折，但我認為亞洲內部已經慢慢出現要求「對話」而非「對決」的趨勢。以上就是我在亞洲四年多實地採訪的大致情形。

戴：若林先生在戰後日本的學會中是非常特殊的例子，以台灣近代史為題目而取得學位，出版了包括譯著在內數冊關於台灣的書籍。還有，您經常去台灣，這次還被外務省派往香港觀察台灣，也由香港進入台灣觀察台灣的選舉。這方面也請您一起談一談。

若林正丈（以下簡稱若林）：我是去年一月到今年三月間，

以香港總領事館專門調查員的身分在香港停留。我去的時候，《中英聯合聲明》的正式簽署才剛完成，雙方批准的同時，基本法的制定也開始有了動靜。也就是說，我待在香港的這一年，正是以《中英聯合聲明》為基礎到1997年的架構構築開始的一年。

有關這一年來的動向，我的印象是剛去的時候，香港還處在《中英聯合聲明》進行得很順利，大家都很安心、很喜悅的狀態，因為剛開始時是這樣，所以一年後回顧起來，很多人已經開始擔心1997年一國兩制穩定下來之前，會不會因為中國政府的介入、干涉而帶來動盪。我要回國時，感受到很多人都有那種憂心。

剛才戴先生已經介紹過，我專攻的領域是台灣。過去我主要是透過報紙來觀察台灣的情勢及中台關係，也一直與香港的中國人的中國觀察者有一些討論。對台灣的國民黨政權而言，去年是非常艱苦的一年。當時，就在我要去香港之前，發生了那起江南事件，在確定國防部情報局長有涉案後，不只香港，也引發了海外華人系的大眾傳媒的大騷動。不久，台北的第十信用合作社爆發大規模的金融醜聞，另外，外電也不斷報導蔣經國的健康亮起紅燈的消息，因而引發許多負面的揣測。

經濟方面，從前年下半年起，受到美國景氣倒退的影響，輸出下降，經濟也變得相當惡化。另外，台灣因產業結構的高度化，於是將目標放在把輸出主力轉移到附加價值高的產品，但民間的投資意願則是一直處於低迷狀態，並且還因沒有改善的可能性而陷入困境。1984年秋天起，中國大陸擴大輸入的情況變得非常興盛，但另一方面也可以說很混亂，緊接著中國和亞洲各國的貿易愈來愈頻繁，在那樣的動向中，還發生了韓國強烈要求與中國大陸接觸，並強化其在香港的活動。

這是去年下半年才成為問題，即如果中國加盟亞洲開發銀行，屆時該如何因應，逐漸成為嚴重的問題。因此，我認為去年上半年對台灣當局來說，是一段非常艱苦的時期。

不過，春節過後不久，台灣就巧妙地讓這樣的衝擊緩和下來，或許也是由於際遇很好的關係，在經濟方面日圓急速升值，原油價格下滑，輸出因而比日本製品還要強勢，經濟也好轉起來。因此，從去年以來到今年，國民黨政權除了累積多年的問題需解決之外，也在稍微安心的情勢下度過這一年，這是我的印象。

在中台關係上最明顯的動向則是去年秋天以來，主要經由香港的大陸與台灣的間接貿易，以及與福建沿海的直接貿易急速增加，雖然我沒有辦法掌握確切的數字。

不過，中國因急速開始緊縮可說是瘋狂輸入的動向，所以台灣當局對從事大陸貿易的工商業者發出警告，大致也有它的道理，這是我的印象。

朝鮮半島目前的情勢

戴：剛才若林先生提到台灣的情況，以及韓國與中國大陸的動向，這方面吉田先生您有沒有什麼看法？您這次去了首爾。

吉田：今年二月下旬我回來時，到首爾待了三天左右，於是便有機會與韓國一位記者，言論界屈指可數的菁英談了一下。

那位記者說，首爾也是因世界經濟的倒退和美國保護主義的抬頭，使得去年下半年以前的經濟發展不順利。不過，他又說由於快速的日圓升值及石油價格的下跌，從去年年底到今年，情況已好轉了。

他還說南北對話雖然還是很困難，但是必須的，他認為對話的線路現在已經到了無法切斷的階段；同時他也表示，他一方面觀察亞洲大會、漢城奧運，一方面也非常重視與中國之間的關係。還有就是我本身強烈感覺到的是，我登上可以將首爾一覽無遺的「南山」，目前韓國的人口據說有4,000萬人，首爾則有1,000萬人，而且首爾相當的繁榮。當時我的印象是韓國，尤其首爾，它擁有太多應該失去的東西了。在這樣的狀態下，南邊恐怕不會也無法去發動戰爭了。

我去的時候，剛好中國的米格機逃亡到那裡，當時的首爾就像打翻蜂巢般地驚慌，因有報導指出是北韓的米格機飛來了，但當大家一聽說是中國的米格機逃亡過來，就鎮靜下來。當時我想，很微妙，首爾和北京在心理上的距離相當地接近。不過，在美、韓共同搞了一個「團隊精神'86」之後，北朝鮮的態度變得非常硬，而且中國也有絕對不能忽視與北韓的關係之處。

就在那前後，中國對外發言表示尚未決定要不要參加亞洲大會。我認為中國是會參加的，因此，在這個意義下，中國是相當重視「北方」的立場，對他們非常用心。

戴：現在中蘇關係已經緩和許多，而雷根政權與北京的關係與兩三年前相較，情況差很多，所以這也是我的推測，也就是從中國大陸逃亡過來的飛行員的處置方式恐怕……。國際關係常常是無情的，它應該是一種要如何將國家利益放在前面的策略吧！因此，在那樣的狀況下，韓國很清楚要如何把北京牽連進來，好讓亞洲大會和漢城奧運能夠成功。就某個意義來說，韓國也希望確立相對於「北方」的「優勢」。屆時韓國會不會以在「外交」面切割台灣的這種無情形式出手呢？對於國府台灣而言，韓國可是目前僅剩的少數維持著外交關係的經濟強勢國家。

若林：在從中國流亡到韓國的例子中，各位都知道去年三月發生一件中國的魚雷艇引發暴動，最後進入韓國領海的事件。不久，媒體報導說，有幾個海軍士兵因要求逃亡到台灣，於是發動叛亂，也因而失去控制。但後來馬上又有報導指出事情並非如此。結果，交涉很快就在香港由新華社和韓國的總領事館共同進行，最後海軍士兵被遣返中國。

魚雷艇事件發生時，儘管香港初期報導說那是一個要求逃亡到台灣的叛亂事件，但最後又說沒這回事，於是韓國政府便迅速將他們遣返回中國大陸。當時流傳一個看法是，這表示韓國並不是中國軍內部不滿分子逃亡到台灣的路徑。

但是，後來中國軍的練習機又飛到韓國，雖然駕駛表示是他自己逃亡過來的，但此時韓國很快依照國際慣例認定有逃亡的意思。魚雷艇事件的情況也是依照國際法的慣例處理，將其遣返大陸。如果說韓國被認定有政治意圖，那麼香港的消息靈通正可解釋，從其宣稱沒有逃亡意願這回事就可以看出。

因此，我認為這未必和首爾對北京的政治意圖有關。所以今年的流亡事件即使處理要耗費一些時間，應該也會依照國際慣例。

戴：就像剛才若林先生所說的，國府當局今年下半年的確由於日幣升值及石油價格下滑的關係，對美輸出增加，因此喘了一口氣。同時，觀察前不久召開的國民黨三中全會（3月29到31日在台北郊區舉行）可以發現，大家似乎都認為蔣經國的健康狀況比之前好轉，不過，不只是北京加盟亞洲開發銀行的問題，要以什麼樣的形式參加亞洲大會，甚至奧運？或者到底要不要參加？另一方面，如果北京參加了，會發生什麼狀況？至少我認為如果在那邊發生任何狀況的變化，以台灣來說，特別是在國際關係上，將處於非常艱苦的立場，這種看法我認為也是可能的，不知您覺得如何？

吉田：先前，中國的米格機飛到韓國時，在外界看來，很清楚的是逃亡，但當時韓國報紙的標題一個字也沒有提到逃亡，而是以被誘導降落的方式呈現，從這一點可以看出韓國有相當的用心。

不論是亞洲大會或漢城奧運，如果中國沒有參加，北韓當然也不會參加，而蘇聯、東歐可能也不會參加。如此一來，大肆渲染的熱門競賽整個就會失去光彩，因此我認為韓國對此相當地小心翼翼。

屆時台灣的立場的確會變得很困難吧！不過，還有時間。前不久台灣一方面跟蘇聯、古巴等共產的國家進行體育交流，例如台灣可能會向預計明年在台北舉行的棒球國際大會表示，將承認中國大陸隊的參加。而且，也不能否定台灣將做好減緩在漢城奧運所受到打擊的心理準備的可能性。

我在這邊要換個話題。各位都知道全斗煥到英國、西德、比利時訪問，4月21日才剛回國，他出訪的期間好像出現了南北韓的所謂交叉承認問題。來自首爾的報導中，有消息指出，全斗煥提到有關交叉承認問題，而對方的反應則是相當不錯。

然而，這一點我認為中國既不得不支持北韓所提出的「自主的和平統一」主張，對於北韓所反對的「南北韓的交叉承認」的動向，中國也是處在最難駕馭的立場。

只是，對於朝鮮半島緊張局勢的緩和，日本就不用說了，美、中、蘇這些大國也都很期待。從這邊直接進行交叉承認，也就是說，就算沒有發生日、美承認北韓，中、蘇承認韓國的事態，民間聯絡事務所的互設等也是緩和緊張局勢的階段性措施之一，而據說去年起確實出現了這樣的趨勢。雖然我不清楚會不會簡單地實現，但這似乎是大家應該奉獻智慧的時候了吧！

戴：具體來說，我想那應該就是在美、中、蘇關係中，會有某種局面展開的問題。如果台灣繼續維持半獨立狀況，或許北京政府不會接受交叉承認。而另一方面，在中美、美蘇、中蘇的關係中，如果中、美之間有默契的話，從目前的中蘇關係來說，交叉承認將會較過去容易進行。也就是說在過去中蘇關係緊張的階段，是不得不顧慮到北韓。

然而，觀察這三、四年來的動向，我也認為中國四個現代化的經濟發展開放路線似乎較過去交叉承認的局面容易展開。

因此，我想請教吉田先生，我記得好像是4月16日，李光耀總理在澳洲坎培拉的記者會上說了一些讓我非常在意的話。根據外電報導，他說：「中共政權10年、15年對東南亞國協各國都不會造成威脅。」請問您，他曾經講過這句話嗎？

吉田：他是講過。李光耀去年九月第三度訪中，當時他是從上海進入濟南，然後再前往孔廟所在的山東省曲阜，沿途繞到西安，再到北京，接著又去大連、廈門、深圳，然後才回國。我想經過這趟旅行，他對中國也有更深刻的認識。

之後，李總理訪問美國，還出席英國聯邦高峰會，並去了台灣。回國後我就和他見了面，那是去年11月17日的事。在與李總理單獨見面席間，當我問他中國與新加坡在內的東南亞國協各國之間的關係時，他的說法是：「至少10年、20年，就算中國來了也沒有影響。」他去年九月第三次訪中的期間，應該確實是有所感觸的，也就是他認為雖然中國採取重視經濟的政策，對外採取自主獨立和平的路線，不過還是可以在某種程度上認真去接受它們。

所謂台灣・政治社會的「台灣化」

戴：國民黨三中全會即將召開之前，蔣經國突然讓他兒子到新加坡赴任，而且最近他兒子還在新加坡和台灣女性舉行婚禮，更史無前例地將結婚照公開在台灣的報紙上。這些動作若林先生您怎麼看呢？

若林：蔣孝武到新加坡赴任的消息是突然發布的，當時國民黨三中全會正召開中，因此大家都在討論將來會如何，當時是處於那樣的狀況之下。

除了這些動向之外，廣義來說，當時台灣還有蔣經國接班人的問題，後來大家就不斷討論說，一定要把權利移讓給蔣孝武，這也是當時所引發的一個風波。不過蔣經國去年確實分別於8月和12月兩次說過蔣家人不會出來選總統。有人相信，也有人認為事情沒那麼簡單，認為蔣孝武去新加坡和王昇去巴拉圭，兩者的意義完全不一樣。

關於蔣孝武結婚的事，這次和他結婚的對象蔡小姐家在台灣是屬於非常西化的家庭，而且還是本省人。蔣孝武這位蔣家第三代和本省人結婚，是非常敏感的問題，一般的看法似乎是傾向於這個時期不在台灣舉行婚禮的話，問題會比較好處理。

戴：相當有趣的是，過去蔣家第三代結婚典禮的新聞並未出現在報紙上。由於最近台灣的黨外雜誌議論紛紛，事情的原委才逐漸明朗化。不過，這次並沒有報導管制，不但讓台灣省籍的蔡家千金露面，還附上照片，這個情形很有趣，加上在四月底國民黨三中全會上，常務委員多了一些台灣省籍的人，所以從某個意義來說，我想這也是國民黨台灣化的表現之一。雖然不知道該怎麼解釋才好，但我想這是一個值得矚目的徵兆。

若林：關於蔣孝武結婚的直覺印象就像剛才戴先生所講的，我認為它仍然是一種台灣政治社會的台灣化。

國民黨來到台灣，今年已經是第36年了，這幾十年來，我想本省人和在台灣長大的外省人之間雖然有著種種矛盾，但本省人已開始逐漸居於領導地位了。

戴：目前問題所在的台灣化，它的實際內容為何？是否在於創造出台灣獨自的東西？依照我的說法，過去的台灣獨立運動，或包括台灣的黨外人士，他們和國府當局雖然睡著同一張牀，卻做著不同的夢，也就是說他們彼此是處在「同牀異夢」的狀況。

所謂的台灣化，是接近應該做同一個夢呢？還是從大陸移民過來的國民黨本身透過台灣化而埋沒在「台灣」呢？

若林：我不清楚他們會不會埋沒，不過應該會慢慢朝向做同樣夢的方向前進。

戴：做同樣的夢（「同牀同夢」），就是連到過去「革新保台」的路線。所以很有趣的是《聯合報》，尤其其中藝文版的訊息相當值得注意。最近在分析大陸的現狀和風土介紹，或是報導王蒙當上文化部長的消息等，當然那些分析都是站在國民黨的立場；另外也適度地報導一些新鮮的動向，向來並沒有這種反應。

若林：若是我的話，我會用別的表達方式。眾所周知，1970年代以後，台灣就達成了非常高度的經濟發展。韓國雖然也是以同一種型態發展經濟，不過我認為它的經濟發展是一種民族主義的極度表現。台灣如果能夠賦予經濟發展一些附加價值，以台灣做為整合，必然會產生一些令人引以為傲的感覺，我也認為這種感覺是存在的。台灣雖然是處在一個很難把那種感覺直接以民族主義的形式來呈現的政治環境中，不過此引以為傲的感覺和政治的台灣化，或者在台灣生長的人逐漸居於領導地位的趨勢並沒有矛盾而是重疊的，我認為台灣社會有那樣的趨勢。

有關台灣不得不走與大陸不同框架的經濟發展道路的現實，以及台灣政治的未來走向，我想這是另外的問題了，例如國際性的力量關係問題等。

戴：因此以整體情勢來說，是要從同牀異夢換成同牀同夢呢？還是完全異牀異夢呢？或者夢本身有一天會破碎呢？依我看來，這些恐怕在最近兩三年內似乎會以激烈的形式展開吧。

吉田先生到菲律賓時，正好發生政變，而這次菲律賓的政變將會帶給東南亞什麼影響呢？目前，日本經濟援助的方式這個既舊又新的問題已經出現了，而當我們從整個亞洲來看時，一方面它與亞洲四小龍（NICs）一樣，希望經濟朝向成長的方向前進；另一方面就像菲律賓一樣，貧富差距擴大，新人民軍不但得到權力，還推翻了馬可仕獨裁政權。依我看來，菲律賓未來幾個月的情勢並沒有那麼明朗，不知您認為這次的菲律賓政變本身將為台灣或韓國帶來什麼影響？

菲律賓政變的影響

吉田：菲律賓的大選可以說是在美國的壓力之下舉行的，結果狀況是非常的難看。周邊的國家在密切觀察這個動向後，雖然都認為這似乎不是一場公正的選舉，不過我想其中的心情有一半是認為，只要馬可仕政權的持續能夠帶來經濟上與政治上的安定，那也就無所謂了，而這也是由於位在菲律賓的美軍基地克拉克、蘇比克若是在馬可仕政權之下，也許還能維持運作，但要是由艾奎諾（Corazon Aquino）掌權的話，有些人則擔心不知會有什麼後果。然而，在支持馬可仕政權中樞的軍方分裂之後，這股動向就和民眾結合為一了。美國看到這個情況之後研判，就算馬可仕政權倒了，對菲律賓的軍事基地也沒有影響，於是便承認艾奎諾政權。

我想韓國、台灣、印尼及新加坡也一直在觀察其動向，而它應該也已經影響到這些國家內部追求「民主化」的動向，且領導人想必也已經表示警惕，切勿重蹈菲律賓的覆轍。

進一步來說，會不會造成各個領導人憂心起美國儘管是支持者，但有時也會改變心意呢？其實我是帶著這樣的感覺去觀察的。

戴：若林先生，從香港如何來看呢？

若林：其實在投票結束之後，我也去了一趟馬尼拉，大概一個禮拜——實際上只有四天。我認為在吉田先生剛才所提到的狀況之前還有一個階段，那就是馬可仕政權統治的正當性因以暗殺的方式將政敵艾奎諾前參議院議員殺害這一事就已失去。馬可仕垮台的教訓就是，由於亞洲還存在著有正當性問題的政權，因此導致這些政權必須再一次重新審視其本身政權的正當性，而這當中也有受到菲律賓的影響。

戴：通常政權的統治者既不徹底吸取也不學歷史的教訓，尤其獨裁政權的統治者更是如此。

我的判斷是以這次菲律賓的情況來說，其中一大關鍵就是來自美國的壓力，而這就表示美國已經無意再打一場像越戰那樣的戰爭。在這次菲律賓最緊要關頭的階段，美國內部發生包括要如何保持克拉克、蘇比克基地在內的激烈爭辯，在那樣的局勢中，要是不想個辦法的話，陷入類似越戰時的泥沼局面的可能性很大。因此，我想美國的方案是認為，只要好好結合政府軍的改革派及艾奎諾夫人擁有的民主式的某種群眾基礎，然後一方面安撫新人民軍，一方面讓經濟好轉的話，就沒問題了，但事情會進展得這麼順利嗎？這幾個月應該就是勝負關鍵了。

因此，就像若林先生所說的，雖然我們期待亞洲獨裁政權的統治者應該好好吸取菲律賓的歷史教訓，並重新審視自己的體制，不過實際上這個期望很難實現。

若林：我想並不是什麼吸取教訓的問題，我的意思是說這種調整還會再加速，因為從後來台灣立法院的答辯中可以看出，他們一再強調台灣並不吻合，因此調整應該還會再加速進行。

戴：在亞洲，以四個現代化為目標的中國大陸與日本的關係，目前還是處在以往未曾有過的某種蜜月期。問題是雖然包括靖國神社在內，或許還存在著各種歧見，但中國大陸邁向四個現代化的路已無法回頭了。或許會經過一番曲折，但如果不往前推進，中共本身的存在就會變得岌岌可危。還有大陸的世代交替也還處在一個似乎比較順利的狀況，像台灣或者是印尼的權力更替，或北韓的金日成、新加坡的李光耀、韓國的全斗煥，一場漢城奧運就使他們的狀況變得不安。關於接下來的日本與亞洲的關係，我們能夠描繪出什麼樣的願景？或者說，彼此之間應有什麼關係？請兩位分別談一談。

吉田：進入1980年代後，就形成一個全球性景氣衰退的局面，美國內部的保守主義因而抬頭，隨之而來的則是日、美經濟摩擦的出現，這些都帶給亞洲國家很大的影響。

從東南亞各國的角度來說，只要巨象一打架，亞洲各國就會遭受嚴重的損失。

若林：這是馬來西亞的馬哈迪講的吧！

吉田：是的，一開始是在香港講的，後來在去年東南亞國協的外交會議上，他也講了一句同樣意思的話。沒多久，初級產品價格逐漸下滑的狀況就出現了，印尼是合板、橡膠、水泥、香料、咖啡，很多都下跌了；馬來西亞則是有錫、橡膠、棕櫚油等；此外，石油價格也突然下跌，這對兩國都是很大的損失，而且影響也波及新加坡的煉油工業。

不過，中國的市場卻一反往常地開始大幅開放。我一方面將此解讀為中國的現實主義，一方面也感覺到東南亞各國為了解救燃眉之急，於是便與中國產生種種關係。不過，印尼1965年九三〇事件的後遺症不能不說還殘留著，而馬哈迪也遺留著1969年的五一三人種暴動之後遺症。在這種狀況下，新加坡本身也不便採取主導的行動。還是在印尼有了動靜之後，馬來西亞就會跟著動，如此一來，新加坡也比較容易動得起來，現在還是有這樣的局面，且新加坡的經濟目前仍相當低迷。

要是中國市場在尖端技術或其它方面還是獨鍾日、美，而印尼或馬來西亞擁有初級產品，那麼中國不就會向他們買嗎？這麼一來，新加坡不就可望將中間技術輸出到中國了嗎？中國一方面緊盯著這一點，一方面也一直回應周邊國家並強烈希望能夠維持和平。中國的對應雖然是不在政治性的原則上讓步，但與其致力於改善中蘇關係也有共通之處。

在這種情況下，日本能做什麼呢？以最近的趨勢來說，日本已經提出要從輸出依賴型轉為輸入促進型，並擴大內需和促進國際協調。我想中日雙方的領導階層都考慮到，日本如果要發展亞洲政策，那麼它與中國的關係還是不能太滯塞，而若以這樣的中日關係為基礎來思考亞洲，我想亞洲當中有很多日本做不到，但對中國而言卻是很容易做到的部分，以及中國做不到的，對日本來說卻是做得到的領域。

就此意義而言，現在不管日本願不願意，外界都認為它終將被迫面臨日圓走高的狀況，連美國或歐洲國家都覺得受不了，因此我認為日本也必須好好處理它與鄰近國家之間的關係。

若林：剛才吉田先生提到，東南亞國協各國去年都瞄準中國市場而動作頻仍，不過我認為從去年東南亞國協各國的動作中可看出，他們對中國市場還是有所遲疑，還打著問號。雖然我認為採取經濟改革或經濟開放體制的中國已經展現出一定的成果，但一想到有好幾個合辦經營都進行得不順利，以及去年秋天反日學生運動的暗流等，似乎現在就是轉機。我是抱持這樣的印象回國。

吉田：去年李光耀去了一趟孔子出生地曲阜，也到了西安，當時他說不應該把中國的文化遺產棄之不顧，而是應該要將交通網建設得更完善，好介紹給全世界的人，於是新加坡就去打聽開設中國國內線航路的可能性，現在還出現要建設港灣設備或地方機場的動向。

因此，若以稍微長遠的眼光來看，我也認為新加坡應該會按照它自己的步調逐漸開發日本或美國這些已開發國家所無法開發的領域。

亞洲的安定與中國的近代化

戴：目前的狀況對日本來說是敗戰40周年，但對亞洲國家而言卻是從殖民地重獲自由的40年，而這個界定的基本的、原理性的東西是什麼呢？例如中曾根首相等人要如何確立起日本的自我認同？我想各個國家、各個民族均是如此藉由種種事情試著重新審視自己。

這姑且先不談，就戰後的動向觀之，其中有一面是，日本由於自身沒有受到韓戰、越戰的危害，而能善用此機會，達成經濟發展。當其變成此等經濟大國時，還能夠再藉由別人在某處戰爭以拓展經濟嗎？答案當然是否定的。但問題在於以戰略性的角度看待為了有助於維持朝鮮半島的和平、台灣海峽的和平，或者為了包括柬埔寨問題在內的東南亞的和平開發，而讓日本維持其經濟的持續成長與發展這一點是否妥當？這是其中一個問題。另一個問題是，越戰的結果使我們了解到一個新的狀況，那就是船民。

中國的社會主義革命在某個意義上與香港或台灣都有關聯，而跟不上革命步伐的人等，都到那裡去了。因此，船民的型態對日本或對全世界都沒有產生太大的影響，對中南半島而言，沒有香港或台灣的存在。

因此，在我所見過的日本財經界的人士當中，有人認為如果朝鮮半島發生戰亂，應該不會如過去韓戰那種方式結束，而是難民恐怕會大舉移往日本。

我去年回台灣兩三次，與某位日本人士見面，他當時提出一個出乎我意料的問題，他說：「如果台灣問題無法和平解決，並且陷入緊急狀況，應該會有很多難民逃到石垣島吧？因此，站在我們日本人的立場，希望你們一定要和平解決。」

關係香港的問題，過去一段時間我也密切觀察其貨幣逐漸貶值之後會發生什麼狀況，而目前情況已經穩定下來，香港財經界的巨頭們生意做得確實是很好。過去被認為是國府體系的海運公司「董浩雲」集團似乎也想與北京接頭吧！因此，還引發台灣的立法院議論紛紛，有著難道要置之不問的問題發生。

因此生意人最重要的是經營和做生意，最好不要有意識形態。看到這種狀況，我認為最好不要想得太古板。

再回到剛才講到的日本財經界人士的意見，最後他們的看法還是與支持鄧小平的四個現代化政策的邏輯有關係，於是說，把那麼大的國家和10億的人口整合得很好，實在是不簡單！（笑）這種話在五、六年前絕對聽不到。

若林：任何人到中國去都會認為，人口那麼多，實在是不簡單。

戴：因此我想起一件事。我記得是在1983年3月底，這件事是我赴美前去拜訪東畑老師向他辭行時聽說的。他說有一位美國政府的統計相關的高官訪問北京的回程中，繞道東京，和包括東畑老師在內的幾個人邊吃飯邊閒聊，那位美國人大約四十來歲，他講了這麼一個有趣的故事：有一天，他回到家裡，排行老四的孩子——聽說好像是讀中學二年級——突然說自己是中國人，家人都感到很驚訝，問他為什麼說自己是中國人，於是他就說，今天上社會課時，老師說世界上的人口，在四個人中就有一個是中國人。因自己排行老四，所以是中國人。

東畑老師之所以向我提到這件事，是因為他先問了我究竟台灣和中國的關係未來會如何發展的問題，接著就提到了這件事，而這個故事也就是說美國頂尖人士的「擁有世界上四分之一人口的中國，如果沒有處在一個生活過得去的狀況，整個世界就會失序」的共識正在形成之中。因此東畑老師就對我說：「戴君，不要把台灣的問題想成只是你們台灣人的問題，因為它可是全世界的問題！」聽到他這麼說，我當時嚇了一跳。

若林：站在國府當局的立場，也是認為沒有台灣問題而只有中國問題吧！

戴：所以東畑老師問我能不能想辦法和平對談。

我本身感到非常驚訝的是，東亞狀況的認知與五、六年前相較頗有變化。

吉田：我的看法是香港問題的解決當時如果不採「一國兩制」的型態，將會很難收尾。而要強迫台灣接受這種型態，我認為在目前蔣經國的時代，是無法輕易辦到的，若要達成的話，中國大陸就必須現代化，而中美關係的演變，以及某個程度的世代交替也是有必要吧！在這樣的過程中，大家應該就會接受更自然且實際的交流。

就在我回國之前，我和李光耀聊到目前的新加坡是不承認台灣也不承認大陸的狀況。或許新加坡反而因此能做到，目前同時能與鄧小平、蔣經國見面的領導人，我想應該也只有李光耀了，我問李光耀說，你怎麼看待台灣海峽兩岸的問題？因為在事前提出的問題當中，只有這個問題是以書面的方式回答，所以他的回答來得晚了一些。內容如下：「中國大陸與台灣的價值感、思想還是不一樣，且經濟上也有差距，因此我認為這是很難回答的問題。不過當中國大陸的經濟建設發展順利，並達到一定的水準、雙方的經濟差距縮短時，到了那時，大陸的人民和台灣的人民在「中國文化」的繼承這方面有相同的想法，花上更多時間，和平對談的時期應該就會到來吧！」當時他這麼回答。

令我感興趣的是，蔣經國說蔣家不會推出第三代，這個意思或許是說，蔣家到我的時代已經努力過了，以後的事就交給下一代，讓他們自己去考慮！我在香港認識的一位台灣出身的朋友說，到了那個時候，應該就會更自然地進行實質的交流，而結論也就會在這當中出現。不過，我這個朋友是一個站在身為中華民族一員的立場去想事情的人。

在看亞洲的重大局勢時，我認為中國與印度的關係也很重要。我與印度現任首相拉吉夫・甘地（Rajiv Gandhi）先生會面時，談到了下面的事。當時正值故總理尼赫魯的生日前夕。我問他：「明天就是尼赫魯總理的生日了吧？」他說：「是的。」我便再問他：「尼赫魯總理與周〔恩來〕總理在1955年簽訂《和平共處五原則》，我認為它已經帶來非常大的影響，而我想請教的是，您有沒有打算嘗試召開印、中高峰會？」他的回答是：「有的，我希望能夠像尼赫魯總理一樣努力，也想走他的路線。」

我在越南河內見到的黨中央要人當時對於中、越的問題也是說：「我們尊重大國（中國），所以已經準備好要鋪紅地毯（竭盡禮節）了。」

紛爭或武力衝突一旦發生，要恢復關係就需費很長、很長的時間，我想這一點印度、越南、南北韓、台灣海峽兩岸的中國領導人想必已有深刻的體會，因為，為此已消耗多少人力、物力、財力。我想現在他們彼此心中應該都想避免惡意的衝突或紛爭。

就這個意義來說，在看完1950至1980年代的狀況後，雖然很難，但亞洲國家之間已經出現了還是想要緩和緊張局勢的動向。

回到日本之後，雖然我懷疑日本是否真的具備強大的國力，但從周邊國家，尤其從亞洲來看，日本的存在確實顯得非常重要。然而，將目前的亞洲和日本相較，感覺上會有相當大的落差。日本當然也有很好的一面，但是我總覺得日本人只在日本的框架下思考，而且這也可以說是事實，即歐美講的話日本會聽，但亞洲的聲音日本卻不太聽，雖然日本口口聲聲說亞洲很重要。

日本已經變成令美國感到不滿的「經濟大國」，且目前也已經擁有大量的資金和海外資產。「只要有錢就好」的指向已經非常強了，不過日本最大的弱點就是缺乏能源、地下資源；還有糧食自給率也只占30%。除了仿效日本成長的韓國、台灣、香港等一部分的國家或區域之外，亞洲周邊的國家目前都苦於初級產品及原油的價格下跌。

日本應該將它過去所累積的智慧多貢獻一點給亞洲，如此一來，促進亞洲局勢緩和的方向就會出現。

本文原刊於《日中経済協会会報》第155號，東京：日中経済協会，1986年7月，頁16～27

留日三代鼎談

——李嘉・戴國煇・許介鱗

時間：1986年5月1日

地點：東京銀座龍皇餐館

與會：李嘉（中央通訊社東京分社主任）

戴國煇（立教大學史學科教授）

許介鱗（台灣大學政治系教授）

主持：劉滌昭（《日本文摘》主編）

5月1日下午4點50分，日本東京銀座區的有樂町一帶，人潮熙來攘往，熱鬧猶勝往昔。就在本刊第零期曾介紹過的西武百貨圓形巨廈附近，一家叫「龍皇」的中國餐館樓上，本刊前總編輯劉君祖邀集了旅日的撰述委員：李嘉（1936年留日）、戴國煇（1955年）、許介鱗（1963年）三位先生，就各人先後赴日留學的經驗暨日本研究、文化投資等問題，舉行鼎談。同行的尚有本刊研究編輯劉滌昭，他八年前亦曾赴日攻讀企管。鼎談的紀錄中，細心的讀者不難發現，討論的氣氛雖然輕鬆，箇中所反映出來的問題卻是頗嚴肅而具參考性的。

當天的議程進行共約兩個鐘頭，有樂町的夕陽透過落地的樓窗瀉入，映在三位認真討論的先生臉上、身上，終於全般消褪了去。隨著錄音帶「咔」地一聲，這次在全世界最昂貴的地皮上舉行的「知日」鼎談，便告圓滿完成。

不同階段的留學經驗

劉滌昭（以下簡稱劉）：可否請各位談談自己的留學經驗？

李嘉（以下簡稱李）：50年前，我在上海搭上客船「長崎號」來日留學。當年中、日之間來往毋需護照，只要學校當局開一紙證明：「該生畢業本校，赴日本升學。」便可入國。

「長崎號」曾在中途停泊長崎，我上岸看了略感失望，鄉土氣味濃厚，比上海落後得多。最後船到了大都市神戶登陸，我的印象才改觀。

剛到日本的留學生，都得先補習，準備入學考試。當時我選讀東京帝大，但中日兩國當時學制不同，進帝大得先考入第一高等學校，那是當年日本全國第一名校。我那屆有六百多中國留學生報考，只取六名，沒想到我竟考了第一名。據說，中國留學生來日半年即考入一高的只二人，在我之前的另一人是郭沫若。有很多落榜的，都已經在日本補習了三、四年。記得當時的作文題目是：「論太平洋」，我的考卷的第一句是：「太平洋並不太平。」口試的時候，學長問我習不習慣日本的衣、食、住。我毫不思索地回答：「我喜歡吃日本的咖哩飯！」咖哩飯在當時昭和11年（1936），是日本最普遍的速食，等於今天台灣的漢堡。

考進一高沒多久，中日戰爭爆發，我雖已入學，但決心投筆從戎，回國參加抗戰。和我同時先後回國參加抗日戰爭的有前國民黨祕書長張寶樹、前師大校長劉真等。我是沒出息的（笑）。第二次來日本，則是11年後的事了。

戴國煇（以下簡稱戴）：我是在台灣土生土長的客家人。光復那年，我讀初中二年級，可說已經受了八年的日式教育，日文底子不錯。

當年的大學生，都想去美國留學，但那要2,400美元的保證金。

李：這筆錢當時能買一棟房子。

戴：是。此外因金門、馬祖的情勢仍然有點緊張，政府不很鼓勵青年出去。

1954年，我還在服役，請假參加留學考試，卻考取了。我在1955年夏天退伍，11月上旬得到簽證，11月21日便登上國泰航空公司的班機飛往日本。當時並沒有噴射機，從台北飛東京要八個小時。

到了日本以後，東大正在放寒假，我等到第二年三月，參加入學考，被錄取為東大的學生。我之所以不必先當所謂「研究生（即旁聽生）」，主要是我日文已有基礎，能說能寫。在東大一待就是十年，提出博士論文後，日本趕我走，轉去美國又不容易，但在老師的幫忙下，進入一家專攻台灣及東南亞經濟的研究所，終於成為有史以來第一個外國籍研究員。

留「日」學人默默奮鬥

許介鱗（以下簡稱許）：我是在1961年從台大政治系畢業，

當完一年兵，沒錢、沒背景，卻想留學，眼前只有考公費一途。當時中、日仍有邦交，我考取了日本政府獎學金，1963年4月便到東大考試，一考就中，中了就成為正式生。不過，別的公費生在旁聽的階段可多領一年公費，但好成績卻使我少領一年。心中不服，因此我故意拖了一年才繳碩士論文，領足了三年公費才甘心（笑）。念博士班的時候，我又申請到三年獎學金。三年過後，用老招，以論文還沒好為理由，又多得一年獎學金。1969年5、6月我提出論文，9月得到博士學位。便留在日本念書，反正獎學金未領足，仍然按月寄來。

直到1970年2月15日，我才趕回台大任教。我特地選15日回去，是因為如果在16號以後回去報到，當月的薪水就要減半。我提早回國就業，把日本政府的最後一個月的獎學金退還。

拿獎學金的好處是不要保人，又不必辛苦打工。

我在東大同屆同學中，是第一個得到博士學位的。別人得學位是風光十足，我回台灣卻並不吃香，當時國內留「美」學人風行，因此，我只有默默奮鬥了。

李：提到獎學金，我回憶起我的情形。

在我收到考入一高的合格通知書時，我首先到新宿拍了一封電報回母校，母校按校章每個月發35日圓給我做獎學金，再加上我考上的是「一高」，日本政府也從庚子賠款中每月撥60日圓給我獎學金，這100日圓相當管用，當時大學畢業生就職，每月也不過領三、四十日圓的薪水而已。

因此，我在日本留學時，錢不算少，但是我愛玩，所以錢總不夠花。

到日本第一件事是找住的地方。沒考進學校做「浪人」（重考生）時的留學生，就得租房間住。出租房間給學生們住的，日文稱之為「下宿」，房東大多是中、下階級，同時並不是每家歡迎中國學生的。我在東中野郊區找到一間乾淨、合適的屋子，房租每月僅十圓，有八個榻榻米大。其他的房客全是日本學生，我和他們朝夕共處，語文方面進步得快。

戴：我留學的時代，東京尚有很多「寮」、「會館」都可以供留學生住，不過學生中有的親大陸，有的搞台獨，我不願意去那種地方。內人大學畢業之後，考入東大，我們結了婚，租了一個四個榻榻米大的房子。房東看我們的名片，發現是東大的學生，對我們十分客氣，但是他卻曾私下打聽我們是不是韓國人，知道不是了，才放心。

為了省錢，我們盡量住在學校附近，一來省交通費，二來晚上可以留在東大圖書館，省暖氣費，我和內人也做些家教或翻譯，不生孩子，為了賺錢，頗費苦心。

許：我一下了飛機，就有文部省的車子來接我到「留學生會館」。如今中、日沒有邦交，台灣去的人恐怕不能住會館了。我另一項心得是，有事盡量找學校幫忙，學校的食堂便宜，又有介紹工讀及宿舍的單位，完全不收服務費。房東對學校介紹來的人，也比較信任。

戴：當年我住在墓地附近，一榻榻米500日圓，反正有鬼的地方比較安靜，好念書。

李：我那時一榻榻米還不到一日圓。

許：我住的一榻榻米1,000日圓。

戴：我那時日本不准打工，你即使想打工，也沒機會，華僑界對留學生沒有好感。如今卻不同了，日本本身需要別人打工，便放鬆了限制。

李：這使很多留學生耽誤了讀書，甚至有只打工，不讀書的現象。一個工讀學生，每個月可收入二、三十萬日幣之多，但是他們每天得至少工作八至十小時。

劉：按照行情，每小時大約六到八百日圓。

獎學金吃烤雞喝燒酒

李：我那時有獎學金，生活充裕，就白天玩，晚上讀書。讀厭了，我便去街頭小攤吃烤雞，一毛錢十根，還喝「燒酒」，一毛錢一大杯，和歐巴桑聊天。神田的中國留學生多，也就有好幾家中國菜館。豬腳這些東西日本人不吃，老闆免費送給我們，帶回家煮了吃。

有一次過年，一位日本老師請吃年飯（她的名字叫「不動房子」，令我至今印象深刻），桌子上全是生、冷、甜、酸的菜。有一位同學吃了一口，不得不吞下去，竟掉落眼淚愁容滿臉。

當時中國留學生不能隨便和日本女性交往。有一次，早上七、八點鐘有人敲門，原來是一位張同學惹了桃色糾紛，被刑警查究，要我陪去當翻譯。問話完畢，刑事問我來日本多久了，我答：「三個月。」又問張同學來多久了，他答：「一年兩個月。」刑事就罵他說：「人家來好好讀書，你來亂搞女人。」

一般說來，我當時年輕有自信，並不特別感到受歧視。一般日本人對中國學生還是挺客氣的，但對韓國人相當歧視。戰後我遇到好幾位韓國朋友，改了日本名，娶了日本太太，但一再拜託我不要告訴別人他是韓國人，甚至對他太太都保密。

戴：這三、四年日本對韓國的印象一直在變，雖然他們在潛意識中仍有一股歧視。這是因為韓國經濟好轉，人民又有自己的文化主張。我剛來日本時，日本正倒向大陸，以為每一個去日本的台灣學生都有政治任務。我本人在日本近三十年，從來沒碰過警察找麻煩。但是很多其他同學卻要隨身帶著「外國人登錄證」，很不方便。

介鱗兄，功課要得

許：我認為，只要扮演強者，日本人就不敢歧視你。1968年，我發表了「日本明治維新之霸道」，朋友都嚇了一跳，我卻覺得只要理直，就可以氣壯。

李：對，日文好，功課好，人家就服你。

許：上課前，我都充分預習，上課時便大聲辯論，別人卻默不吭聲。我的指導教授稱別人：「某君。」，卻叫我：「許先生。」寫信給我時，稱呼是：「介鱗吾兄。」總而言之，得好成績的祕訣在於省吃儉用勤買書，你看的書多了，自然有實力。

李：就是要爭氣，自己爭氣，等於是給自己國家爭氣。

戴：留學生一定要有民族尊嚴，你敢批判日本人，反而稿約不斷，還有人請你上電視。日本人最厭惡表裡不一致的人，基本上，他們對中國文化仍是尊敬的，對1920年代以後的中國政治則無好感。

許：但是1920年代以後的中國政治之混亂，日本是禍首之一。

現代觀點研究漢學

李：日本人不是研究古代中國，就是戰後的中國，很少有人對中國有從古至今完整的了解。《TIME》雜誌曾有介紹中國的一本書，「時事通訊社」想找人把它翻成日文，便碰到上述問題，找不到既懂英文，又對中國古今全貌有整體認識的日本人，最後竟找上我。可見日本的中國通是走極端，或有片面之觀及偏見的缺點。

戴：有些留日學生連字典都不買，這太過分了，至於國內的教授，我很諒解他們的生活清苦，沒有保障，薪水比起日本教授是偏低的，研究工作自然不易進行了。

台灣的環境，不易養成學生的整體判斷力，當年我記得沒有一個人能夠以現代經濟學解釋實際現象，老師一味地叫我們背《四書》，相反地，日本一流財界、產業界的人士卻能用現代觀點看孔子等中國古人。

李：我們應該給中國的經典一些現代化意義了，日本人就是最早以西洋方法研究漢學。資料方面，應該多利用神田的舊書攤，我個人在這地方讀的書，恐怕比在學校讀的多。

許：日本是一個有實力的人能抬頭的國家，國內卻以為：「吹牛為聲望之本。」有一個例子可以顯示日本專家的成績，日本有一位仁井田陞教授，他的中國法制論述極多，國內無人能及。簡單說，國人大多只會抄襲，沒有看法和主張；企業界只想撈一票。當年我為了省錢買書，不惜餐餐啃麵包，心中總想：「能多帶一本書回去，就能多帶不少資訊回去。」

劉：不肯多買書，是風氣的問題。

戴：這是心態上沒有遠見所致。從財政學的觀點而言，台灣很早就有預算的觀念，但是一直沒有經濟實力來支持這種作法。1960年代末期以後，台灣經濟漸漸上軌道，這才使預算有了實質意義。從這角度看全局，政府應該丟開傳統上「先顧眼前」的心理，要知道，這已經是一個新時代了。

李：這是一個「文化投資」的問題。日本和台灣雖然都經過戰亂，但是前者沒有斷層和生存的問題，出版界亦能一面保持傳統，一面自由地發展。台灣老一輩的人即使有錢，亦不願在文化上投資，年輕人可能逐漸注目，並且大力開拓這個領域。

戴：我看到《牛頓》、《日本文摘》這些雜誌的時候，很驚訝這種非娛樂刊物也支持得下去。

研究日本向來不足

許：商務印書館出了一本嚴復譯的《群己權界論》，原名是「*On Liberty*」，當年尚沒有「自由」這個名詞，故取了那樣一個新發明的名詞，問題是，這本書到現在還是照樣翻印，出版界沒有人出錢請人重新審訂。再說，戴季陶的《日本論》是本好書，在日本已有五個以上的版本，我國書店中還不易買到這本書，人家下的心力、財力都是我們所比不上的。

李：對那些以書架代替酒櫃裝潢的人士來說，書籍內容並不重要，只要看起來裝潢好，能表示很有文化氣息就行了。

戴：1970年代前半以後，台灣經濟起飛，社會結構變了，學界卻不能適應，其實美國、日本也是如此。根據我30年來的觀察，日本的大學教授最為保守。就算學界中人有新的觀念，如果他想把自己的主張帶進政界的時候，特別要注意在政界活動的諸多既有困難，也就是新觀念帶不動歷史包袱。因此，除了有心之外，把握發言的時機，也是很重要的。

許：談到時機，我想起過去「國科會」不大鼓勵赴日研究，它怕去的人被中共、馬克思思想赤化，只准去歐洲或美國。但是現在不一樣了，現在的「國科會」優先考慮日本。我剛回國時，國內不重視日本，如今一遇公害或其他事件，我一些留學西方的朋友都會問：「許兄，日本對這問題看法如何？」這叫風水輪流轉，例如，自從日本能影響世界的金融之後，國人便很關心日本的金融政策。

李：中國自古以來就很少研究日本。明治維新以後，中國有很多留日學生，但是那都是想透過日本，了解西方，學習科技，大家都以為純粹的日本只是中國文化的翻版。近年，是英美人士先有研究日本熱，我們才注意到，至於今天橫掃台灣的「日本風」，僅止於抄襲日式風尚的物質生活而已。

日本出版界有兩個優點，一個是稿費高到足夠做為研究期間的生活開支，二是稿費因人而異，資歷、聲望高了，稿費也相對提高，不似台北以「每字一元」的千篇一律為號召。因之在日本，職業作家能出頭。

我估計在日本完全靠寫做為生的職業文人可能在一萬人以上。

大財主與文化投資

戴：其實靠寫作維生的人仍不太多，有的還是要靠演講。大報副刊的連載小說，一次都登個半年、一年的，每天1,200字約有稿費1萬日圓，一年有365萬日圓的收入。不過這類連載作家，全日本大約只有20位。一個作家如果能得到文學獎，他的演講收入會相當可觀，這是台灣作家比不上的。

其次談到企業界的文化投資。俗語說：「人死留名」。發達以後辦文化事業是中國人的傳統，台灣一些大財主目前皆有能力做這類的事了。日本「三菱」在戰前是靠侵略中國賺錢的，但它設了一個「東洋文庫」，全世界要研究中國歷史的人，都得到日本看這個文庫，給他帶來不少正面的名聲。

許：我對大財主並不樂觀，他們行事還是以經濟利益為前提。我寧可寄望有理想的年輕人，起來帶動風氣。自由國民社曾出版了一本《世界的日本觀》〔《誰でも知りたい世界の日本人観》〕，其中收錄了一百三十多篇外國人的評日文章，卻沒有一篇中國人的，想想中國人占世界中的比例，我不禁十分慚愧，並且立下一個心願，我一定要做出一套日本研究出來，三年、五年、十年，我也要做下去。

李：出版界一要有錢，二要肯投資培植作家，三要推廣好作家的知名度。

許：是的，不能再只做翻譯，要培養專家。

李：我相信中國有很多人有實力，只是沒有發表文章的園地罷了。

本文原刊於《日本文摘》第6期，1986年7月，頁7～11

旅日31年間的軼事與歷程
——「直言」是我的使命，世間的正循環很重要

◎ 林琪禎譯

戴國煇先生（55歲），現任立教大學文學部史學科教授兼科長。出生於台灣，他曾被日本人的教師以「清國奴」漫罵，也曾飽受日本人高年級生的欺負，與日本人之間可說有過許多不愉快的體驗。戴先生原本志在留學美國，卻因為碰巧與身在日本的兄長談過之後，而決定先在日本看看。留學東京大學大學院之後，定居日本30年，如今成了研究日本與台灣關係史的學者。有今日的成就，在於東畑精一先生（東大名譽教授）等對戴先生的賞識提拔與關愛情誼。今天，就讓我們好好和懷抱著「雖千萬人吾往矣」的情懷寫下不少名文評言的戴先生，聊聊日本體驗吧。

出身菁英之血統

戴先生的祖先是從中國廣東省梅縣移住台灣的漢族系台灣人。在台灣的社會中屬於菁英層家庭，孩提時期雙親想把他培育成「醫生」。由於在日本統治時代的殖民地居民，是不可能從政的，因此成為醫生或律師便成了最好的出路。戴先生的叔父也是

後藤新平（台灣總督府民政長官）所創設的台北醫學校畢業的醫生。可是，在他初中二年級的時候日本敗戰，台灣回歸中國。因此變化，讓出路的可能性不再只局限於醫生和律師，開始有了更寬廣的可能性。歷經終戰與解放（中國方面稱之為光復），讓戴先生對社會關心的視野變得不同，原本志在醫學的方向，也轉變成對農學的關心，從而進入台灣省立農學院農經系就讀。

台灣的大學畢業後，戴先生原本打算留學美國，研讀大農場經營的知識。當時，美國是唯一富裕的民主主義國家，一流的學生幾乎都選擇留學美國。此外，對於日本有著從7歲至15歲（初中學二年級）階段經常「被老師罵為清國奴，被高年級的留級生欺侮」的不愉快回憶之故，他並不想讓曾經給自己不好體驗的可憎日本人再次成為自己的老師。在前往美國前夕，由於想先去找戰爭時期被日本軍以學徒出陣的名義徵召入伍，戰後以中尉復員回到東京的二哥聊聊，而踏上了日本的土地。戴先生到達羽田機場的那天是昭和30年11月21日。

東畑精一老師

二哥卻說，帶著仇恨過日子對人生並沒有好處，反而應該更冷靜地審視歷史。在兄長的說服之下，戴先生決定先在東京的大學求學。

隔年四月他通過了東京大學大學院農業經濟學科留學生在戰後的首次入學考試。當時可說是東大的黃金時代，在農業經濟的領域遇到了一流名師東畑精一和神谷慶治，更有仁井田陞、竹內好、大塚久雄、土屋喬雄、宇野宏藏、川島武宜、丸山真男、磯田進、福武直等知名的偉大教授。他貪婪地投入聆聽教授們的課程並參與討論課。甫入此知識殿堂，雖然緊張，也很興奮。

南京蟲與南京豆

東畑精一先生在東大教授一職之後，歷任亞洲經濟研究所所長，稅制調查會會長等多數要職。對戴先生來說，相當榮幸能接受東畑先生的指導並參加他的討論課。

在東畑先生的討論課之中，曾經聊到「南京蟲」這個名詞。戴先生聽了馬上提出抗議。他說也許這蟲是日本原產的蟲，為什麼要取一個冠上外國地名的「南京蟲」名字呢？「嗯——。」東畑先生聽了，想了一會後笑著回道：「戴君，你不要這麼生氣，好吃的落花生，不也有南京豆的別稱嗎？」然後，東畑先生開始聊到關於米的話題。

東畑先生留學歐洲的時候，發現黏性較高、口感較甜的日本品種米，在價位上卻比不受日本人歡迎的泰國米（所謂的外國米）來的低。於是東畑先生發現料理方法、食用方式或副食的選擇，都會影響對米是否美味的判斷。最後做出了日本人的口味也並非絕對的結論。

在這樣的偉大教師的指導之下，大學院期間戴先生完成了甘蔗栽培與製糖歷史的博士論文。論文中主要想要提出的論點就是，日本的台灣統治，其關鍵就是砂糖。他的目的之一就是探討其根源。不知不覺，在東大十年的研究所生活就這麼結束了。

亞洲經濟研究所

完成了學位論文，卻並非馬上適合回台灣的時候。此時正值蘇聯發射第一顆人造衛星史波尼克（Sputnik），美國不得不強化對蘇聯與中國研究的時期。因此甚至有美國大學圖書館希望戴先生去那邊工作的邀請。

「你來我這裡上班吧。」剛好這時東畑先生成為亞洲經濟研究所第一任所長，希望他能到研究所內工作。東畑先生說：「以亞洲為研究目標的研究所缺了外國人來做研究，就太奇怪了。」可是日本對於一個外國人在正式的政府機關上班似乎有所顧慮，因此最初的兩年為約聘任職。一直到小倉武一（現在為稅制調查會長）所長時代時才成為正式的所員。

戴先生從昭和41年起在亞洲經濟研究所待了十年，這段期間，身為台灣出身的日本研究者，剛好看到日本的經濟起飛，以及認為日本發動的戰爭並沒有錯的「大東亞戰爭肯定論」隨著進入東南亞市場的成功而逐漸浮上檯面的過程。此時，在東南亞也因此被激起了一股反日和拒買日貨的運動。

「看著這種狀況，透過自己曾經是個『被殖民地』出身者的經驗，對於日本與台灣，以及與亞洲的關係開始產生了許多反思。我想是該直言不諱的時候了。就算因此會對自己的工作或生活帶來不利的影響，也要盡到自己的使命，於是開始著述立書。當時最支持我的人就是東畑精一老師和竹內好老師了。兩人雖然或許在立場上有所不同，不過在認為中國與台灣長久分裂下去不是辦法，以及在認為亞洲的發展富裕關係著日本的和平繁榮的這些認知上，雙方卻是一致的。」

成為史學科科長

戴先生在完成博士論文《中國甘蔗糖業之發展》之後，就不曾停止以嚴格的角度，批判日本企圖忘卻對台灣殖民地統治那一段歷史的態度，也因此受到許多有心日本人的讚賞。如今更在日本人同事的推崇下當上史學研究科的科長。當然，此時東畑先生依舊不忘激勵戴先生。「戴君所說之事是正確的。如果日本聽不進去的話，那日本這個國家就有問題了。」

戴先生在昭和58年，以客座研究員的身分，前往加州大學柏克萊分校，以台灣與華僑為研究主題赴美。離開日本前夕，他前往拜訪東畑先生。

當時，東畑先生已患了眼疾，他含著淚對戴先生說：「你已經厭倦日本不再回來了嗎？若遇到什麼困難一定要找我商量啊。」在戴先生滯美期間，東畑先生過世了。

研究台灣統治史

戴先生在昭和51年就任立教大學文學部史學科教授以來，即一邊教授東洋史，一邊仔細地蒐集、研究日本統治台灣50年來的資料與歷史。

日本當然是不太可能走回戰前那樣的「軍事國家」的路子吧。但是要如何控制和戰前相比大量膨脹的生產力卻是個重要的問題，喊著「擴大內需」的口號但其實日本國內的市場就是如此而已，面對這種狀況，日本又該怎麼做呢？戴先生如是道：

「世道之理，最重要的就是好的循環。血行不順的話就會發生血栓的問題，甚至危及手腳的活動。對日本來說，若要繼續提升自己國內生活品質的話，如何幫助亞洲諸國逐漸邁上繁榮之路，這樣的正面循環的努力是很重要的。現在的日本年輕人不太讀深奧的書了，只要打個工就很容易出國旅行。但這樣好景氣的時代不可能永遠持續下去，總有人在代扛重擔的狀況遲早會出現破綻。擁有巨大生產力的日本，與其寄託在已經呈現飽和狀態的美國，更重要的是如何面對中國這個廣大市場。雖說在1972年的中日邦交恢復與中美接近之後，關心這方面的議題已經逐漸醞釀，但對中國來說，自然不會願意抹殺自己存在的位置，去屈就於美日聯盟體制之內。因此對日本來說，思考讓彼此都能互惠的方法乃是當務之急。」

戴先生著作豐富，其中《台灣與台灣人》（研文出版）、《更想知道的台灣》（弘文堂）這兩本書，特別值得推薦給日本人一讀。

本文原刊於《每日新聞》夕刊，1986年9月8日，4版，第8頁。爲小泉貞彥編輯委員所企畫「晚安・星期一・男人的談話室」（こんばんは・月曜日・おとこの部屋）專欄內文章

侵略罪行可恕不可忘

——戴國煇正告日本政界應扮演利人利己角色

日本《每日新聞》日前以半版篇幅專訪台籍旅日歷史學者戴國煇教授。對日本現今政經社會提出批判，使這位55歲的立教大學歷史系〔科〕教授兼系主任〔科長〕，又成了日本新聞界的注意焦點。

戴國煇教授在四年前日本第一次篡改歷史時，曾向媒體表示第二次世界大戰日本侵略鄰國史實。是一件「可恕不可忘」的事實，大力批判日本想刪改教科書的不當。「可恕不可忘」成了當時最具歷史批判觀點的一句話，甚至引起世界日本研究學界的注目。

文部大臣藤尾正行最近對日本侵華、侵韓歷史，又一再大放厥辭，戴國煇教授在最近返台參加學術會議時，曾表示，這是「大日本」沙文主義復甦的「風向球」。假如持續這種氣氛，戴國煇認為日本將走向政治冒險的危機之路。

戴國煇在接受《每日新聞》的專訪中，仍不失「歷史批判者」本色，再度警告，高度經濟成長的日本，應該圖謀「敦親睦鄰」——扮演好「利己又利人」的角色，嘗試成為東亞各國的

「芳鄰」。

自四年前教科書事件之後，戴國煇這名字在日本已是「嚴厲批判」的代稱。今年七月間自民黨出乎所有人意料大勝，最大反對黨，社會黨隨之瀕於崩解，早使日本有識之士大感不安；包括部分忠於自民黨的知識分子都表示面對如此意外大勝，應有「憂思」。《每日新聞》在此時專訪戴國煇，應是此種知識分子「憂思」在發酵，並發揮「反省」的一種表徵。

本文原刊於《聯合報》1986年9月10日，2版。由記者楊憲宏採訪整理

《齊民要術》與東畑精一老師的回憶

——下河邊淳vs.戴國煇

◎ 林琪禎譯

時間：1986年10月22日

與會：戴國煇（立教大學教授）

下河邊淳（總合研究開發機構理事長）

與東畑老師的初識

下河邊淳（以下簡稱下河邊）：一開始，先請戴教授為我們介紹一下與東畑先生的認識經過吧。

戴國煇（以下簡稱戴）：我是在1955年11月抱著要往美國留學的計畫離開台灣來到日本的。當時台灣的國民黨與中國大陸之間的關係十分緊張，國民黨統治的台灣仍處於戰時體制狀態，因此年輕人不能任意出國。所以我先去預備軍官學校，服了義務兵役之後，又通過了非常困難的留學考試。當初之所以到東京的理由，其實是於昭和15年春天從台灣到日本留學的哥哥被徵召為學徒兵，戰後也沒回到台灣，因此父親希望我能到日本見見他。

當時我還年輕，因此對於還要到曾經被統治過的日本讀書，心中有著反感。再加上當時的美國為世界一流強國，因此有要學一流學問就去美國的誤解。到了東京之後，哥哥說：「不要馬上去美國，先在日本讀點東西如何？」因此，我前往東大的農業經濟系試探了一下。當時本來日語就懂一些，也能講，再加上戰後沒有中國人正式通過考試進入農業經濟研究所，所以我就去試看看了。當時東畑老師、近藤〔康男〕老師、磯部〔秀俊〕老師、神谷〔慶治〕老師、大塚久男老師、丸山真男老師、川島武宜老師，這些知名的學者都在東大，可以說是東大整體的黃金時代，也是我人生中的一個黃金時代。考完筆試之後，東畑老師認為我有些地方「頗為有趣」，因此錄取了我。老師學識淵博，總是用全球格局在看問題，尤其是中日關係。另外他對台灣也知之甚詳，曾經在前台北帝大執過教鞭。老師著名之作《日本農業的展開過程》〔《日本農業の展開過程》〕也提到台灣的農業，我在台灣時就拜讀過老師的著作了。

因此，我就進入農業經濟的研究所，而聽各位老師的課，當時令我最吃驚的是東畑老師說：「戴君，你是外國人，應利用這個特權去聽各方老師的課。」當時戰後不久，東大的研究所有著橫向的寬廣，現在則開始專門化。因此我就到與學分無關的法學部、經濟學部，連醫學部都盡興旁聽。

結果我從東畑老師身上學到了思考事情和做學問的方法，以及與人交往的方法，於公於私，受到許多老師的教誨。但是，對我來說老師太偉大了，因此身為末席弟子的我沒機會談老師。今天很感謝下河邊先生給我這個機會。

下河邊：東畑先生是我們NIRA研究評議會的議長，剛才聽戴教授說的，其實我們也受到東畑先生許多的教導，以學者來說，東畑先生真的很有個人特色。

戴：即使會挨老師罵，老師也已經在天國，所以我要說些大話。近代以後，知識分子鑽研學問過於專門化，格局也因此愈來愈小。換句話說，現在的社會條件不易培養出大格局的知識分子，我想這點不管在哪個國家都一樣。尤其我所見的日本的各位，特別認真與紮實敬業有如工匠。但是不同於許多見樹不見林的教授，東畑老師不只長於學問，也很清楚自己與現實社會之間的定位，對自己的進退精準拿捏，這樣的老師不可多得吧。

我和老師的交誼長達二十八、九年，但很遺憾的是他剛好在我去美國的那一陣子過世。我眼中的老師在重要關頭，還是保有他一貫的座標軸而保持不動，雖然他不會把自己放到世俗的位置，但也不會與世界的潮流脫節，他總是能掌握現實的脈動，正確說出該發言的內容，做出該扮演的角色。老師在《齊民要術》一連串的推動工作，或者包含NIRA評議會的許多工作，可以窺見老師與社會共生共存的軌跡。

下河邊：就本質來說，本來學問和科學就應該這樣的吧？

戴：對偉大的知識分子來說，是這樣沒錯。

下河邊：現在有通曉局部的專家，卻不容易出現格局夠大的學者或科學家吧。

戴：偉大的知識分子已經沒有了，但今後還需要啊！

下河邊：毋寧說現在已經到了需要他們的時代了。

戴：沒錯。但社會的條件還是偏向太專業了，我們現在生活周遭，一不小心就容易陷入失去整體之中應有方向的危險。

下河邊：日本的大學已經將知識分門別類，照著安排做就安穩妥當，因此感覺難培養出像東畑先生這樣偉大的學者。

戴：以我在美國的經驗來說，美國的學界因為流動性高，也許可以補足視野狹隘的問題。另一方面，日本的學者多只在一處研究一小範圍，不看他的業績或論點，只要努力鑽研就能獲得評價。我想，在某種意義上，是日本社會的美德。在小處鑽研累積業績雖然很重要，但可在學會以全球觀點發言也很重要。尤其是歷史學家，我很期待見到能提出某種遠見的大歷史學家或大知識分子的出現。

下河邊：現在，日本在國際社會之中，已經到了需要改革舊東西的新體系架構，需要指導性發言的學者。東畑先生在日本戰後混亂期扮演的角色，現在也需要有能夠扮演的人物。

東畑先生與《齊民要術》

下河邊：東畑先生窮究心力出版的《齊民要術》〔譯註：後魏・賈思勰撰，西山武一、熊代幸雄譯，アジア経済出版会，1969年12月25日（二版）〕，對他來說有趣的部分是哪裡呢？

戴：以老師在《圖書》（〈《齊民要術》與我〉〔〈齊民要術とわたし〉〕之中未提到的部分來說，其中一點就是，老師雖然專攻農業經濟，但即使看他的《日本農業的展開過程》一書，應該歸為社會學。也就是說，老師常關注人的問題。透過歷史性的脈絡思考，用全球格局思考日本與世界，與他國應有的關係。

另外，還有一點不能忽略的是老師基本上是自由主義學者。他不以意識形態判斷事情。雖然老師有他的政治立場，但對於自己的朋友或弟子的人際關係，絕不以意識形態先行，會看對方是否有品德，是否有正當職業，做事是否認真等評價。若遇到愈需要幫助的朋友，老師愈樂於相助。老師幫助人的方式，一種是在社會意義的援助；一種則是對於人品不錯，或默默努力的人給予溫暖的幫助。這兩種助人的方式微妙地交相運用，塑造出老師的行動模式。老師對於幫助基於自己信念紮實研究的人不遺餘力。

《齊民要術》也幫助了西山〔武一〕先生和熊代〔幸雄〕先生，將他們的成果公諸於世。最初的影印版與金澤文庫本都是在先生農總研的時代——昭和23年左右，日本還相當貧窮的時代——就出版了。其實，當時的西山先生與熊代先生的身體都不好，剛復員回國，但其研究對於社會學術界都有意義，因此先生雖然自己不太了解，還是願意給兩人工作機會，一起努力。

在歷史的脈絡中看事情。自身的處理方式，就某意義擅長自我定位，或自我判斷的同時，對於日本所處狀況與學術界的關係，都掌握得很好。與學術界的關係這一點，具體的說，老師主要是立足在日本的學術界與今後的日本應有的方向這個方面。像老師從歐洲留學回來時，讀了《齊民要術》這篇小出滿二先生關於世界中的古代農書的論文，認為此論文不只能填補日本學術界的不足，也能填補中國學術界散佚的東西。先生用世界的格局，看中國的乾燥地帶在廣闊世界中的義涵，我將這點解釋為這是與老師對戰後的熱情有關吧。其實這與NIRA的研究也相關，像他對李約瑟先生的研究，就曾以各種方式表示他的理解。

下河邊：我當上NIRA理事長沒多久時，有一次和東畑先生聊天，他對我說：「給你一本書，好好讀吧。」那本書就是《齊民要術》。他很慎重地將書交給我，說道：「我手邊只有兩本而已。其中的一本就給你吧。」正如戴教授所言，書中的哲理深奧，是很好的書。後來我去見東畑先生，對他說，「書我翻過一遍了」，結果他竟不理我（笑）。我想他應該是要我用一輩子的時間去讀這本書吧。《齊民要術》談的雖是人和人的社會，但我想是人存在於自然之中的明確位置，既然人與自然共存共生，在老師腦中就是一體。將人類與自然的關係用這樣的角度看待的，是中國、亞洲，或是東洋思想，這是西歐不可能有的思想體系吧。

亞洲經濟研究所時代的東畑先生

戴：加些我個人的一些回憶吧。老師很喜歡北京的秋天，戰後好幾次受邀，但是都沒有成行。當時老師曾打電話給我，邊向我確認：「中國和台灣的關係怎麼樣呢？」邊說道：「這次也問我要不要過去，我看還是先緩一緩吧。戴君，等你也可以去的時候我們再一起去。你當我的翻譯吧。和你一起去的話，可以點到比較好吃的料理，也可以一起喝點小酒啊。」

老師和我的認識雖然長久，可是我沒去訪問過老師中野的家，也不曾寫過賀卡。老師和我的關係，真的就如如水會館的名字，「君子之交」。當然，老師是真正的君子（笑）。

我成立了小書庫時，曾經招待老師到西習志野寒舍來作客。

那時候我不知道，日本社會似乎有著不能請老師或前輩到自己家裡的規則。當時我只想老師喜歡書，我也蒐集了自己的專門書籍以及古老的線裝書——在中國是這麼稱呼的。一直以來受老師的照顧，自己研究的方向也差不多決定了，加上內人對料理也稍有研究，因此才邀請老師的。那時，老師堅持說：「不用開車了。你和我一起坐電車，我們還可以一起聊天不是嗎？」因此就一起搭電車到我家。老師的腳似乎不太好，現在回想起來覺得很抱歉，卻也充滿溫暖的感覺。

之後，我決定要到美國進行海外研究時，第一次訪問了老師的宅邸。那是1983年3月22日左右，即將啟程之際，聽說老師的身體狀況不太好，對此感到在意的我，請曾經在東大研究所參加過老師講座的內人打電話過去問候。結果老師生氣地說：「戴君，你怎麼什麼都沒說呢？近況如何？馬上過來一趟！」就這樣，我們夫婦第一次前去老師家中拜訪。老師看到我們，眼泛淚光，我以為是因為身體不好動了手術的關係，老師卻先是說他最近沒法看報紙，接著又埋怨我道：「戴君，你討厭起日本，被美國吸引過去，不回來了嗎？」看樣子老師誤會了。「老師，不是這樣的。我只是去個一年左右就會回來了。」「那就好。」接著又和我談到台灣和大陸目前的關係。「中國大陸和台灣的問題，不只是你們中國人自己的問題喔。」老師如是說。

另外，在此我想介紹從老師那邊聽來，非常有趣的逸聞。一名美國內閣統計局長等級的高官，從中國回美國途中，暫時在東京落腳時，曾和老師等人一起用餐。該名官員約四十歲左右，育有四名子女。席間眾人聊完中國統計與經濟的話題之後，他說了一個自己最小的兒子的趣事。他說，有天全家一起吃晚餐的時候，家裡排行第四的老么（約小學剛畢業，或者中學剛入學不久的年紀）突然說：「我是中國人」。大家都嚇了一跳。問道：「你怎麼突然變成中國人了？」「因為今天上社會課時，老師說，世界上四個人之中就有一個中國人，而我排行第四，所以我是中國人。」這名美國高官對東畑老師等人說這件趣事的用意，是想說全世界的人如果不努力讓這全球人口總數四分之一的人穩定下來的話，就會引起全球規模的問題。老師後來跟我說：「戴君，我雖然擔心你的處境，不過中國的問題其實既是日本的問題，也是全球的問題，所以，你要加油啊。」老師認為中國的政治經濟的動向不只是中國的問題，還和日本、世界和平，以及人類的發展息息相關。這是讓人感動的一席話，對我來說就像老師的遺言謹記在心。因為那是我最後一次見到老師了。

五月初我受邀請至加州大學柏克萊分校做我到美國的第一次演講。由於是紀念五四運動的演講，講題是「五四與台灣」。演講的最後，我也將老師所說的，中國與台灣的問題是世界性課題的觀念傳達給會場的聽眾們。那天的演講是晚上，回到公寓正好11點。一個中國友人那晚正好看洛杉磯小東京周邊日系電視台的節目，連忙打電話給我：「戴桑，你的東畑老師過世了。」我趕緊拍了弔唁的電報，這是冥冥之中不可思議的安排吧。

下河邊：東畑先生曾留給我幾句意義深遠的遺言。他常說要好好觀察中國今後怎樣發展，中國的問題就是世界的問題，也是全人類的問題。將李約瑟老師介紹給NIRA的也是東畑先生，當NIRA對先生說我們想邀請李約瑟時，先生非常高興。戴教授也有一陣子晚上參加NIRA李約瑟研究會吧。

戴：只是沒有什麼成果（笑）。

下河邊：我倒認為成果非常大。以研究會來說，那樣的討論方式比較少，和受委託有特定目的的研究不一樣，相當有趣。

《齊民要術》的再版

戴：我接觸到《齊民要術》並不是透過東畑老師的介紹，而是在寫學位論文時，我的另一位老師神谷慶治老師——他是繼東畑老師之後擔任農林省農業綜合研究所第二任所長——介紹給我的。《齊民要術》的初版是用農業綜合研究所的研究補助款出版的，一部分由東大出版會發售。我當初在調查甘蔗的歷史時，碰到了《齊民要術》，再以《齊民要術》為線索找到許多其他的農業相關文獻。我最早讀的《齊民要術》是中文版，之後讀了影印版，再來才接觸到了西山先生與熊代先生的譯註版。因此我得以再次體認到東畑老師的成就有多麼偉大。

我在1965年進入亞洲經濟研究所的，當時中國內部正值大躍進之後，接著是文化大革命，當時對於中國的內情不清楚，全世界只覺得中國人似乎正在進行巨大的變革而關注其發展。

這時，東大出版會版的《齊民要術》第一版在舊書店的標價很高，一般讀者很難買到它。如果我沒記錯的話，1964、1965年的價錢，上下冊合計約要12,000至13,000圓，相當貴。亞洲經濟研究所出版的拙著《中國甘蔗糖業之發展》，是1967年。某個機會我見到了幫我寫書評的熊代先生。我問先生：「《齊民要術》

的印刷紙模還在嗎？有沒有再刷的意思呢？」熊代先生答說印刷紙模還在。我心想太好了，一定要再版。

關於這點我還想補充逸聞，東畑先生原則上不留紙模的。但是《齊民要術》卻留了下來。這真的很幸運。沒有紙模，漢字的造字將會是個大問題，就不會再版了。

下河邊：以前我們《月刊NIRA》曾想找一些東畑先生談李約瑟先生的紀錄，因此去找東畑先生，希望徵得他的同意。先生很驚訝地說：「那樣的東西留下來無聊！」我們進一步說想刊載，當然被拒絕了。經過深入溝通，先生最後同意，經過他稍加修改之後刊登在《月刊NIRA》上。

戴：總之，先生的基本想法就是學問是持續發展的。當年我說《中國甘蔗糖業之發展》等更周全時再出版，他對我這個不成氣候的學生說，為什麼不印出來呢？年輕時要丟臉、受刺激、被批評，才能寫出好東西。不過不要留下紙模，留下來就會捨不得，就超越不了。然而《齊民要術》的頁數很厚，能留真的很慶幸。剛好這個時候亞洲經濟研究所的出版部門剛成立，還沒有出版案的關係，所以我去找老師，問他說：「老師，那本《齊民要術》現在被哄抬得很嚴重，我想拿到經濟研究所出版會再版，老師您怎麼想？」老師聽了我的提議，回道：「戴君，你這個想法很好。」於是，我找了小島（麗逸）先生幫我。雖然出版會那邊也有許多意見，但是畢竟我在亞洲經濟研究所出版的書不知為何總能出二、三版的成績，因此這次的任務順利完成了。因為再版的關係，哈佛大學的帕金斯（Dwight Perkins）——現在是農業史的教授——前來訪問，德國的一名婦女研究者也前來造訪。東畑先生也在這本書再版的時期，與以東京為中心的中國農業史研究團體有了交流。

下河邊：初版為昭和23年，再版的時間是幾年呢？

戴：昭和23年是金澤文庫本的影印本，只印了200部做為紀念出版。譯註版的初版是昭和32年，昭和45年則是第二版。

因為這次的再版，先生對國際性學會有了大的貢獻。當然一下就銷售一空了。現在市面上的應該是第四版了。初版雖然對中國有一定的貢獻，給予刺激，但因為當時出版的數量少，因此對世界的影響有限。再版後數量增加，而且是三、四版，逐漸向世界擴散開來。

中國農業史研究——李約瑟研究

戴：其實在這個過程中，還有一位非常重要的人，受到老師的支持與幫助——天野元之助先生。天野先生並非《齊民要術》的專門研究者，而是在滿鐵調查部研究中國農業史的研究者。也就是說，從《齊民要術》開始中國農業史研究，然後與天野先生有了關係。天野先生的著作《中國農業史研究》〔《中国農業史研究》〕，是昭和38年由農總研所資助出版的。當時農總研的所長已經從東畑老師交接到神谷老師了，但是神谷老師很珍惜東畑老師建立的軌跡，因此大多遵循著原有的方針。當天野先生獲得學士院賞時，他對我說：「如果沒有東畑先生的推薦，像我這種邊緣又邊緣的研究者，怎麼可能獲獎呢？」

其實，今天我還帶了中國古農書研究者王毓瑚的《中國農學書錄》到現場來。這本書剛有一兩本進入日本的時候，中國就發生了文化大革命了。當時亞洲經濟研究所中擬定了讓年輕人繼承的計畫，以小島研究員為中心提出了在日本復刻王毓瑚著作的意見。剛好在討論時，西山先生從鹿兒島來東京，與熊代先生、天野先生商量，才知道天野先生正在進行此工作。此書的漢字也費功夫會不敷成本，剛好時值中日恢復邦交的時候，日本的大企業也想要在這種時候有所表現，因此找上了東畑先生，希望能借用他的名號做些事，就這樣資金有了來源，於是這本書就以中日邦交恢復文化交流紀念的形式出版了。王毓瑚先生雖然一直沒有消息，但似乎還滿健康的，天野先生也對王先生的書做了補充訂正。因此這本書真的很珍貴。

下河邊：確是很珍貴。

戴：這件事沒有東畑老師是做不成的。包括《齊民要術》與《中國古農書考》〔《中国古農書考》〕的紀念出版，東畑老師都有絕大的貢獻。

其實東畑老師對李約瑟先生的關心也具有類似的意義。李約瑟先生剛來到東京的時候，他的農業和醫學相關著作還沒有在東京問世。

下河邊：是之後才出版。李約瑟先生對於農業論述十分慎重。

戴：協助者不多也有關係吧。東畑老師是自我要求很嚴的人，為什麼願意掛名思索社李約瑟先生那一大套書的監修者呢。應該是因為《齊民要術》與天野先生的研究相互交錯，東畑老師對李約瑟先生關心的「線」將他們牽在一起吧。老師是並不輕易答應掛名的人，剛才提到出版資金的問題，其實老師自己也打了幾通電話去拜託過了。他就是這樣相當熱情的長者。所以下河邊先生您透過NIRA將李約瑟先生的研究介紹到日本時，支持李約瑟研究的東畑老師特別高興，就將大家「牽連」在一起，不再孤軍奮戰了。

下河邊：東畑先生也說，李約瑟先生有寫不完的農業研究，總是期待他的著作誕生。

戴：由此來看，老師晚年的工作之一，我認為意義重大，但也許他自己沒有特別意識到，即透過日中英三種語言讓日本、中國、英國（李約瑟先生）的中國農業史或技術史對世界文化交流的貢獻很大，以無意識的「協調者」卻留下了成果。

中國農業與國際研討會

戴：藉此機會透露一下老師的夢想好了。他希望透過《齊民要術》譯註版，與中國《齊民要術》的相關研究能有具體交流，將《齊民要術》復原到最完整程度。影印本出版的時候，西山、熊代兩位先生已和中國的石聲漢、萬國鼎先生等《齊民要術》的研究者交流，天野先生也與中國農書與農業史的專家王毓瑚有交流。而李約瑟先生在中國找了好久的胡道靜先生，和天野先生其實有著長年的交往，亦即無形的聯繫已經超越國界。東畑老師也提過，等到中國的情勢穩定後，希望有機會舉辦國際研討會。

下河邊：關於這點，你可以和小島先生討論看看嗎？如果有我們可以協助的，我們樂於幫忙。比如說邀請李約瑟先生來，以紀念東畑先生的名義召開國際研討會，您看怎樣？

戴：我覺得值得一試。一直以來，都是我們提出想法，然後默默地去做，逐漸有了一些看得到的成效。在日本的學者們的盛情之下，將中國的文化遺產保留了下來，我感到十分的滿足。我不想說聽起來似乎很偉大的話，也無意記錄；畢竟有心人不管處於多麼困難的狀況，還是會保存薪火貢獻微薄之力，文化交流能去除政治問題，留下一些紀錄是最好不過了。我離開亞洲經濟研究所後比較少讀中國農業史或農書，因此狀況不清楚，但以紀念東畑老師的形式具體實現國際研討會，我想是非常好的。

下河邊：台灣和北京也有不少農學研究者。如能克服困難的政治問題，召開純粹紀念東畑先生的國際研討會，很值得去做。

戴：我很贊成。

關於華僑研究

下河邊：換個話題，東畑先生的遺言之一：「你們要關心世界的發展，必須了解華僑的存在。」因此NIRA對華僑開始有了問題意識。再加上剛才戴教授所說的，中文、日語、英語的交流，對全球來說愈來愈重要了。這不只是因為人口多的關係。我想東畑先生想說的是華僑的存在，以及華僑今後的發展，對這個世界來說是很重要的問題。在這個部分，希望也能聽聽戴教授的想法。

戴：我在亞洲經濟研究所工作的最後一段時間，就是以華僑研究計畫為中心。當時的華僑研究是以東南亞的流通網絡以及資金的動向為研究重點。要研究華僑，不懂很多語言是做不來的。

另外，華僑社會是個很封閉又防衛心重的社會，很難打入。因此東畑老師當時才會說：「就用你們習慣的方式去做吧。」所謂的華僑，在現在的社會情況是他們經歷了東南亞各國的建國過程，並摸索他們各自過去在歷史脈絡裡的定位，同時，他們在東南亞討生活。因此，在中國大陸與東南亞複雜的關係，與更為複雜嚴峻的國際政治狀況之中，華僑到底過著怎樣的生活，做哪些事？亞洲經濟研究所出版了上、下二冊以此問題意識為中心的研究專書*。之後我就離開了那裡了。

當時老師心中認為，日本與東南亞之間若要有良好的關係，對於華僑的了解與認識就不能偏誤。與華僑的共存共榮，對華僑而言是好事，要讓華僑的存在對東南亞的社會發展或是建國事業不會造成負面的影響，並進一步思索日本要用怎樣的形式援助東南亞的建國事業與社會經濟的發展，而且必須捨棄過去錯誤的大東亞共榮圈的想法。老師堅持，為了與東南亞各國維持對等互惠的關係，日本必須正確掌握華僑的實態、生活方式與價值觀，以及他們在歷史脈絡中的定位等課題。

下河邊：東畑先生也說過這樣的研究十分重要，還對我說：「我跟你說，華僑有許多很優秀的人才喔。」這是先生的遺言深烙印在我腦裡。我想一開始應該要從東畑先生說的，和優秀的華僑見面訪談開始吧。但這是很大的課題，希望戴教授能幫忙。

戴：沒問題。其實不只東畑老師一人。我想您也知道，武見太郎先生與東畑老師是吵架的對手。但兩人感情很好。我透過東

---

* 即《東南アジア華人社会の研究》（上下），1974年9月20日。

畑老師與武見太郎先生也有一定的交情。武見先生再三強調華僑的重要性。像他那種早期的知識分子對事物的看法，自有他的道理。我想NIRA是個有歷史與有深度的研究機構，對於全球性的重大課題若能產生新的問題意識與關心是再好不過的了。因此比如說今天和下河邊先生談到的，舉辦和《齊民要術》以及中國農業史相關的國際研討會的可能性，以及華僑的本質為何的研究這些課題，若能用理論性地、邏輯性地，並推及思想層次的學術領域完成這計畫，相信會有好的成果。

不過話說回來，華僑的問題——猶太人的問題也一樣——他們的猜忌心並不是他們的錯。因為世界的情勢，讓他們早就習慣帶著猜忌心過日子了。

下河邊：畢竟沒有警戒心可能無法生存下去吧。

戴：沒有錯。為了找出他們真正的樣貌，我贊成下河邊先生的提議。只是現今的社會忙於追求「致富之道」。曾有人開出不錯的條件問我要不要寫華僑的「致富之道」，我全都拒絕了。這是因為我有我的想法。

下河邊：今天似乎探訪了些東畑先生的偉大足跡，我們希望今後能實現東畑先生的遺言，請戴教授多多協助。謝謝您。

本文原刊於《月刊NIRA》第8卷第12號，東京：総合研究開発機構（NIRA），1986年12月，頁40～47

民主化浪潮與鄧小平體制

——中國往何處去座談會

◎ 蔣智揚譯

時間：1987年

與會：戴國煇（立教大學教授・中日關係史）

中嶋嶺雄（東京外國語大學教授・現代中國學）

吉田實（《朝日新聞》編輯委員）

主持：淺井泰範（《朝日新聞》外報部長）

中國自去年底連續發生大學生發動要求民主化的示威，引發了中國領導階層內部的衝突，結果發展成胡耀邦總書記引咎辭職的事態。這等於是以鄧小平黨中央顧問委員主任為中心的中國領導體制被迫重新改組，而今後「社會主義的框架」與開放政策如何並行不悖，中國的內政與外交何去何從，又胡耀邦辭去後日中關係會不會變化等不明朗之處甚多。關於胡辭職的背景與今後的展望，三位專家進行座談。

淺井泰範（以下簡稱淺井）：胡耀邦總書記在自我批判後，突然決定辭職。雖然他還是政治局常務委員，實際上可以認為已被解除職務嗎？又這樣一來，對開放政策會有什麼影響？領導階層會以何種形式重新建構？想請教各位對得知胡耀邦辭職消息之後的第一印象為何。

大膽無畏的方勵之

中嶋嶺雄（以下簡稱中嶋）：這就是鄧小平體制的內部分裂。胡耀邦是鄧最可信賴的同志，他們同心協力一起登場。胡會辭職，我想是一種代罪羔羊，是在我稱為原則派的所謂保守派與改革派對立的延伸線上被犧牲的。亦即在兩派對立中，成了主流派的改革派內也產生內部對立，開放政策本身的矛盾表面化了。胡是否成了此矛盾的犧牲者？

戴國煇（以下簡稱戴）：我想先說明我是以台灣出身的海外華僑立場來發言。在這次胡耀邦辭職之前，我透過香港雜誌讀到方勵之（中國科學技術大學前副校長）、王若望（作家）、劉賓雁（《人民日報》記者）三人的發言。對於前二人覺得不無可議之處，而對劉賓雁則感到受到牽連，似有不白之冤。方勵之的發言，從中國人的政治言論來看，指名黨的高幹而加以批判，我認為可能是因為他是物理學者的關係，但覺得頗為大膽，不通曉政治藝術。這可能終於導致胡的辭職。

吉田實（以下簡吉田）：中國自文革路線大幅轉變為近代化路線。是在1978年的11屆三中全會，此時變為由鄧小平、胡耀邦、趙紫陽等人形成中央，但是後來大幅容許自由的改革派與以陳雲為首的保守派產生對立，其矛盾以種種形式出現。

這次的學生運動導致改革與保守兩派的高層不得不相爭。要改革經濟的話，政治也須要改革，這樣的想法甚至讓改革社會主義的聲音也跑出來了。因此保守派強烈喊出胡早該下手處理。是不是這樣而讓鄧與趙也苟同了？

淺井：做為社會主義國家，無法捨棄「四個原則」。儘管如此卻又必須改革。在這樣的狀況，胡耀邦與鄧小平真的有對立嗎？

中嶋：部分報導說最後是鄧胡兩人間因權位而爭鬥，這是難以置信的。我認為涉及民主化的處理，胡耀邦做得有點過分。對於從12月5日所起學生示威，剛開始也帶有「學生幹得好」的看法。被保守派逼迫的胡耀邦總書記，可能趁機利用了學生運動，甚至搧風點火也說不定。其間學生示威不單是批判現狀，變為走向更為追究本質的反體制運動，導致只是黨內的路線鬥爭無法平息，連鄧小平也不得不急著滅火。為胡總書記屬下的胡啟立最初本來贊同學生的主張，從12月底開始也轉為與保守派相同的口徑。鄧小平本來想交棒給胡耀邦、胡啟立等共產黨青年團出身者，但他們處理得太差，可能危及自己立場，因而不得不採取像這次的平衡作法。

淺井：看了這一連串的動向，中國的大眾傳媒做出種種的論調。讀了這些，請問各位如何看待？

戴：我想大膽地說，我認為這次的事情不意味著鄧小平與胡耀邦之間的分裂。胡總書記是鄧一手培養的，但已經70歲了，在此為了不讓胡啟立負傷太重，胡總書記是不是代為扛罪？方勵之因為不懂政治運作，乃至指名批判領導們，但他後面是否有胡啟立？如果讓新世代的胡啟立負傷的話，領導世代間的交棒會有問題，所以胡耀邦做了扛罪替身。

吉田：改革派為鄧小平、胡耀邦、趙紫陽三人。此中鄧雖為改革派的中心人物，但掌握全局而發號施令，連保守派也會跟著他走。另一方面，胡耀邦負責政治、思想領域，拚命要從毛思想求得解放。趙身負經濟改革的重任，甚至流傳了「要吃米，找萬里；要吃糧，找紫陽」的順口溜。

根據香港的消息，聽說鄧在經濟上開放，在政治上保守。因此要鄧幹到最後的是保守派，而希望他在有生之年辭職的是改革派的圖式。因為鄧在有生之年辭職的話，胡總書記就能掌握實權。

淺井：中國最近的近代化、開放化的步調，會不會因這次的政變戲碼而轉為在原地踏步？

中嶋：將這次的民主化運動壓制下來，姑不論這是當前政治的收拾策略，其結果豈非要付出很大的代價？在毛澤東主席領袖魅力的獨裁體制之後，一心要改變之，現在這樣的切換不是太性急了嗎？為了近代化、開放化，實際上所採政策與本來的近代化、開放理論尚未整合就急忙推行政策，我認為太匆促了。資產階級的自由、民主，與社會主義的自由、民主有何不同？連其區分都搞不清楚就進行近代化、開放政策，也難怪對普遍的自由、人權敏感的學生們會驚覺而群起攻之。這次就是對這樣已經顯著化的矛盾，想要再以政治邏輯介入來打壓。但是，看了最近的《人民日報》，大量引用著鄧語錄，鄧想要改變毛澤東的領袖魅力型政治，自己卻正在搞領袖魅力。他尚健在，這種危機就顯著化，究竟沒有他之後會如何？我想這正是鄧小平體制的危機所在。

吉田：田紀雲副總理預定〔1987年1月〕18日訪日，他在北京記者會上聲明開放政策不受影響，顯得非常用心。在過去這種鬥爭裡，如劉少奇、林彪、「四人幫」等都被剝奪黨籍，社會地位蕩然無存。

不過這次，胡耀邦得以保留為黨中央政治局常務委員。除去他之後，開放政策怎麼辦？可能要拚命搞全面改革，進行對外開放政策吧！但是真要做的話，必須進行政治改革。能改革到什麼地步，頗受矚目。

戴：首先我想堅持思考方勵之等三人被除名這一點。中國是想進行開放政策，好好填飽肚子，不然黨本身會遭殃。靠過去的遺產坐吃山空是不行的。開放政策無法後退，因此將胡耀邦馬上開除黨籍會令人感到奇怪，所以也可認為藉由保留常務委員，以與先前三人的除名取得平衡。

淺井：與外國的關係如何？首先與日本的關係，不論政治也好，經濟也好，都格格不入。

戴：中國太大了，即使高層下令朝向變革，近代中國人的社會風氣卻不追隨而去。文革之後，為了突破停滯的狀態，企圖激化生產以達豐衣足食，卻因操之過急而使物欲橫流。最近的學生運動也是一樣，高舉著自由、民主等的標語，但聽說最初是為了反對學生餐廳伙食費漲價的生活要求。我想就是像在如今無法意識到外敵的狀況中，生活要求與對要人們特權的反感相結合而變為政治要求的。中國為什麼會警戒日本的靖國神社問題？因為這是容易了解的問題且易成為學生運動的火種。它會引起學生運動後容易轉化為批判體制。這次的民主化運動不也成了鄧小平、胡耀邦時程表的障礙？

吉田：關於靖國神社與國防費突破百分之一的問題，對訪中的竹下登自民黨幹事長，不僅吳學謙外交部長，連鄧小平也嚴正提及。不知道他們內心的想法如何，可能是「此問題容易對學生、國民的情感點火。請不要拂逆國民的情感。我們真的想「與日本、美國攜手合作」吧！希望日本方面也能冷靜看待此事態。

日美責任重大

中嶋：在中國的近代化路線上，日本與美國負有重大責任。日本對中國脫離毛澤東路線加以鼓掌喝采，但同時對每人平均之國民生產總值僅為250至300美元的該國不斷輸出電視機等，破壞了中國近代化剛開始起飛的踏實步調。對崇日、近代化路線的反命題，會出現更符合社會主義原則的路線。對靖國、教科書問題原則性的主張也會增強，而中日經濟目前也是糾紛多，今後中日關係可能更為嚴酷。

中曾根首相去年訪中時，對胡耀邦說請大力加以改革，日本也是在明治維新時，改革派打敗了保守派。這種像是干涉內政的發言，中國是很敏感的。日中21世紀委員會也是結合了胡耀邦—胡啟立—王兆國的改革路線。

美國一貫追循著離間中、蘇之策，但中國的保守派採警戒立場力求中、蘇和解。西方陣營應顧慮如何使中國能夠踏穩腳步。

戲碼會續演嗎？

淺井：最後，這次的政變是否就此結束，會不會持續而更加動盪？

吉田：在超過十億人的中國，文革當時的中心人物現在有許多噤若寒蟬，這點我們必須注意到，典型的例子是解放軍。最近讀了某士兵寫的「只要十人中有一個，百人中有一個對我微笑一下就好」，在刺骨寒風中站崗卻沒人理他，滿腹不平只好化為文字。農村也開放了，但仍有許多人遠遠落後。雖然引進了近代技術，但只有硬體而缺軟體，亦即沒有基礎技術或經營方法。得不到好處的人們就會支持保守派，主張採行原則主義。這點不能忽略。

中嶋：戲碼才剛開幕而已，換掉胡耀邦問題還是沒解決。具體解決要看預定秋天舉行的第13屆大會如何了。

鄧在此大會本來有一程序，要名副其實地引退以鞏固後繼體制，但此計畫遭到破壞。趙能否繼胡耀邦之後推動黨，即使他能上來也不無問題。至於胡啟立，令人意外的是民眾對他的評價不好，說他善於見風轉舵。我們說到鄧的接班人，今後究竟會如何發展？正因為鄧一直在實質上掌權，此事就難辦了。

吉田：社會主義的領導者向來只有兩個極端的類型，一是終身制，不然就是下台。但是這次胡耀邦的情形，是不屬於二者中任一類型的處置作法。這樣還有救，但今後的政治領導體制還有一番動盪。

戴：就我個人的見解，沒有一定的富裕基礎，將很難實現民主主義。中國還是貧窮，其民主主義的傳統不堪一擊。今後近代化、開放化政策的結局，可能要看民眾如何看待這次的學生運動。文化大革命之後，雖是部分，在農村也已經可見富裕之象，社會漸趨活絡。這樣的變化如果全都告吹的話，以後還剩什麼？民眾若能如此盤算，鄧小平體制應可免於快速衰微。

本文原刊於《朝日新聞》，1987年1月17日，14版，第6頁。原題於座談會前，加有「緊急」二字

商業的中國邁向近代社會與產業社會的轉機

——檢驗目前的中國・革命・思想座談會

◎ 蔣智揚譯

時間：1986年12月6日

與會：袴田茂樹（青山學院副教授・蘇聯社會動態論）

岩田昌征（千葉大學教授・比較經濟體制論，東歐）

戴國煇（立教大學教授・近代中日關係史）

大室幹雄（山梨大學教授・歷史人類學）

主持：内村剛介（上智大學教授・俄羅斯思想史）

此座談會在去年〔1986〕12月6日下午舉行，約做了三小時多的交談。如眾所知，當天的前一日，在安徽省合肥的中國科學技術大學發起了要求「自由與民主」的學生運動，導致了今年1月16日中共黨總書記胡耀邦的辭職。開始時是以「檢驗目前的中國、革命、思想」為題邀集了各位出席者，現在以通俗的表現整理出他們的發言，可將目前的中國做縱向與橫向的定位。為了掌握胡耀邦辭去總書記後的中國政局，這些談話的內容可說是最為當令的時鮮了。因此在本月號與下月號加以連載以饗讀者。大室先生因為是「壓軸」，所以在編輯技術上請他從下月號才上場。

內村剛介（以下簡稱內村）：今天想請各位對「檢驗目前的中國、革命、思想」的論題進行交談。在討論思想的問題時，因為在座的各位共同經歷過「安保」纏繞的時代，所以就中國而言，可能大約從文化大革命的前後開始是我們視野的最底線。這樣一來，當然在此就不能不浮現出與其呼應的日本思想狀況吧。其中有些事討論起來會像碰觸到傷口般令人不舒服，所以請各位注意這點為背景進行談話。

因為袴田先生最近去過中國，也去過蘇聯，對於蘇聯人看中國以及中國人看蘇聯，二者如何相互對看已做了整理（〈中蘇——其比較性考察〉〔〈中ソ——その比較的考察〉〕，《經濟學人》1986年10月28日號及11月28日號連載），所以今天首先想請袴田先生談談要如何依此理解現狀。關於這點，可能會涉及新經濟政策〔譯註：NEP，1921～1936年間前蘇聯在列寧領導下所實施者〕的問題，或是中國革命所產生的中國這個國家的基層問題，以及關於俄羅斯的同樣問題。如此一來恐將溯及往古歷史，但在此之前，中國的中堅分子是以新經濟政策的觀點在看蘇聯吧，還有中國的務實人士曾研究過東歐的實驗，這點想請岩田先生就袴田先生所說的來談談。這樣可能會進入混亂狀態，所以要請「境界人」戴先生做評論。

至於大室先生，想請您從這種現況，更有耐性地以宏觀的層次，談談對這些魑魅魍魎痛苦翻滾的情景之所見。

現在先從袴田先生開始，在您的報告中記載了您「所遇到中國大多數的專家都深信中國已經是改革路線的前輩，甚至抱著優越感。這次遇到的中國人幾乎對於目前的蘇聯型社會主義下了否定的評價，基本上都認為集權的指令經濟不能使社會主義活性化，蘇聯模式已經只具負面的意義」。這樣的現象是可能會有的，但在思想問題的處理上應該還有另一面，就是對於所謂中國的鄧小平路線，有些人趁現在要制衡其失控，而正與這些人進行妥協，這是一般所感受的。這是有相當勢力的。因此袴田先生所說的見解是與你們正面相遇的人所提出的，至於那些未相遇的人可能會有相當頑固的意見。這不是在日本所說的思想問題，而是意識形態的問題吧。

岩田昌征（以下簡稱岩田）：是沒有遇到或是不能遇到袴田先生的人，所指的到底是那一種？

開始述說個人見解的中國人

袴田茂樹（以下簡稱袴田）：我想我們所遇到的總是以研究者為中心，所以與在實際官僚機構中擁有既得利益的人有所不同。

岩田：結果是屬於沒有遇到的。

袴田：與這種人相遇也有種種的場合吧，我這次遇到的人是以研究蘇聯的為中心，還是深感中國已經抱有相當的自信。

首先讓我談談對中國的蘇聯專家是如何觀看現在的蘇聯這方面的感觸。

我這次去中國，距上次實際已有六年之久，從北京、長春、哈爾濱，然後到南方的廣州、深圳經濟特區，訪問過幾個都市的大學或研究所，與蘇聯問題專家或國際問題專家會面，甚至也到工廠或農場參觀。

當時對我而言最為關心的是，現在的中國人對蘇聯的認識如何，與我們對蘇聯的認識有何不同。又，中國與蘇聯都是經濟大國，兩國之間有何共同點，有何不同點。雖然在八到九月之間，只做了約半個月時間的旅行，當時我是希望能在這方面有所斬獲而成行的。

關於他們對蘇聯的認識，這次我覺得有趣的是各方面的研究者都說這是他們個人的意見，並非在拚命重複官方論調，而是率直地敘述己見。這是幾年前我去的時候，不太容易見到的情況。

最近我參加了日蘇圓桌會議，蘇聯發言者全體的氣氛依然是一步都離不開過去官方的發言，因而我就說：「在進行民間層次的會議時，若只以官方論對碰官方論，那有何意義？」蘇聯的拉帖雪夫（Latyshev）說：「因為政府是代表我們的想法，政府與我們國民之間不可能有不同的意見。」他竟做了這種無奈的官方論。我告訴他當我個人與各種蘇聯人交談時，意見就非常多，批評阿富汗問題的蘇聯人也到處都是。我所知道的很多蘇聯人對日本北方領土的問題，這樣敘述著他們的意見：蘇聯是擁有廣大領土的國家，那樣如芝麻小的島嶼，我個人很想馬上讓渡給日本，為了那樣的島嶼，導致日蘇關係緊張，實在是非常不幸。我舉出去中國時的話題做例子告訴他們說，不要設想蘇聯政府與個人的意見是經常一樣的。我曾與中國的專家有種種談話的機會，他們與外國人做討論的時候，已經都以個人的立場談論個人的事情。

他們已進入這種時代，同樣的問題也因人而有相當不同的意見，各研究者說著不同的意見，時代已經改變了。

內村：中國人未說出那種個人的意見，是極為反常的短期間之事。若要採行文化論，我想其體質與蘇聯不同。

即使在文革中，也是可以發表個人的意見，只是沒有說出口而已。我想他們一定感到當時非常不明智。如今已脫離這種狀況而說出，甚至於說過頭。

袴田：其後我與某蘇聯人私下交談時，他說：「雖然您說中國人談個人的意見，但仍是個信口雌黃、莫衷一是的社會，那是因為還沒有強固的社會主義體制。」（笑）。他還說：「我們的政府已統治將近七十年了，有穩健的體制，但中國還是亂七八糟的。」（笑）

內村：這種話已經成了黑色幽默（笑）。

中蘇對於商品經濟的不同印象

袴田：由於這樣的緣故，說到中國人的見解，實在不是那麼簡單可以說明。舉幾個特徵，很多研究者曾強調戈巴契夫握有相當實權而地位穩定，但同時對於戈巴契夫在海參威的演說，中國官方卻相當冷淡對待，不過若聽研究者階層的意見，在個人方面大家都有非常高的評價。他們抱著好感，又多方接受戈巴契夫的發言，對他的經濟政策所做善意的見解也超出我們的想像。

尤其他們也注意到，蘇聯已經不能再仗恃以往軍事武力的路線，所以真心想改善與中國的關係。一方面也可聽到這樣的見解，就是蘇聯如果繼續現在的狀況，將在本世紀末淪落為二流國家，另一方面由於開放政策，對於自己現在正向上提升邁進握有自信。在此認識的背後，蘇聯模式為1930年代型的社會主義體制，蘇聯目前還保留著，有人認為這是有問題的。這不是只有一個人，有很多研究者都有相似構想的指摘。正如我們所關注的，他們也注意到以《EKO》雜誌為中心的阿甘貝強（Abel Aganbegyan）或是札斯拉夫司卡亞（Tatyana Zaslavskaya）等改革派的蘇聯經濟學家。

我認為現在的中國基本經濟力比蘇聯遜色很多，但在商業主義的表面上有很多方面超過蘇聯，現在中國人對蘇聯毋寧已經是持有優越感的時代，對此我的印象也很深刻。有人曾這樣說過：「我們對於蘇聯給我們的援助，以前曾把中國最好的東西送給蘇聯，而自己捨不得使用。但今天即使像是收錄音機之類，我們都做得比蘇聯好。在中國即使賣不出去的庫存產品堆積如山，若帶蘇聯人到倉庫，他們會很高興地將其全部買下。又，他們從蘇聯帶來送給我們的禮物，譬如電刮鬍刀，不但聲音太大又會震動，品質甚差，難道蘇聯人還把現在的中國當作1950年代的中國嗎？」

的確，中國以合資企業等方式正在製造某些接近西方國家的產品。他們所製如電器產品等，其設計也與日本產品差不多，並已開始賣到西方國家。我深深感受到他們在這方面抱有相當強的自信。

內村：我想他們從未失去信心，即使被迫到走投無路。

袴田：此問題容後再談，請讓我再補充說明一點。

在中國讓人感到驚訝的是商業主義的體質遠比蘇聯強。在北京王府井大街的商店也以吆喝客人、減價打折，競相熱心地兜售著。碰巧我要買硯台時，也覺得各店之間的競爭非常激烈。連踏實的北京都這樣，若到廣州或上海的那種地方去，商業主義的氣氛更為濃厚。當時在想這究竟表示什麼？

我在《經濟學人》也曾經寫了這方面的事情，中國早在宋朝或更早以前就是商業之民。對中國人而言，商業非常自然地被接受，華僑在商業上發揮能力也與此有關。一般國民階層並不認為商業的要素有什麼不正經的或是會擾亂社會秩序的負面形象，我強烈認為可能其精神結構能夠很自然地接受它。

說到蘇聯，從古時候農工分社（俄羅斯的村落共同體）的農民以來到現在，將商業性的東西視為不正經，與猶太形象結合，對其有相當負面傾向的看法。俄羅斯人對於善長經商的喬治亞（Gruziya）人不懷好感。「市場經濟」這個用詞，其俄文也是與「累諾克」（PblHOK，市場）一詞結合而成，此「累諾克」之形象就是在前近代的中東那種爾虞我詐的不可靠場所。

內村：是市集吧。

袴田：是的，就是市集的形象。因此認為國家要好好地管制才會有真正良好的社會，讓個人任意去做就會變得混亂不正經。俄羅斯人到現在還強烈持有這樣的心理狀態。此心理狀態在各方面阻礙蘇聯的經濟改革。又中國鄧小平路線僅在這樣短期內就能推廣到社會，雖然出現各種問題，但是至少表面上有其成果，這也與其社會體質不無關係吧。

最近我在《遠東諸問題》雜誌上讀了關於這個問題，蘇聯人以完全相反的立場所寫的文章。亦即中國是傳統社會的要素很強，沒有近代市場社會的經驗。相對地，俄羅斯包括農民自前世紀就有強烈的氣勢要破壞傳統社會，那曾經有助於近代化。此後雖朝社會主義革命的方向前進，在那時期連俄羅斯農民階層也已經理解近代市場經濟是什麼。在中國還是傳統要素比較強，至今該要素還持續著。讀了這樣的敘述，我不知應該如何理解它。雖然這與馬克思主義的教條式歷史觀一致，但不可能就這樣同意。

還有一點是中國在商業主義方面很強，造成了今日中國的困難。也就是說，如果經濟是從所有角度都以商業主義的感覺來看，那麼產業建設恐怕就會碰到難題，今天似乎已經碰上了。曾請教過日本對中國經濟相關人士，他指出與中國交往感到最大的問題，就是中國人對經濟合理性的感覺很微弱。我想其意義就是中國雖然有商業感覺上的經濟意識，但缺乏產業的感覺。

關於這一點，俄羅斯對於商品經濟的心理反感非常強，也缺乏經濟合理主義，但他們有所謂生產的觀念。俄羅斯雖然以國家為中心，有依照上面的指示拚命製造產品的生產觀念，但沒有原來意義上所稱的「經濟」的觀念。相反地，中國不是傾向生產，而是傾向商業主義，那不是同樣欠缺經濟合理性嗎？中國和蘇聯都是欠缺經濟合理性，但其傾斜的方向是相反的。

內村：中國的經濟改革非常突出，可以說做了破天荒的動作。其實這要歸功於蘇聯，蘇聯的社會主義是胡亂地犧牲了國民才完成的實驗，卻提供了一項保證，讓後繼社會主義的中國占了臨機應變的便宜，我想這是不容掩飾的，所以我想蘇聯才會那樣說。不過假設中國也像蘇聯在1930年代那樣固執，不越雷池一步的話，能夠將它修正的就是圍繞著蘇聯的社會主義各國的東歐。此東歐以往的動向是如何呢？東歐很明顯地是在蘇聯的勢力圈內，但在經濟方面還有空間，未必需要依照蘇聯的體制。這方面究竟如何？

岩田先生認為不要以先有傳統社會再有近代、隨著有資本主義最後才有社會主義這種組態的交替來考慮社會主義，並非如此。社會主義的、集權的經濟體制是可以做為資本主義的同位對立物，其萌芽自《鹽鐵論》開始，在中國自古以來就有。超越資本主義就會成為社會主義，勸導放棄這種教條的論說是《現代社會主義的新地平》〔《現代社会主義の新地平》〕（日本評論社刊行）。《凡人們的社會主義》〔《凡人たちの社会主義》〕（筑摩書房刊行）所開啟的。請根據此論並連貫袴田先生的話來加以說明。

中國、東歐社會主義思想的不同點

岩田：剛才提到現在中國人對蘇聯持有優越感。在開始經濟改革並採納商業主義或市場機制之中，很早就持有這種意識者，最典型的是南斯拉夫人。在那麼小的國家，自從1950年代採納了市場機制，到了1965年，甚至連投資領域都要徹底委諸市場機制。

我最初到南斯拉夫是在1965至1967年。 當時的印象完全如袴田先生剛才所說，自己所製造的東西，如電冰箱或彩色電視都是西德或義大利的專利，蘇聯做不來。俄羅斯人放暑假來到南斯拉夫就住在學生宿舍而不住旅館。這一來，就經常聽說曬著的尼龍襯衫不翼而飛了（笑）。

所以像那樣的意識，並不能說是中國人的文化傳統，或是南斯拉夫人的文化傳統，大概任何地方的庶民很快就會變為那樣吧。

袴田：日本也已變為那樣。

岩田：日本當然也是。只不過日本的情形是有相當深厚的根基，當然會持有優越感，這也是我們需要注意的。南斯拉夫是在非常短期間內突然持有這種意識，不知能否持久？

那種馬上可持有的優越感，其內容總是空虛的，不能長久維持。人總是有自知之明。並不是真正自己做出來的東西，畢竟不過是輸入義大利或西德的東西而已，總不能認為俄羅斯人比自己差。這是我首先想要指出的一點。

現在發生在中國的事，由於我去過南斯拉夫，並不像大家那樣會特別感動。我會認為那是在老早以前就發生，而一直延續至今的東西。不過，如果將中國人與南斯拉夫人相較，到目前為止，南斯拉夫人對於19世紀的社會主義思想比較拘泥，開放的現象卻超過中國。人口2,200萬人，有約100萬人到外國工作，自由自在地活動與匯錢。在北京聽說要去店頭買東西就要到王府井，我去時就已經完全沒有蘇聯式的購物方式，與東京一樣。雖然如此，南斯拉夫人有非常強烈的執著觀念，想要以自己的方式活用19世紀馬克思等人的思考及奮鬥，或是列寧等人所培育的事物。一方面強調只要能以市場機制製造優良商品就好，或能有豐厚的消費財就好，或生活能便利就好，但另一方面有非常強烈的意識，認為利用市場機制就是為了能活用勞動者自主管理系統，而不沉迷於市場。

南斯拉夫這樣地發展著，先是1974年的《憲法》、然後1976年的《聯合勞動法》，甚至進展到一種構想，在某意義上是烏托邦主義超分權的，而且在某種程度可將市場封鎖之分權的非市場經濟，完全沒有集權的計畫，聽起來有點矛盾。最近的1982年、1983年提出了必須加強政府的力量及稍微加強市場的意見。會提出這種意見，似乎是因為南斯拉夫人比當今中國人更執著於理念性之事物。

也就是說，我所想的所謂近代、現代社會，基本上是歐洲的產物。巴爾幹半島也是歐洲的一部分，所以他們會持有想要完成歐洲所開拓的近代的意識。中國人能以何種程度持有此種意識？是否果真持有思想上的課題，即以便利之事物，或能迎頭趕上之對象來把握，而到底有沒有想完成近代社會，或想製造不同型態的近代社會，這點我非常注意。

南斯拉夫是這種情形。至於波蘭，眾所周知，1956年以後是小農之國。亦即中國採用包工制而成為話題，波蘭於1956年以後就不是包工制，已經是私有的小農制度，與南斯拉夫一樣一直持續著。因而從以前就有「萬元戶」的現象。尤其在波蘭的都市近郊，農民成為萬元戶，以蔬菜或花圃之商業性農業而致富是理所當然之事。

1970年代的波蘭對外開放而不斷地引進西方資金，在這方面是大為失敗。但那是因引進而失敗，並非未引進而失敗的。這一點可說做了很大的實驗，由此從東歐圈來看，中國在客觀的改革方面應該看不出有特別了不起之處。

但這只是在客觀上看到的，最大的重點是中國已經改變了。從東歐來看，中國是蘇聯的同路人，甚至是更為頑固的教條主義者。實際上在歷史中做如此行動之一面非常強，若東歐想要經濟改革，就經常朝著相反方向「嘩」的一聲展開論戰陣容。

内村：稱作修正主義吧。

岩田：是的。南斯拉夫的情形，因為它是獨立的國家，可以斷然地與其對抗，但波蘭對於這樣的中國只好躲在蘇聯的背後對抗。以往是如此的中國，竟朝他們的方向部分地追趕過來並且奔馳著。在政治上是極力表示歡迎改革派的方向，但在心理上、思想上改革派是否得到尊敬？

袴田：由蘇聯人來看，持有非常矛盾的感情。改革派的經濟學家們說，中國做了那樣的經濟改革，獲得那樣的成果，對我們是很好的。但對於舊頭腦的人就不一樣，如果採用市場經濟將會提高生產效率，無論怎麼說明他們都不想知道。若舉匈牙利之例，他們也會說「那種只千萬人的小國，條件差太大。不能做為像蘇聯這般大國的參考」。他們一方面說中國採納市場經濟在短期間內就有了發展的成果，這給我們顯示了非常好的實例；但另方面又說我們很清楚中國達成那樣的成果是因為還只是在農村部分或商業方面，一旦成為工業的問題就沒那麼簡單。又認為中國只不過是在做我們蘇聯曾經以新經濟政策所經驗的事。

蘇聯一方面焦慮著是否已被趕過，同時又認為他們是走在前面的。他們也認為經歷了新經濟政策，現在正在工業社會階段中遇到困難，料想中國不久之後也會在工業、都市之層次上遇到同樣的大問題。

岩田：這點即使是東歐的人基本上也是這樣認為。對過去的新經濟政策能否做出那種程度的觀察另當別論，但今日中國的成功就是在農業及流通等方面，這種事讓經濟學家來看，不必特別努力也可知道。

談到經濟改革，基本上最辛苦的是哪種產業？其實是在農業以外的諸產業，若僅在農業的話，只要引進小農制差不多就行了。此後最辛苦的應該是要在首要近代社會的結節點之工業，或在其他部門上如何尋找新的制度，以配合社會主義的原則及效率的原則。所以在中國何時會碰到這種情形，應該是此後的問題。

日本的媒體報導，對於中國總是稍嫌過度陷入其中，無法宏觀大局。

中國拋棄了馬克思、列寧主義嗎？

内村：在此我想要切入橫向性問題的核心，日本人不知是否因為太輕率或是太逢迎，很難去除只想看到有利於自己一面的壞習慣。由於沒有足夠的力氣或是沒有持續去觀察事情的本質，所以可能造成這方面的問題。我想我們有必要去理解。

岩田：我也是這麼想。

内村：正如標題「檢驗目前的中國・革命・思想」所示，今天還沒有談到要如何將代表最近經濟動向的種種動態定位在革命之中的什麼位置。我們目前只論及到這種事象而已。

但假如要將其定位在革命之中的話，就如岩田先生所說，中國曾經比蘇聯更為左傾，不是曾威脅過你們修正主義者嗎？而不知不覺之間中國人的商業主義卻跑在修正主義的前端。至於他們的志氣和操守如何，現在誰都不提了。不過我想蘇聯和東歐各國都非常輕侮地看著中國。對於中國自由化，我們日本人歡欣的程度可能超過中國，甚至會抬神轎遶境大加慶賀一番。所謂革命就是這樣，不是人們都一直綁著頭巾拚命努力，恰如其分地做事才是正常，這對日本人而言是非常容易了解的感覺。那樣子就好了，那樣有什麼不好？像歐洲忠實於近代的原理，這種事若讓中國人來說，則笛卡兒（René Descartes）的誕生是歐洲不幸的開始（笑）。以前林語堂說過，「我思，故我在」是印刷錯誤吧？

在這種意義下中國人從自己的經驗把所有的思想相對化。他們認為若不如此，人類就不能生存下去。你們就是因為想要依賴自己以外的東西，才會造成不幸，所以他們只靠自己，連天地也不依靠。我覺得中國人這種牢固的思想像是實際存在的。從這種情形看來，說「中國變了」，說「你們是叛徒」，講這種話是無濟於事的。岩田先生說南斯拉夫人也常在說，中國人則說「沒法子」，也許就是說與我無關吧。

岩田：並沒有說是叛徒。要之是朝這邊靠攏，是非常正面的，所以絕對沒有說是叛徒。

内村：不，不是比較各黨，就中國人的起承轉合來看，你們把他人的缺點舉出，這次卻做為自己的東西提出來，那不是把表裡翻過來嗎？表裡翻轉這一點就是叛徒。

岩田：況且還在那種階段就說什麼新中國型的社會主義，還未成為堪稱型態的型態。不能因為在中國推行就稱為中國型態。

內村：不，那到底是社會主義或什麼的。我想一旦偏離社會主義的最基本原則時，就會真的騷動起來。

但我想目前在制衡那件事的人就身在其中，他們說不要失去原點。這個原點是在哪裡呢？那是在1930年代的史達林時代，認為那就是原點的思想，我想是存在於那些冥頑的傢伙之中。所謂馬克思、列寧主義是史達林說出的，因為史達林主義不稱為布爾什維克主義，所以馬列主義就是史達林主義，這麼說就明白了。因此抬著馬列主義的中國，在大範圍上有可能把1930年代當作原點。就現象而言，即使在商業性層面熱絡地進行活動，也不會因此而脫離原點吧？

岩田：為了從原點完全跳脫，至少須要實施如南斯拉夫所辛苦從事的思想上的革新。現在南斯拉夫已經不把史達林主義做為原點，而改採自主管理思想做為原點，並由此基礎，衍生出市場機制或是協議系統的問題，因為南斯拉夫過度否定了國家而出現所謂國家的問題。

就這種意義，中國是否已經捨棄了史達林主義，而且只是捨棄也沒用，是否正在努力製作替代物？

至於波蘭，他們持有替代史達林主義的東西，那是歐洲的自由主義和社會民主主義，自己是歐洲共同體之一環。可以說有了稱為歐洲復古或回歸之原點，然後推行著各種系統的活動。在那回歸歐洲之中，當然也包含死硬派的社會主義者，但不能稱之為史達林主義。

在中國的情況，若捨棄了史達林主義或毛澤東主義，就不能回歸歐洲。原來就不是歐洲，也沒有把屬於歐洲的東西當作自己的理念來考慮。然而也沒有制定如南斯拉夫那樣的原點。簡單地說，中國若要重寫適合自己體制的真正憲法或基本法的話，要以何種思想來寫呢？

袴田：你所說是否制定了原點是什麼意思呢？是說做為引導社會的原理之原點，或是指做為限制他們自己行動的規範？

如剛才內村先生所說，那種構想本身是屬於歐洲的吧？那種想法是否本來在中國早就有了呢？例如接受儒教原理的日本武士，其心理狀態極具有屬於精神主義的東西。這種東西在中國的一般社會中本來具有何種意義，這方面仍無法捉摸到。也有人說中國完全不是屬於儒教的國家，的確若與江戶時代的武士階級教育子弟的精神主義之物比較，中國一般社會本來的體質，並不會接受那種精神主義的原理吧？日本的庶民也沒有接受儒教的原理。在中國社會是否果真曾有這種原理，其意義本身我們必須追根究柢重新問清楚。不過這種事做為先驗的應有的前提來徵求中國的話……

內村：所以如岩田先生所說，是稱為歐洲的構想法或稱為有思考體質的馬克思主義，不是稱為近代，也絕不是屬於某個人，而是覆蓋著歐洲的風土之物。做為其一支脈曾有南斯拉夫，卻未從那裡離開過。雖然在某一時期似乎可見到南斯拉夫曾與史達林有直接聯繫，但並未遠赴外地，發覺還是立足在固有的歐洲思想上。

岩田：是的！

內村：但是，那是以憲法的形式出現的。我想這也是屬於歐洲的，不應該以那種構想本身來責備中國吧！

所謂中國究竟是什麼？對於中國，自己屬於某nation就是nation，屬於某state就是state，要決定像這種行動原理時，對於所書寫的東西持有何種感覺？就是約定，因為歐洲的國家是基督教國家，歐洲人的原理就是各國從如《新約》和《舊約》所稱與神的約定開始。但是像這種約定的原理在中國究竟是如何？約定的原理，在被矮小化的商業層次，其約定是非常忠實的，但超過這個範圍的話就不能通用吧。中國不是儒教的倫理，這樣的事與岩田先生所言之間的關係是如何？想請教戴先生。

回顧並繼續新民主主義革命的中國

戴國煇（以下簡稱戴）：聽了剛才的話，我想談一下我注意到的幾點。

首先在這次的「關於社會主義精神文明建設指導方針的決議」，我有幾點可以指出。那就是列寧不出現，要如何實踐馬克思主義，強調是否在創造上要應用它，在認同批判及自由之同時，也要認同反批判的自由。因為我本身沒有去過大陸，從東京注意著大陸發生的事情，也研究華僑問題，所以在三位的交談中有感覺到這幾點。

的確在商業主義的階段，中國人對於商品經濟具有很高的反應度。把它說成是全中國人的說法是有危險，我想僅限於曾產生所謂華僑社會的廣東、福建、上海這些沿海的部分。

中國社會主義最初的理念為平等主義、平均主義。現在所以做了大修正是因為一直在推行吃不飽的社會主義，但首先不給吃是不行的。我想這就是所謂的「黑貓白貓論」，也就是鄧小平的平反所具的意義。聽了各位的發言，其進行方式似乎是文革結束了，鄧小平獲得平反，然後有開放政策及四個現代化。我認為並非如此。在大躍進的時間點上，毛澤東退居第二線的時間點之鬥爭，最後是以文革才告終結。結果，事實的經過證實了鄧小平是正確的吧。

以我的解釋來說，本來就有計畫要經過新民主主義的階段，以完成社會主義革命，但國民黨敗退得太快，連毛澤東本身也感到驚訝。他們在忙亂中進入北京，1952、1953年全中國人掀起熱情而開始推行此計畫，但中途卻失控。其狀況並非中國共產黨以僅有的技術資訊所能應付，因此慌亂的結果造成反右派鬥爭。這與東歐問題以及史達林的死亡等一連串的事同時發生。所以現在的鄧小平路線，並非在此三、四年沒有依循任何脈絡而只做了改革，其實是再次追擊新民主主義革命的階段而進行著，這是我的解釋。所以孫文學派復活起來了。香港也將其視為當前的問題非解決不行，所以編出「一國二制」。但在其本質之中，我想若沒有要姑且回歸與繼續走向新民主主義道路的話，就不會發生此構想。

與其同時，向世界的華僑及持有外國國籍的華人，呼籲其回國投資並引進技術上的專業知識。若不是以此為前提就不允許。假如停留在史達林主義就沒有搞頭，改革派想盡辦法在政治上僅止於微調，在經濟方面則要大幅全面發揮新民主主義階段的構想以獲得成果，這是我的解讀。

在內部方面的確有反對者。但大的主流認為文革太慘重了，一直都是階級鬥爭在前面。本來若不提高經濟的話，意識革命就不能好好進行，在這種情況下，毛澤東卻認為以主觀的主動性能夠強行進行人性的改造。當然也有個人權力鬥爭的問題，但若更純粹地思考所謂文革，我想可以說雖然沒有條件，卻抱有某種理想往前衝的側面。當時的總書記鄧小平雖然知道這件事，但也沒辦法，而造成了很多像劉少奇等人的犧牲者。現在民眾不加入共產黨，就是因為這件事，對共產黨沒有信賴感。

但是，當前把吃得飽當作目標，對此種經濟活性化，民眾感到興趣。因為以往連尼龍襪或身穿比基尼的健美運動都完全被禁止。若以連鎖效應來觀察這些現象，則這四、五年的變化只是一種表象，但有一部分可認為是中國的歷史再倒回去重新出發。事實上，屬於經濟的部分可以活性化，在此若不好好重新解讀，就有徒勞無功的可能，所以提出政治改革以做為精神文明的決議。鄧小平考慮自身82歲的高齡，在此提出政治改革做為總結，這是我的推論。

袴田先生指出商業主義的中國。我在1984年的一年間，到美國加州一直在觀察，發現了一個現象。日裔進入加州是和華工同一時期。不過現在華裔的農民為零，但還有日裔的農民在做園藝或園丁。我不想輕易地以民族性做解釋，但為何會如此呢？現在華人都做買賣，這些人以廣東、福建為主流，但也有東南亞的華僑。最初是農民，後來在橡膠園等工作或當礦工，一有機會都遷移到都市。因此不能一網打盡所有的中國人，在大陸沿岸生產力較高的農民，的確對中國人前近代商品經濟的反應較為敏感，但是無法將此轉型為產業資本，誠然不無遺憾。

考慮這種事情時，在中國人的構想上有不好的地方，認為只要制訂某種法律就好了。要之，誤認只要有硬體，沒有軟體也能動。中國人對法的意識，總是不離仁，與其法治不如人治，有偉人出來治理就好，有像這樣的理念。因其反作用，現在就說要好好地制訂法律。問題是守護和執行法律者都是人。這些人不論社會習俗為何種形式，實在很少有人過問他們應該如何。至目前說要強行改造人而由黨出了命令。有社會經濟的背書，只要在現實裡認真地做就可回收其利潤，若沒有這樣的關係，則人的精神不會改變。當這樣的人還沒有出來之前，不論制定了多麼好的法律，只是供特權階級利用來做壞事而已。鄧小平曾留學法國，我想應該會注意到這一點。

只是，他所想的事是否下達中層的幹部則另當別論，但我願意認為上級階層注意到了。首先要使經濟活性化，產生萬元戶。的確如岩田先生所說，與南斯拉夫比較是沒什麼了不起，但從毛澤東的作法來說，是改變了很多。

所以基本上我不能贊成中國是儒教國家的看法。要支撐儒教倫理必須有一定的社會經濟條件。實際上中國是分離著，大體而言，貧窮者以道教的規則在保護著日常生活，因而形成雙重結構。例如做為《大學》的德目，有「修身齊家治國平天下」，中國人拚命呼籲，但因為缺乏條件而不能實現。

然而，日本從江戶末期到明治，該德目整個在活動著。《大學》的德目並非口號，而是做為協調來運作。中國則不一樣，即使自己修了身，在家也很努力，但與社會、國家完全無關，不能連動。要之，雖然同樣是《論語》，若依照日本的主體及條件而改用「和魂」來解讀則可活躍起來。雖然認為在中國也是同樣根源的《論語》，但其接納和發現的方法完全不同。

岩田：在剛才戴先生所說「修身齊家治國平天下」的傳統思想上，我想現在有很大的欠缺之處。修身及修身之間的矛盾若沒有解決，就不能齊家；齊家與齊家之間的矛盾若沒有解決，則不能治國；治國與治國之間的矛盾若沒有解決，則不能平天下。在中國總是一下子把「修身齊家治國平天下」籠統地說在一起，認為若能修身就能自動到達治國平天下。在此似乎欠缺結構論〔譯註：決定思考、感情、行為的心理過程論〕。所以在毛澤東的情形，曾經最為欠缺的是制度論、結構論。至於運動論還是有的，像是主體的主動性等。所謂主體的主動性是指修身齊家，但欠缺由此通達治國平天下的結構論。

在傳統的中國，實際上達到平天下時，一定有解決各種矛盾的結構論。那是否已被理論化，願聞其詳。

袴田：若回顧1950年代的中國，然後回顧文革時代的中國，可知中國曾經欠缺自己創制的制度論。中國的制度論是借來的，曾求諸馬克思主義。但因為馬克思主義對於中國是屬於觀念之物，1950年代曾經把蘇聯當作模範，以此觀念拚命地往前衝。文革時代也是如此。想勉強把中國塞入此觀念的框框中，但終告失敗。我想文革那歇斯底里之面是它的痙攣期。其悲慘的結果被攤出來，如戴先生所說，鄧小平也許是自以前的聯繫，但這次並不把中國塞入借來之物的框架中，相反地要使框架適合中國本身，以此方式推行。亦即我認為鄧小平清楚地認識借來之物的制度論對中國根本派不上用場，寧可使馬克思主義適合現實面。

戴：精神文明的決議裡有這樣的表述：立足於生活而讀馬克思主義，然後實踐之，亦即立足於生活而創造性地思考馬克思主義，此乃真正的馬克思主義者。讀了此決議，覺得有點進步（笑）。

內村：以通俗的講法，就是把馬克思主義放入中國鍋內來煮。

戴：總之做成了中國菜。

內村：那麼，中國用中國鍋把馬克思主義之類的都煮了。其中甚至連制度論都放進去，在這種情形下，制度是從那裡出來的？以制度留下來的只是硬體部分的中國鍋嗎？因為一旦燉成雜燴，就連形狀也沒有了。

岩田：這就是我有疑問的地方。

中國社會的秩序原理是什麼？

戴：關於現在的開放政策，再加上一點就是從1955年萬隆會議（Bandung Conference）以後，經過文革，中國在國際上孤立著。有中蘇的對立，又有美國的包圍，在此狀況中有必須考慮大躍進及文革之一面。以這種意義，現在的狀況對鄧小平是非常幸運的。至少可與日本和美國平起平坐開圓桌會議，總可做些事，這點對民眾應具有說服力。

總之，進步是必須要有國際交流。學術交流也不能沒有自由，現在已經可以談言論自由、創造自由等等事情。以前總是處於內部若不穩定，就不知何時會被吃掉之狀況。

岩田：不，在此我想問的是，究竟是屬於自由？還是屬於寬容這件事。所謂自由，對歐洲而言是原理。他們歐洲人談論自由，是在稱為自由的原理上做為其顯現而自由談論。但今天中國的學者可以說著各種意見，是因為權力的寬容故而賦予廣泛之發言幅度呢？還是學者也敏感地察知認為可以說到這種程度而在說呢？還是他們站在那裡發言不是寬容，而原則就是自由的呢？我想請教其不同之處。

戴：我想恐怕現在是在此界限上爭論的階段。做為現實的問題，作家或學者也似乎覺得這是寬容，擔心以後還是有收縮的可能性。但最近所說的，似乎必須超越寬容的原則論不然就做不下去。這若能連結到政治改革的話，可說是幸運吧。在政治體制上確立自由做為原理就是政治改革，若最後能以此做為其定調就好了。

問題是，至目前為止是寬容。

岩田：我想我的話沒有引起誤解，我並沒有說寬容不好，自由才好，或說自由不好，寬容才好。

我在懷疑我們日本人是否也真正把自由做為原理而發表這種自由的言論。我想在日本可能有稱為相互性和相互規制之原理，此原理於戰後成為非常寬容的相互規制。在企業內部相互規制變強，在市民社會之中變得非常寬鬆。所以寬鬆的相互規制，看起來好像是自由的現象。在中國也是權力集中，即使是屬於皇帝權力，若此權力是寬容的，則某種程度與歐洲的自由具有同樣的作用。又種種的自由現象沒有一定需要受同樣的自由原理支持的道理。也許本來做為秩序原理，一元化的秩序比較適合也說不一定。毛澤東也好，皇帝也好，上級領導是一定要的，若不如此，社會秩序基本上無法形成。這種中國社會的原理在某種條件下起了非常寬容的作用。若長久繼續下去，漸漸超越好的程度，若想改變此原理，則不知是正面的還是負面的。若是真正地在尋求原理的改變，這是不得了的事，我想是超過文革的大動亂。

大室幹雄（以下簡稱大室）：想問初步性的問題，岩田先生說歐洲人擁有自由，此事如果簡單地說是如何？這在日本是沒有的，此事容易了解。但在歐洲聽說好像有，或說有。這一點有些不明白。

岩田：我認為還是有。

大室：日本人時常都在相互規制，一旦進入公司就嚴格起來，所以日常也沒有自由的感覺。唯有在大學四年間是人生最沒有相互規制的時候，可以認為在此期間好像有無限的自由。這一點與在分析日本社會時，說其責任之所在不明確，或說日本人缺乏責任感是同樣容易了解的。說歐洲人有自由，依我自己的感覺是能理解的，想請多做一點補充說明。

岩田：這個若要以言語說明……，還是只能說除了這樣想之外無法說清楚。我認為那可能是有經過流血而換得的吧。

大室：對此我也有同感。

岩田：但是我沒說相互規制不好。

自由、平等、博愛及制度

內村：自由這個問題，做為一個範疇而定位時，並非所謂自由與不自由的對抗關係，而認為對抗自由的概念是必然，這種設想我想以前在亞洲是沒有吧。如何逃避此必然，此幅度愈寬廣，人類愈能獲得自由，這種設想我想在亞洲未曾有過。恐怕在中國也未曾有過。

大室：以前我當學生的時候，當時對於要選擇存在主義還是選擇馬克思主義成為重大問題，而有「退出的自由」或「加入的自由」雙方對立著。欣喜地參加日本共產黨的人採取只有「加入的自由」的立場，我們這一夥選擇了「退出的自由」的，有人一個勁兒落到退學甚至自殺未遂的地步。

内村：我想必須請岩田先生再次深入談一下。岩田先生最初觸發的是，歐洲人當時並不是用自由這個詞，但把好東西還是當成好東西，在歐洲的思想史中未曾放棄過自己的思想性課題，也就是說以此做為制度而呈現在憲法中。此處請稍微再說明一下。

岩田：可能因為我是從事經濟研究，即使抽象地思考自由也會變成經濟的名詞，譬如可把市場機制做為秩序原理來運用而構成一個社會，其中以人做為主體。這樣的話，國王也可做為象徵即可，市場會自行運作。個人要忍耐此市場法則的非人格管制。

内村：個人要忍耐嗎？

岩田：是的。南斯拉夫想要對此反抗。在自由、平等、博愛之中，寧可把自由原理當作配角，而要傾向博愛。

我想要說的是，自由、平等、博愛之原理就是歐洲的原理。與此相關，有走平等中心主義方向的歐洲社會，有走自由中心主義方向的歐洲社會，也有走博愛中心主義方向的歐洲社會。但是並非各個僅做為理念而有自由、平等、博愛，必須背後具有要支持它的機制。在歐洲的話，幾乎可說理念是與機制不分開的。

內村：是制度嗎？

岩田：不僅是市場機制，在蘇聯想要實施支持平等之國權的、集權的計畫。南斯拉夫想要實施博愛的勞動者自主管理系統。

這樣看來，中國的情形究竟是如何？在傳統中可以發現超越自由、平等、博愛的其他東西嗎？或者還是要向外國借鏡呢？

內村：剛才大室先生所提出的問題，岩田先生還沒有正確地回答，不過戴先生在談話中，說要解讀為鄧小平發掘了做為所謂中國式的一種社會主義之新民主主義。其中，涉及袴田先生的話，指出在中國人商業主義的傾向中，有屬於中國的平等主義。這並非完全透過「修身齊家治國平天下」或貫穿所有的自由原理，在某種意義上是無政府主義的，透過所謂「約法三章」的人類必須平等，即便是天子也是顛倒的平等，中國人可能這樣認為吧？如此一來，中國人真正賦有的不是自由而是平等主義吧？此平等主義現在正被嚴重矮化。反對所有近代的效率主義或合理主義，而以平等主義之名在稱為社會主義的制度中被推行著。那是連社會主義都可貫穿，平等是最棒的。

中國是不得已才認同市場機制。但是如果每一個人對此都要忍耐是歐洲之原理的話，中國的原理對此並不過問。如果應該平等的話，則是非常平面的橫向社會，無法容忍的縱向的社會。為了將其一覽無遺，只有做為虛像的一個縱向，我想可能就沒有實體，不知認為如何？

儒教與科舉與官僚

大室：暫時不提歐洲式的自由，關於儒教非常具有原理的事，我想就我的理解來談一下。

在儒教的根本有某種平等主義。以前帝國時代儒教的教學幾乎不受重視。荀子這位非常有毅力的思想家曾說路人也可以成為大禹，而且與孟子唱反調，說人類與生俱有的本性（性）並非善而是惡，其詳細論證在此省略之。荀子和孟子對於稱為「性」的概念內容不一樣，荀子堂堂地樂觀主張在原理上任何人都能被教育成為卓越的人。在此基礎上的認識就是人類一切平等。

荀子是戰國（西元前476～221年）末期的人，此時都市繁榮，工商發達，走在街上可以看到從事各種日常手工藝的人們。他對於這些人寄予強烈的關心，他說人類生而同等，但他們若要成為卓越的人用比喻來說就是要依賴技術。此事若以他的話來說，就是稱為儒教的「禮儀」，以現在的說法應該是文化，我想就是具體實現文化的教育，因此荀子說必須選擇適宜的老師。

我覺得有趣的是荀子在敘述此事時，並不是抽象直接地說教育的重要性，而是經常拿當時手工藝最尖端的技術來做比喻。就此意義而言，那是當時走在最尖端的人類論，將其更樂觀地加以口號化的是孟子。此原理在科舉制度成立以後繼續延續著，我想目前在中國也仍然存在。

不過，雖說「人類是自由的」，但若觀察現象，例如在我所知道的德國社會或英國社會裡，實際上有嚴格的差別或階級差別，經常會遇到令人厭煩的事。但是在這種歐洲社會裡，因為事實上這種自由的觀念已被確立，若把社會上有階級差別的現實以偏袒的心加以解釋，可解釋成社會的制度已經變為如此，本來是自由的，但生存在此制度中的現實是不平等的，是有階級差別的。

在中國也有稍微類似的事。我的解釋是，儒教在世界上看起來也是偉大的樂觀論，其在政治層面的實現是科舉制度，從隋朝至唐朝期間被完成。這是藉由舉辦科舉考試而選才之制度。但是，雖然最終是平等主義，但並非誰都可以接受儒教的學問和教育，唯有接受過教育的人才可被選為英才，遂產生這種不平等的現實。而所謂儒教者，最為積極之處是它有任何人都可成為傑出者的觀點，但對於政治則附加嚴格的要求。政治執行者在道德上必須是傑出者是指從皇帝開始到官吏都是如此。但是現實上儒教已經滲透到何處？儒教所及對象是以皇帝與輔佐皇帝的高級官僚為止。在此之下，若以當時的話來說，有所謂「刀筆之吏」。古代因為沒有筆記用具之紙張，寫在木簡或竹簡上，若失敗就用刀子削掉。

岩田：就是以刀子當作橡皮擦。

低階官僚、刀筆之吏的任務

大室：是的。荀子對於刀筆之吏的概念，其規定甚為明白，我很喜歡。當時刀筆之吏是世襲的，因此只從父親繼承事務處理能力即可，而不須要知道為何製作這樣的文書及其意義何在。這就是所謂的刀筆之吏。

此刀筆之吏在社會上為低階官僚，是處在與人民接觸相當重要的部分。尤其因為儒教厭惡殺人之事，所以法律制度完備時，或即使不完備時，具體且直接處理犯罪的就是此刀筆之吏。這種極為中立的，與意識形態或道德都無直接關係的刀筆之吏，在政治的現實上具有重要的機能，應該已成為深厚的階層，因為須要統治的是廣大的版圖。具體上是如何呈現的呢？一個王朝被打倒了，新的王朝必定沒收前朝政府的檔案庫。扣押其中的紀錄，尤其是土地原始帳簿及戶口調查清冊。是誰製作這些文書？不是皇帝也不是高級官僚，是刀筆之吏做的。建立新王朝的征服者經常只是烏合之眾，或是僅有意識形態。因為沒有刀筆之吏的技術傳統，若將其淘汰，則下一王朝無法運作，所以刀筆之吏照舊繼續被珍惜保存下來。

所謂中國的歷史紀錄，只是書寫皇帝與高級官僚以及簇擁他們的學者文士之事，所以刀筆之吏被遺忘而成無名小卒，但仍繼續延續著。我想在毛澤東革命之後，反右派鬥爭之前，刀筆之吏還是被認為有必要性。到現在又開始保護起若干技術人員或學者先生，這點若從歷史的脈絡來說，這些人雖與刀筆之吏不同，但他們是屬於中立的，與意識形態無關，被認為有需要存在與意識形態沒有牽涉的人們。

對於這件事一般人是如何看？我想可以說與秩序或組織無關，只要每天可吃得飽，而且如果在某種程度可產生經濟上的寬裕，並可享受此種有限度之消費生活的話，中國人就會非常享受這種形式的自由。

中國自古以來以農為「本」，說商業是逐「末」，不斷地否定商業。儘管如此，上級權力卻與在逐末的例外大富翁變相勾結。大概到了宋朝，地主、豪商、或同業公會之龍頭等都市的有力者成為官僚預備軍，商業之價值不容分辯地提升到某一定的程度。正好在那時候，中國的文化和經濟也都決定性地兩極化成富裕的南方與貧窮的北方。

俄羅斯的民衆與中國的民衆

岩田：我預想會談到這點，所以帶來了這卷《清明上河圖》。這幅畫描繪著11世紀中國的盛況。

大室：同時代的世界其他地方所沒有的繁華榮景呢。

岩田：真是了不起。比現在的中國，那時的中國更為熱鬧吧。

大室：接著剛才談到的，如同《清明上河圖》上所呈現的中國社會，我直接感覺到有很多的自由，並非歐洲19世紀以來的種種社會主義思想中所產生出來的自由的感覺，要之後者的自由是將劇烈的階級對立意識化，包含社會的生產關係、權力的分派，甚至生產物再分配。

岩田：我所說歐洲的自由，是說發現了做為秩序原理的自由。

大室：我想可能是那樣。

岩田：中國這邊是自由自在的自由。

大室：所以認為中國的自由含有「退出的自由」也有「加入的自由」。

袴田：從中國之行以感性層次的經驗來談，要說明中國的話，覺得所謂自由的觀念與所謂寬容的觀念都格格不入。我所感覺的各單位、組織或地域，的確說好聽是自由，卻像變形蟲般任意地蠕動者。而且對於這一點，中國與俄羅斯不同，並沒有危機感。因為每個人都隨意地在做，所以雖然是巨大的國家，卻能夠隨機應變。

大室：將其象徵性呈現的就是都市的混雜景象，若要說個人的好惡，我喜歡中國的熙攘擁擠。

袴田：在俄羅斯，本能地對無秩序和無政府狀態有非常強烈的恐懼感。在俄羅斯無秩序的情形是如何地可怕，在みすず書店（日本東京）出版的《影中的俄羅斯》〔*Russia in the Shadows*, H.G. Wells〕書中所描述從帝政倒台到共產政權確立之期間，也就是由上之統治完全失去的時候，其可怕之狀況，那種人類社會極其荒廢之情形，是以日本人的感覺所無法想像的。俄羅斯對於一旦沒有這樣的外在管制就變得非常恐懼，本能上懷有非常強烈的恐懼感。這種要求由上統治的心理，是以各種形式由下一再產生。因此若把史達林體制或蘇聯體制，只看成是一些特權階級為了要維持自己的利益而忽視民眾的一面，那就錯了。在民眾本身之中有恐懼無政府狀態的心理，變形蟲性的社會嚴重地荒廢下去，俄羅斯對此恐懼的精神狀態本來就非常強烈。

在中國的話，毋寧說那是自然的。我覺得中國人與俄羅斯對這種社會的感覺基本上是不同的。

大室：我想儒教是選拔統治階級的邏輯。當時以農民為中心，從某時期連商人在內，所有人只要是被登記在戶籍的良民，除犯罪者或奴隸以外，都有接受科舉考試的資格。所以我想這種思想是一種極端地不要求人民的思想。

因為儒教是選拔人才以統治人民的邏輯，在此被型塑出的機制，從一開始就是官僚體制。那麼官僚體制的內容是什麼？若追溯到某一時期中國王朝的歷史，王朝剛成立時，已經有具體的意識形態，所以皇帝被認為應該愛護人民，到最終都僅以此為目標，在選擇輔佐皇帝的高級官僚時，認為應該選擇能以儒教觀點為人民著想的傑出之士，只有此項是皇帝的義務。如此一來，屬於道德的內容已經被完成，所以說到王朝的第一代要做什麼，就是要恢復因戰爭所造成混亂的秩序。例如，漢朝把秦朝嚴格的法律簡化為約法三章，實施寬容的政治約達三代，其後再圖重整旗鼓，大體是以這種形式進行著。

不過此事如果進行得差不多，社會生產穩定，人口增加，也就是說，一旦恢復到國家擁有能掌握的戶籍，國家財政穩定下來的話，極端地說，政治上就已經沒有需要做的事了。

中國庶民曾經享受著市場的樂趣

大室：在此儒教還有另一面相當重要的禮儀，發展得非常繁瑣，我暗中覺得，人類學者不需要去非洲等地，只要閱讀關於中國禮儀的典籍即可。最近我對歐洲王權時代的禮儀頗感興趣，歐洲的權力者其實是缺乏禮儀的，我一方面對他們的土氣感到十分驚訝，一方面也從法國的波旁王朝（Maison de Bourbon）閱讀到西班牙的哈布斯堡王朝（House of Habsburg）。若與此做比較，中國則自2,000年前就非常戲劇性地十分發達了。這個實質上已成為宮廷中的行事。極端的情形是由於細微的禮儀問題，就會引起嚴重的政治鬥爭。

在此當中，一旦發生饑饉或旱災以致百姓受苦時，如果國家有富裕的財政，又有對政治熱心的高級官僚，則可對此伸出援手。在這方面，能愛護百姓的是皇帝，能輔佐皇帝就是高級官僚，這種理念持續存在而發揮機能。

那麼說到人民是如何呢？他們依照各人的才智集中很多土地，從貧農變為富農，變成地主。然後參加科舉考試成為官僚是最富貴騰達的生活原理，所以從這方面找出路。即使人民大眾對此沒有指望時，我想也曾繼續享受含有「退出的自由」及「加入的自由」意義的日常自由。

在那種社會裡，我想中國與日本有所不同，但也有相似之處，日常有相互規制，例如閱讀明朝的情色小說之類，就會看到這樣地寫著，在都市住宅環境不好，在牀上雲雨時會被鄰居聽到而有所顧慮。我想這也是一種極端的相互規制的表現。能寫到此地步的中國小說家，真是個天才（一同笑）。

最近看了中國電影，也看到無論在農村或都市，會那樣互相干涉而感到被壓制。在這種意義，在中國是有某種自由，與此相對，毋寧以tolerance來定義寬容時，我覺得這個德目，若沒有相當積德的人將無法發揮。最終的tolerance，我想就是承認複數權力的並存。這在中國傳統上做得不夠徹底。若有複數的權力，則會感覺是異常的時代，做為觀念我認為那樣想的傾向很強烈。

所以即使不是岩田先生所說的那種自由，我認為中國人也享受著另類自由，而且這種自由的社會是世界上歷史最悠久的。

關於商業，正如同日本江戶時代的士農工商，是排在最底下的。

袴田：在宋朝也是那樣嗎？

大室：做為意識形態是如此。但是因為從商人出身的高級官僚有很多，不能那麼嚴格地說。《鹽鐵論》以來，政府若不掌握基礎性的生產物，則有崩潰的可能。雖然做了嚴格的管制，對於這些商業，政府在制度上曾經如何做另當別論，我想中國人享受著市場的樂趣。

剛才袴田先生說過，俄羅斯人把市場視為中亞習俗的市集，具有某種拒絕的感情，中國人可以說不曾有這種情形。商人之間都會守信，似乎有很好的商業倫理，能充分發揮契約精神。此外，在市場買東西的時候，可享受討價還價本身的樂趣。中國社會自古以來就有異常多的文字紀錄，述說雜技或魔術之類特別引起都市住民興趣之物。透過物質使自己與他人建立關係，此時在生理上與心理上皆能發揮，也就是把使用肢體、聲音、語言或姿態當成重要的問題，所以我想他們是喜歡遊逛市場的、感覺精鍊的人們。

包含了這些事情，《清明上河圖》是傑出的紀錄，這些事到了革命後的最近，也許因為物質不足，剛結束長期的禁欲生活，所以尚未瀟灑到可以享受的地步，但我想正在恢復中。

岩田：我最近一聽到中國的事情，也總是看著這卷《清明上河圖》並且感到就是這個。這些情況與進入近代產業社會相重疊而被議論著。

大室：從歷史來看，我以為中國人在未掌握整體性的市場機制的情形下，把市場操作做得非常漂亮。

內村：是說無秩序就是制度嗎？

大室：並沒有這個意思。

戴：以階段性而言，是因為經濟規模較小。

大室：圍繞著某郡政府或縣政府所在地的都市，一個個成立了流通圈，在全國各地成立了各個經濟圈。在各個經濟圈有地方性或全國性的市場機制，此市場機制與中央政府的經濟政策對立，若王朝衰落則混亂，在中國不斷地反覆著日本不曾有過的動亂及破壞。

中國走向近代產業社會的可能性

岩田：現在的中國已不能將就傳統的熱鬧而滿足，不創造與歐美匹敵的產業國家不行。鄧小平把《清明上河圖》以來的熱鬧帶到世上。那麼如何做出與美國、日本或蘇聯等產業國家匹敵的東西？要以什麼原理做出呢？

不同於中國傳統的市場而能組織產業社會，可以轉變成這樣的市場機制嗎？我的感覺是，也許有一部分的市場是過剩的。在歐洲的話，土地被商品化是相當後來的事，中國自宋朝以來，像土地等也簡單地商業化了。還有，以「田面、田底」的形式創造了多重商品化之商機。但是因為未能接合異於商品化的原理，以致無法造成產業社會。如果說知道商品經濟的技術祕訣，就能產生近代產業社會的話，首先應是從中國產生出來的。

袴田：羅素（Bertrand Russell）已經在1922年說過，中國人不善於經營像現代產業所要求的大規模公司，中國人從性格和傳統，無疑地適合通商而非工業云云。究竟能否說得這麼絕？果真如此，今後應以何種原理進行經濟建設？

大室：現在的問題是邁向工業化的社會要由誰來組織並決定方向，現在的中國有能夠這樣做的社會基礎嗎？尤其人的基礎，除了官僚什麼也沒有，而且我的感覺是只有極端儒教性質的官僚。

要之，在一個社會革命發生的初始階段，有把意識形態血肉化而緊張從事的統治階層。這個大概到了第二、三代就形成官僚，將意識形態的部分漏掉了。剩下是上衙門，行禮如儀，然後就是等待下班。這種無所事事的官僚制，現在可以看到似乎正有復活的趨勢。

因此，問題是此官僚制是否能成為馬克思主義，或是否能把日本、美國或是東歐的經濟政策的種種作法，當作中國式說法中的「歷史的教訓」，使其成為可供活用的制度。我的感覺是官僚本來就非常不適合做這些事。

岩田：以蘇聯和東歐的經驗應該也知道官僚並不適合。但是也有一些官僚可能屬於工業主義者，所以已經做到某種地步了。

大室：剛才說到刀筆之吏，像刀筆之吏的中立階層，現在的中國有多少人存在？他們在達成富裕的目標出現時，能夠以純粹的邏輯性和技術性追求之。革命後的中國，多少淘汰了知曉中國以外世界的知識階層。

戴：現在正在進行與國際經濟接軌的經濟活性化。到目前是以黨官僚為中心而運作著。他們究竟能否做到近代合理主義的經營？最近下放權利給地方，企業採獨立會計，以及充實關於破產等之法律，這些整編不知能否順利進行？黨活動本來就是政治，現在好像要將黨與行政分離。

到此為止，是以我們的推想也可知道的。但是不知行政可否與企業經營分離？舉一個例子，在台灣有公營企業和私人企業，結果公營企業最後是不行的。

中國若不採納日本式的經營技術祕訣，或哈佛商學院的經營學，如果不能將此等技術祕訣行使在世界貿易以構成制度，那該如何？但是如剛才岩田先生所說，雖然是在中國實施的社會主義，但不能說就是中國的社會主義，中國的特殊性是基於什麼？以何種形式出現？此後會變為如何？

南斯拉夫自主管理的具體例子

岩田：由此可見南斯拉夫的自主管理是生根在原理的深處，在此介紹一個具體例子說明其理由。

研究、學問的自由當然必須有研究者共同體內部的人事自律性。在南斯拉夫的貝爾格勒有聞名的經濟科學研究所。此研究所在超分權化以前由聯邦層級設立，院長是有名的經濟學者，名叫布蘭科・賀巴德（Branko Horvat）。

大概是在1970年代之前半期，政府曾請來幾位該所所員告訴他們說：「關於貴所下次的人事，政府不能承認所長是布蘭科・賀巴德。其第一個理由是，賀巴德的思想可說是自主管理社會主義，與主流有相當的差異，是非常危險的人物。第二個理由是，他在國際上非常積極地宣傳自創的自主管理思想，正在籌備組織。第三是，內容不便明言，但如果他續任所長的話，其他的研究機構不願意一起共同研究。第三是最重要的理由。」

政府說了這種話。這如果是蘇聯或是中國的體制，就應該定案了。但在南斯拉夫的話，是由政府把五、六位學者、研究者叫來，強烈地希望他們好好考慮這件事。研究所的評議會經過十數小時的討論後，賀巴德所長終於決定要下台。此會議紀錄也被公布，但一經閱讀就會出現種種的憂慮，例如若太過於反抗政府，研究所會被關閉，或預算會被縮減，或失去研究的工作。因此最後提出的意見是要不要再次與首相會面，聽聽其真意。但是因為是政府的負責人說出的，即使與首相會面也不可能說出不同的意見。所以最後只好去會晤黨中央委員會的C同志，嘗試向他陳情，因為他對他們的立場很了解。

最後選了三個代表去陳情，其實這是多此一舉。

黨中央委員會的C同志這麼說：「我也是袒護不了。依我看來，賀巴德是非常能幹的人。政府並沒有說要把他解雇。只要他不當所長就可以了。當系主任也好，也能夠自由做研究，講什麼都可以，只是不能當所長。一個社會頂尖的研究機構，它的成員是像你們這樣有才能的研究者，如果將其錯誤的決定散布出去，將對我們國家造成重大損失。」三人被再三叮嚀而回來。就這樣，賀巴德辭去了所長。

我會知道這件事，是因為賀巴德所著的《處於危機的南斯拉夫社會》（*Jugoslavensko društvo u krizi*）（1985年）書中第14頁有收錄該會議紀錄。其註曰：「此會議紀錄是原件。我所做的事只是從公文室把它拿出來在陽光下曬一曬而已。其他，專有名詞無關重要，沒有寫是哪一個內閣，發言人也全都是假名。我的工作是把幾十人的姓名改為假名。」布蘭科・賀巴德本身變成布里斯・賀里八魯。「不過，雖然是假名，名字的開頭字母並未改變。事實上若想確認是誰講了什麼話，只要一對照就知道。」該書最初是1982年在某雜誌發表的。

我想以日本的常識來說，這就已是嚴重的事情。把這個再次登載在1985年出版的書上，並在此會議紀錄之最後加註曰：「會議記錄到此結束，不過讀者諸君可能有興趣想知道後來發生的事。經過數月後才知道，對我的那些指控其實是編造的。然後首相也向我道歉，我再度被選上研究所的所長。」

若以日本的良知，至此應告結束，但是他還是沒完沒了。

「研究集團屈服於這樣的政治壓力，不能抵抗而被此壓力沖走，這種事免不了留下某種道德的後果。我能夠復職意味著自主管理的活力。但是被政治壓力沖走到這種地步正顯示出我們的弱點。其結果引起了什麼事？就是最近被暴露的1970年代種種大規模的投資失敗。當時的可行性研究，是由有名的學者唯命是從寫了報告。」實際上並沒有那麼多的礦石儲存量，但若寫上正確的數量，外國的投資計畫恐怕就不來了，所以大家要合作寫成好像有很多存量的樣子。他甚至還寫著：「其結果是這種計畫不是全部都泡湯了嗎？根本就是一開始研究者屈服於這種壓力所致。所以說在社會主義的社會，對研究工作從外面施加壓力，說如果這樣做就不給資金了，施加這種金錢壓力，其實也應該受到刑法的處罰吧？」

他為什麼可以說到這種地步？還是因為有自主管理的共同理念。還有因為此時如果政府或黨也站出來公開議論的話，就會輸掉。

戴：還是因為狀況已經進展到彼階段吧。在中國，也難於料想能變得寬容到那樣的地步吧。

岩田：權力的那方變得寬容了，與說的人站在什麼原理的立場來講話，是兩回事。

中國社會主義的思想原理是什麼

袴田：對於中國人的原則這個問題，也就是關於精神的原理，他們的想法和接受的方法如何？讀了中國的獄中寫作後，感覺中國人是在一種公審的氣氛中拚命地要求精神上的東西。僅以行動做任何表示是不行的。出自內心、誠心誠意地皈依於某原理，或進入內部最深處來改變自己，如果不將這些事顯示出來，周邊的人絕對不會罷休。

但是俄羅斯則完全沒有這種情形。俄羅斯看起來毋寧比中國更是一個具有原則性意識形態的國家，但是在集中營內也好，或在審問時也好，只要在報告書上簽字就行了，在權力者這邊，完全不把當事人的理念或他在考慮什麼當作一回事。

中國也者，好像是那樣地只以唯物的和商業主義的東西為中心的社會，但在某方面有時出現非常精神主義的一面。這要做何說明才好呢？

內村：中國懸掛出叫作社會主義的招牌，對其我們聚焦觀察，將來也會這樣觀察下去吧。在此提出種種蘇聯型、歐洲型而加以檢驗，結果卻說這些不足以充分談論中國的社會主義，或說未曾看透之，不就是我們所說「檢驗中國、革命、思想」的現狀嗎？

不過，剛才戴先生說中共的精神文明決議內有一句：「從生活看馬克思吧，列寧卻不出現。」如果要從生活重估馬克思，就會變為生活為主、理念為從吧。此「黑貓白貓論」，讓我來講就是「把馬克思主義放入中國鍋來煮」。

對於站在中國外面來看中國革命的人，尤其對於以思想為重點來看「中國」的「革命」「思想」的人而言，這一點聽起來甚至是一種對神聖的冒瀆，至少是一種叛逆。雖然生活應該要依照思想而定，但思想方面卻被忽略了。如今還談起「思想建設」是什麼意思，真想說臉皮厚也要有分寸。

在此想要請教岩田先生以下二點：

第一，馬克思主義在中國的復活——可以這樣說吧，因為他們自己改稱思想建設——在最近的將來有可能嗎？第二，中國人被稱為生意人。傳統的「買賣人」的心性，現在熱鬧地瀰漫著市街與鄉村，此熱潮與馬克思主義的關係會著落在何處？

岩田先生之後，想請袴田先生和戴先生依序展開批評，然後請大室先生加以評語，最後再次請岩田先生整理並再做反駁，不知各位認為如何？

本月號繼上月號，終於把中國做了縱向切入。把以近代化為指標的中國的課題，甚至連重疊的部分也做了討論。讀至目前的讀者應該都能理解吧。但是北京一月的「政變」有強烈呈現馬克思主義之感。在此把本月號內村先生所總結的發言做為問題提出，在次月號刊載以撰稿方式的雜誌討論內容。（編輯部）

岩田昌征：所謂東歐、中國社會主義的市場引進

我對《人民日報》的〈思想建設論〉或〈從生活論馬克思〉並無所悉。

有關內村先生問及馬克思主義在中國復活的可能性，因為我沒有在追蹤中國的思想動態，所以無法作答。僅依靠日本的媒體報導來判斷中國的精神生活，就知道毛澤東思想或馬克思主義好像已被棄如敝屣，而現世利益主義、享樂主義及商人的盤算逐漸跑到前頭。這樣的趨勢之最後走向，中國共產黨在與台灣的國民黨政權之關係，會做思想上的投降嗎？雖然模仿經濟特區形式的香港作風，甚或借用台灣的作法都在允許範圍之內，但在精神方面也會屈服於台灣、香港的後起資本主義，這實在是無法想像的。但總會拿出什麼辦法吧。究竟那是屬於雕蟲小技的手法，或是思想上的全面展開，想請教戴先生。

中國、東歐的市場機制比較

現在中國所實施對資本主義的——不只是對資本主義國家，請注意——經濟開放政策，與南斯拉夫自1950年代初開始，並於1965年一舉全面挺進的社會經濟改革的路線非常相似。不但實施

經濟自由化，並實施思想及政治的對外開放。當時，在世界的社會主義運動、解放運動之中，尤其越南的人民解放戰爭是很大的焦點。雖然如此，美國戰鬥機的模型被當作具有魅力的商品陳列在南斯拉夫的玩具店裡。如此一來，報紙就登出批判的報導：「我們反對美國侵略越南，支持越南人民的獨立抗爭。然而，在另一方面，同樣的南斯拉夫人為了賺錢，卻賣著在越南殺害孩童而帶有星條旗標誌的戰鬥機模型，究竟是什麼回事？」當時就是這樣的狀態。

一旦國與國之間可以自由來往，一下子就有數十萬的勞工湧到了法國、德國與瑞典去工作。該人數於1965年達35萬人，1971年達67萬人，1974年達104萬人。因為人口是2,200萬，可以想像有多麼大量的勞力輸出。又西方的觀光客也大量占據了亞德里亞海沿岸的休閒地。這樣的出外工作勞工匯款回國內，以及西方觀光客灑下白花花鈔票，對於貿易收支的赤字具有相當的彌補作用。社會對外開放的程度不能與當時的日本相比。在貝爾格勒（Belgrade）的繁華街道德拉捷或庫內茲、米亥羅輔，充滿了巴黎風尚，人們的貧富差距急速擴大。為了做比較，我曾經幾次拜訪鄰國匈牙利的布達佩斯，對於商品的質、量、種類，無論怎樣看，總覺得貝爾格勒占絕對優勢。一旦與貝爾格勒市民及布達佩斯市民做個人的接觸，窺視其生活內部，就可看出布達佩斯做為奧匈帝國的副首都，綻放著橫跨中歐與巴爾幹半島一百餘年的文化之光，其悠久的歷史確實不得了，在經濟力量及市民實質的生活水準上，布達佩斯總是占上風；但若僅從外面觀看市場商品的流動，則布達佩斯比較貧窮，沒有貝爾格勒熱鬧。我是在1967年回國，翌年1968年匈牙利也斷然實施經濟改革，突然之間，布達佩斯的街道也變得很繁華熱鬧。

南斯拉夫在1965年的經濟改革之前，也不是屬於集權的計畫經濟。消費商品或生產方式均交付市場的交易，與外國之貿易並非國家所獨占，但投資資金集中在中央，強烈存在著價格的控制。連這種程度的國家控制都要徹底地排除，這樣的超分權之意向達到頂點之後，終於在1965年實施經濟改革。因為這樣，在1965年改革以前也盛行了一種重要的市場，具體而言就是以西方國家的商人為對象的賣淫行業。貝爾格勒一流大飯店的咖啡廳擠滿了活潑的斯拉夫美女，散發著豔麗的色情。但是由於對外開放政策，一旦誰都可以自由取得護照，女子們也都移到巴黎或漢堡工作，貝爾格勒的大飯店因而變得很「健全」。

由此看來，今日中國所經驗的事態並無特別也非異常，端視是否經過允許，市場機制瞬間就會起作用。

但是在此不可忘記的事實就是南斯拉夫的體制設計者所期待的市場機制的兩種效果。其一為當時即使是經濟的活性化，但實際上並不僅止於此；其二為已確認在做為勞工自主管理的實踐領域上，市場機制遠比國家的、集權的計畫化系統要好得多。由於拒絕採用國家與勞方僱傭關係，而改採資方與勞方僱傭關係，所以說是以勞工團體的自主性經營做為經濟體制的基本要素。如果沒有市場，就不能發展自主管理。勞動團體非以僱傭關係，而是以勞工的相互協作關係來組成。像這樣的眾多勞動團體，其作用就如同在市場上形成社會分工的環節一樣，是依經濟法則而被調整。單純一點來說，就是因為在勞工自主管理的社會主義思想與市場機制的法則性關係之間確實看到了預定調和，即使被其他社會主義國家——中國是站在最前頭——那樣嚴厲的責難，在1950年代的階段，已經決定廢除國家的計畫化，而採用市場機制了。因此從1960年代末至1970年代初，在市場機制的法則及勞工自主管理的社會主義之間，發生了強烈的傾軋。體制的主流發現社會愈來愈緊張，就趕緊停止十幾年來對市場機制的崇拜。當然並非否定了市場機制，也不是決定再引進集權的計畫化，而是引進了一種自主管理協定及社會協約系統，以做為檢查商品經濟邏輯的裝置，這也可說是分權的非市場系統。這種思想展開的表現就是1974年的《憲法》及1976年的《聯合勞動法》。

這樣子一路看來的話，對南斯拉夫而言，市場機制並不曾是「不管是黑貓或白貓，能抓老鼠的就是好貓」之貓，而應該是毛色亮麗的特優波斯貓。此美夢的破滅，是從1965年至1970年代之間的放任主義自由貿易時代。當時領悟到市場是粗暴的野貓軍團，引起社會的緊張與矛盾及勞資的分裂。進入1970年代，注意到自主管理的社會主義與商品經濟之間有僵硬的不合理關係，於是將體制的設計加以修正。當時的思想主軸是稱為「自主管理的聯合勞動」之新觀念。

如果在這樣的前後關係中觀察今日的中國，則會看到在中國所考慮的社會主義中，並沒有明確地將市場機制做思想上的定位。他們是否只把它看作是一種有效地產生物質富裕的單純經濟措施或其他。我現在已弄不清楚目前中國社會主義的體制設計者所持的思想構圖。

南斯拉夫捨棄了稱為史達林主義的傳統馬克思主義，並創造了稱為自主管理社會主義的體制思想骨幹而取代之。觀看波蘭，多數派知識分子也拒絕史達林主義，並共同懷有從歐洲自由主義到社會民主主義的近代精神之廣大傳統故鄉，認為是應該回歸之處。我認為當時並不擔心在史達林主義消失之後，會瀰漫所謂知識、思想上的虛無主義或思想上的自我中心主義。

但是在中國的情形，如果捨棄馬克思、列寧、史達林主義，而遺忘了毛澤東思想，那麼什麼會成為體制上的思想支柱？目前還沒有勞工自主管理的思想體系。自由主義及社會民主主義並非中國近代的傳統。因此也並非在期待那些主義現在會再度降臨的日子吧。這樣說來，很難想像用中國傳統的種種思想之原有形式，對革命後所形成的社會能夠達成結構性任務。那麼，除了還是要活用屬於歐洲思想而最深廣地抓住中國知識社會的馬克思主義之外，已沒有其他之路可尋吧。如果無法在這方向做到思想上的展開，在精神方面也可能產生以小吃大的情形。因為僅就與市場經濟之接觸，國民黨方面遠比共產黨為前輩，而且接觸方法也應該比較熟練。

在中國，企業家能成長嗎？

關於內村先生所問的第二個問題，我接著大室先生的話，拿出《清明上河圖》給大家看。這張圖確實活生生地描繪著宋朝11世紀的都市生活。生動地描繪著《東京夢華錄》〔譯註：宋朝孟元老所撰，將北宋首都汴京（開封）之富庶繁華，依其風俗、行事加以描述〕的世界。傳統的中國為龐大的農業社會，同時無數的市場都市形成了網狀的商業社會和流通社會。比起日本人當然不必說，也許可認為遠比拉丁人以外的歐洲人，如日耳曼人或斯拉夫人來得有深度。因此，一旦商業活動被解禁，隱藏的商人之作風手腕就會一下子百花齊放，就會再造街市繁榮、熙攘無比的《清明上河圖》之世界。我每次閱讀日本媒體報導今日中國城鎮的盛況時，就會想起南斯拉夫1960年代的興旺，甚或在其之上。對了，就會聯想到11世紀的《清明上河圖》。農村的生產力與城鎮商人及勞工自由自在地活動接觸時，就能呈現出讓斯拉夫的波蘭農民或俄羅斯鄉下人瞠目的市場都市之盛況。

然而我們不可忘記的事實就是，關於此傳統都市文明的興盛，畢竟無法以資本主義的形式來形成近代的產業社會。資本主義的產業社會是發生在落後數百年的歐洲偏僻角落，不列顛島。

也許過度地商品化、過密的商人活動總是不利於產業社會的建立吧。在歐洲，土地與勞力的商品化構成了建立資本主義的基礎條件，而在中國曾經是如何呢？無論土地商品化或勞力商品化，在宋朝以後似乎都有相當的發展。在土地的情形，不僅是稱為田底的土地本身，甚至稱為田面的佃農耕作權也被分別盛行買賣。又，甚至好像有稱為牙商的，只做決定商品交換的比率或價格之服務，就將此當作一種商品做買賣。簡直令人想起近代經濟學的純粹交換模式（不含生產的市場模式）。在傳統中國這樣的過度的商品化之下，反而不容易產生資本主義的產業社會，不是嗎？必須有充滿著企業經營者性格及商人性格之緊張平衡，資本主義才能成立吧。

我在想馬克思主義內部所存的某種反商業主義，只要受到適當地管制，在中國其作用可能有助於培育企業經營者的精神。如袴田先生所言，在像俄羅斯那樣反商業心態根深柢固的地方，馬克思主義的反商業要素在經濟上產生了負面的作用吧。但是在中國，也許反商業要素可以中和過度的流通主義，成為培育健全的企業經營者的精神上的槓桿。

那麼，在此讓我利用一下馬克思經濟學的圖式。

$G-W\{{}^{Ar}_{Pm}\cdots\cdots P\cdots\cdots W'-G+\Delta G$

如各位所知，G為貨幣，W為商品，即勞動力商品Ar及生產手段Pm（資本財及中間財）。而W'為新產品，ΔG為利潤。接著P表示生產過程。企業經營者的精神以P生產含有剩餘價值的新產品，而以ΔG的形式實現之，來謀求G的增值。雖然G－W與W'－G＋ΔG正是商業過程，但$W\{{}^{Ar}_{Pm}\cdots\cdots P\cdots\cdots W'$是技術、勞動、紀律，總而言之是組織嚴酷的世界。如果產業資本家對市場的動向過於敏感，例如中間財的市場價格急速上漲時，可能就會賣掉自己的庫存以獲取高利，採取這樣的行為。如此一來，生產過程會被中斷，這種情形重複發生的話，將會失去生產的組織、技術、熟練、紀律。更何況組織、技術、熟練、紀律的累積更不可期望。企業經營者不可過度地做為商人。另一方面，真正的企業經營者不應僅是工程師，應創出目前市場所不知道的新產品，使市場成為確證其價值及創造未知的需要之場所，其存在應有異於從市場取得有關已知商品的價差之資訊，而將此價差做為自己利益的商人。

不僅在文革時代，在文革後相當長的期間，中國市場機制曾被壓抑的大半理由也許就在此。為了避免誤解，我在此先聲明並不是說指出市場機制與產業的矛盾，就是反對社會主義之市場引進。在集權制計畫系統中，雖然把此公式的G－W、W'－G＋ΔG之處換成了指令的連接，但那是具有相應的重大缺點，正是蘇聯、東歐、中國的經驗所顯示之處。

採用此公式的話，活用市場經濟的社會主義與資本主義經濟，區別二者的標誌就可辨明了。

Ar
|
G－W（Pm）……P……W'－G＋ΔG

在稱為G－W的商品交換處，沒有出現勞力Ar。正如同資本家在前一圖式中做為客體而不出現，做為主體站在背後一樣。因為此圖式的主體為勞動集團Ar，所以在生產過程P中，勞動集團創出附加價值——不是剩餘價值，在W'－G＋ΔG的市場交易中實現價值，賺取所得ΔG——不是利潤。要之，使勞動集團從薪資勞工脫胎換骨，鍛鍊成生產過程的主體、交換過程的主體。認為這就是社會主義，唯有這種想法才是南斯拉夫至1960年代末的自主管理社會主義論。以1974年《憲法》與1976年《聯合勞動法》為基礎的體制，其最大特徵為首先將生產過程P及承擔者的勞動集團細分為較小規模，使其能直接自主管理，形成所謂聯合勞動基層組織，其次之目標為依據異於國家管制的非市場之相互協定來控制G－W、W'－G＋ΔG。

袴田茂樹：謀求實利的中國人與社會理念

我認識一位來自蘇聯，現住在日本的人。這個曾徹底觀察日本社會活力的人說過，民眾的智慧勝過任何賢人的偉大構想。我想這可能是因為看到日本社會並沒有強力的理念或指導者，也幾乎沒有像國家計畫的東西，但卻能生氣蓬勃地發揮機能，因而做為蘇聯人所率直感到的印象。

他們對我們日本的經濟效率無條件給予甚高的評分。又對日本的自我抑制——不如說相互抑制——的倫理性也瞠目驚視。說是露骨的欲望與利己主義相碰撞的粗暴野貓集團的社會，人人的行動卻有相應的自我抑制在作用著。不，甚至是非常倫理主義的社會。舉個淺顯的例子，堆積並排在商店街人行道的商品等，如果是在蘇聯，一下子就會消失無蹤了吧。亦即對於一部分的蘇聯人而言，日本這個國家所映入（眼裡）的是兼具市場機制的高效率及倫理性二方面的波斯貓。日本社會或經濟所持有的種種問題，若讓他們來說，是奢侈的問題。因為對蘇聯在此之前的問題太嚴重了。聽著他們對日本的讚美，有時連我們的腦袋都變得怪怪的。我會深以為日本真的是世上少有，能有始有終發揮良好機能的社會。

我也有這樣的想法，就是即使沒有像那種體制的理念或偉大的構想，每個人都隨意以自我為中心地活著，而社會能發揮還算不錯的機能的話，也就可以了吧。

看著蘇聯的經濟及社會的諸多困難，就不可能不知道效率、講究效率的人之感覺。因此就覺得只要有好的經濟機能或效率，只要社會生氣蓬勃地運作，其他的事情應該假裝沒看到。

在中國鍋內加入馬克思主義來煮，這種說法的確是好的表現法，鄧小平路線確實是投入馬克思主義的中國菜。馬克思主義被煮成中國菜樣子，已經連原來的形狀都沒有保留。如果把重點放在思想上，則如內村先生所說，是冒瀆神聖。但是我連毅然說出「生活應該依思想而定」的魄力都沒有。我認為即使思想被忽略，或即使是實利主義，對於一般平民而言，只要經濟能繁榮，生活物質能豐富，那樣不就行了嗎？即使沒有明確可以支撐體制的思想，一般平民也不至於有什麼困擾吧。

「社會主義之市場機制的思想上定位」，誠如岩田先生所言，在中國尚未明確化。讀了《中共中央關於社會主義精神文明建設指導方針的決議》，也完全是折衷主義，可說是大鍋菜。不過，社會主義下的市場機制是「能有效產生物質財富的單純經濟措施」就可以吧，當然那是要在機能良好的情況下才能成立。

也許因為我在蘇聯生活太久的關係吧，對於社會應有的狀態，我的要求水準好像稍微降低了一點。去年我去訪問中國，看見中國社會的傳統本質出現了熱情洋溢的活潑氣氛，又看到年輕人明朗的表情，對於鄧小平的實用路線大致上懷有好感。我的一位蘇聯好友，對於官僚主義及其偽善持有與生俱來的反感，但對於一般平民的商業主義或投機行為，及黑市的經濟活動等好像在看遊戲，覺得很有趣。與其說是看到商業主義墮落的要素，不如說也許是看到嘲笑當局的反權威主義的另一面。或許因為與這樣的一夥來往，我也是與其說對於欠缺固有合理性的官僚主義之偽善及腐敗，不如說是對於商業主義的「墮落」比較寬大吧。一般平民的欲望及自私翻騰的難對付的真心話世界，比起如用肥皂水清洗過般乍看是邏輯性的漂亮話世界，在某種意義上更為健康。沒有任何妓女的社會，不是反而虛偽得有點可怕嗎？

市場機制或商業主義當然含有諸多要素。功利或專搞效率的社會也有產生精神的委靡或虛無主義之一面吧。社會主義國內的「第二經濟」，即使說那是市場經濟的，並未具有原來的經濟合理性。但一般而言，效率差的「不足經濟」中的官僚社會，反而會比商業主義容易成為更惡質的腐敗溫牀吧。

不論任何社會，在庶民的人際關係中，都會自然地產生相應的倫理。這不是從上級的垂訓可以得到的，而是在傳統的社會關係中自然產生的。不過，為了人人知禮節必須衣食充足。即使是功利主義，如果那是認真嚴肅的社會的話，而且如果能夠滿足人人的衣食的話，當然那個社會的腐敗就減少了。

究竟有無《清明上河圖》的傳統，我想這正是產生蘇聯和中國的差異之關鍵點。岩田先生所指出，在中國由於過度的商業主義及過度的流通主義所造成的熱鬧，反而不容易產生資本主義的產業社會，這點與我在《經濟學人》（1986年10月28日號及11年28日號）所敘述的認識是一致的。現在的中國經濟是如剛剪下的鮮花一樣的經濟。與中國交易的日本的商社或企業關係者都異口同聲地說中國人不懂經濟為何物，或甚至說對方都是唯利是圖。連工業建設的問題也要用「過度的流通主義」的感覺來處理，就是對這種中國人的不滿吧。對於此種缺乏企業經營者的精神所做批評這方面，我認為與岩田先生有共同的見解。

不過岩田先生對中國的批評還有一點與我有稍微不同的涵義。那是岩田先生所說「毛澤東思想或馬克思主義好像已被棄如敝屣，而現世利益主義、享樂主義及商人的盤算逐漸跑到前頭」這樣的話。岩田先生比我這個草率的人是更為「有原則的人」。

在他話語的細微處覺得有稱作武士道的，或像儒教禁欲精神及倫理主義的東西。我對學生，有時也會對日本人缺乏原則做批判性敘述，或對政府與外交部批評日本外交的無原則性與理念的欠缺。

但是有關社會或經濟的問題，我認為現世利益主義或是享樂主義才是社會活力的源泉，對於那樣的主義抱著更寬容的態度。也許這是因為我本身是現世利益主義者、短暫的享樂主義者之故。對於鄧小平路線像中國鍋的評價，或對於思想上的虛無主義或自我中心主義的批評，當然我比岩田先生較為寬鬆。順便一提，雖然與中國問題無關，我認為藝術或美學的本質也有麻藥般的享樂主義。那在本質上是無政府狀態的，當然不能成為社會組織的原理。

對於「做為形成中國社會的骨幹，除了有效利用歐洲思想中最深廣地抓住中國知識分子的馬克思主義外，大概沒有其他道路」的意見，我也持有很大的懷疑，馬克思主義果真能再次在中國成為組織廣大國民的原理嗎？正如往昔之中國，儒教與民眾未曾有任何關係，即使在文革時代，馬克思主義與庶民也未有任何關係吧。而且如今的知識分子本身都背向著馬克思主義。

我認為馬克思主義在中國，只有與儒教或佛教相同的命運，成為中國鍋之材料，或是成為比其更小的材料，除此之外無他。津田左右吉曾說，在中國，儒教倫理是士大夫的東西，與民眾未曾有任何關係。又對佛教方面也有敘述，他說佛教的教理與謀求現實福利的中國人的感覺不一致，結果佛教也被功利主義的民間信仰所同化而中國化，因此雖然佛教傳進來了，但道德或政治相關的思想並不受到動搖，連政治生活、道德生活也不被佛教所改變（《支那思想與日本》〔《支那思想と日本》〕）。在唐代所見那樣興盛的佛教，結果也由於力量較強的傳統民間思想或信仰而變樣，在中國鍋內幾乎未能保留原形地被燉煮。

我總覺得現在的馬克思主義也在蹈循著同樣的命運。因此我想那是自然的趨勢吧。馬克思主義的合理主義及計畫經濟的思想，還有其內涵的清教主義精神都與佛教一樣，與中國人的感覺不一致吧。可以這麼說，以中國方式燉煮的馬克思主義，與儒教或佛教一樣，今後也會在中國鍋內添加適當的味道吧。但是正如不可能再以佛教或儒教為骨幹去形成中國社會，同樣地不可能做為培養企業經營者的精神體制之支柱，而使破碎的馬克思主義重生。

戴國煇：中國傳統的商品化社會與政治改革的課題

我想回應內村先生的話，如一般所說，中國人是務實者。住在大陸的一般民眾曾經有一時期接受中國共產黨的指導。

但是由於中共指導的錯誤，民眾都學乖了，知道不論理念或理想，在生活經濟層面上，都只不過是畫了一個大餅而已。只舉大躍進的土法煉鋼和稻米400石的高產量等不過是觀念的產物就是最好的例子。由於繼起的文革動盪，中國只是加深貧窮、愚昧、落後、低效率的惡性循環，談不上民眾所期望的經濟起飛，這就是現狀。因此，建議要從現實生活面重新評估馬克思主義，這是無法充分說服懷疑共黨指導的庶民，但是也可想像有些許效果的。

岩田先生說在過度的商品化社會之下，反而可能不易產生資本主義的產業社會，我想他的假設具有饒富趣味的示意。以現在的講法，這是否可以說是脫離生產而狂熱從事理財技術情況的中國版吧。

中國的一般平民陷入非常貧窮如泥濘般的困境中，但另一方面在都市的一撮人卻享受著過度商品化社會的生活。目前中共的幹部連政府機構都依然無法克服這負面的傳統，甚至還假借「活性化」之名，「非法」輸入商品，賺取利差，好像在炫耀著「業績」的提升而洋洋自得。這可說不可能不激怒一般民眾、學生，及有心的知識分子。因此，可以想到為了突破經濟改革的瓶頸，「政治體制改革」成為不可缺少的課題已浮現。

中共中央所考慮的「政治體制改革」，其具體之內容為問題所在。可想像者之一為「行政改革」（行政效率水準的提升為主要目標）及「黨風」的改革，換句話說，是要如何嘗試重建黨本身的活力及黨的威信，如何合理地區分及限制黨的領導權，並建立不壓抑而激發民眾活力的體制。這是我任意假設的課題。

可是，不管是什麼政治體制，個人也好，民族也好，自我變革與正視挑戰是非常困難的。目前中共可說正面臨很困難的課題。真有趣，除了白貓、黑貓外，岩田、袴田二位先生都拿出波斯貓來做比喻。波斯貓在日本顯現的歷史背景，已在拙稿〈儒教文化圈之一考察〉（《世界》1986年12月號）〔參見《全集6・儒家思想與日本近代化》〕中提及過，在此不想重複，但我要考慮的是日本企業兼具高效能及倫理性二方面，此項獨特性與日本從幕府末期至明治初期，其社會經濟之基礎建設已完成良性循環的原型，這二件事之間恐怕不無關係。

眾所周知，中國土地廣大，人口眾多，各區域發展不均有著極大差距，及沉重的歷史負荷等，其相乘的惡性循環是超乎想像的吧。要如何才能從惡性循環的深淵爬上來？期盼各位啟示良方，以供我們貧困的中國同胞做參考。

大室幹雄：中國人的變天思想及兩個統治原理

近年中國的政治及社會的情形若以貧乏的資訊來看，我的印象感覺王朝時代的歷史模式一方面多少有變形，一方面則一再重現。偉大的體制創造者皇帝死了之後，接著功臣們衝突內鬥，很快地產生了官僚制度的成熟與腐敗、單一權力的存在，此權力所公認的單一意識形態，其宣示變為抽象的道德說教而造成意識形態的風化，加上國家的意識形態不能深植國民大眾的內心（聽說現今中國有2億3,000萬文盲、半文盲的人口），若干土地公有制度之嘗試的失敗，以及由於專賣等之手段引起國家經濟的混亂及黑市的產生，凡此即使一時有了變化又回到原來的樣子，人民大眾把所謂「變天思想」當作生活的智慧，呈現出乍見像是無秩序之極其旺盛的生活力——大概這種特徵在過去和現在都一樣可看到。

假設距今1,000年前，或是2,000年前的某日中午，站在王朝首都的街道上。旅行者被充滿活力可愛的群眾包圍，感覺好像自己也能分享那股生命力。此時來了政府的高官，把群眾推開而快速通過，然後很快地又聚滿了民眾。不同的是，在1,000年或2,000年前，政府高官所乘的交通工具是馬車、牛車或轎子，而現在所乘的是掛上窗簾的黑色高級車，可以做這樣的想像。

只允許一個權力的存在（不論是以皇帝的專制，或以共產黨的專制），不容許複數意識形態的共存（不論是儒教，或是馬克思、列寧、毛澤東主義），而依靠此二種的統治原理，穩固、老練、龐大且強有力的官僚制度一手掌握著所統治的整個區域，至少以這些情形看來，王朝時代和現在之間並無差異。如果說儒教與馬列、毛主義基本上有不同，可以這麼說，在哲學上二者顯然是不同的東西，但那只是原理上的不同。哲學或觀念與現實不一樣。這就是所謂的歷史。

我讀了送來的資料，中國共產黨第12屆中央委員會第六次全體會議於1986年9月28日所表決的「有關社會主義精神文明建設的指導方針，中國共產黨中央委員會的決議」*1是篇無聊的文章。我想起王朝時代高級官僚們恭維皇帝的上奏文，以及皇帝的對應布告文（雖然實際上這也是高級官僚們所寫的）。因為哪一邊都是官僚的官樣文章。

在此「決議」可以讀取到一種危機意識。但是這種危機意識的認識本身，好像是屬於王朝時代的吧。

王朝時代的高級官僚們也曾向皇帝上奏有關他們社會的矛盾或弊病。在那種種的上奏文中，在其根柢也有危機意識，大概可以將它歸納如下：第一，有壞傢伙（尤其在政治中樞或在其附

*1 全名應為「中共中央關於社會主義精神文明建設指導方針的決議」。

近）；第二，以前有過好的時代；第三，以前好的時代會回來；第四，未來有實現理想的希望。

在此始終是平板的道德說教之「決議」中，唯一被明確敘述的是有關第一項。例如說「社會主義道德所要反對的，是一切損人利己、損公肥私、金錢至上、以謀權私、欺詐勒索的思想和行動」。——此漠然的道德文書之中，僅在此有奇特的寫實，以此推斷，則所說的「有壞傢伙」是無可爭辯的現實，因此也可解釋為此「決議」是僅針對這件事的危機感而被通過的。

在王朝時代所說之第二項的盛世是指堯、舜、禹、湯、文王及周公的時代。只要遵守儒教的道德，就會回到之第三項的盛世，以及之第四項未來是光明在望。

在「決議」中，之第二項的敘述為「中華民族是具有悠久歷史和文化的偉大民族，在古代文明史上長期處於世界的前列」。當然非把它呼喚回來不可。在此做為第三、四項邏輯的歸結，而有這樣的的高呼聲：「到本世紀末，要使我國經濟達到小康水平；下世紀中葉，接近世界發達國家水平。」如果與曾經一時喊著要追上、超越的勇敢號令做比較，就可認為中國的官僚們也相當謙虛地變得很現實，這簡直就是說「建設中國特有的社會主義」是「我國各民族人民的共同理想」。

很容易可以了解到，此危機意識的邏輯是革除壞傢伙，剩下的人若都有道德操守，那麼就會天下太平。因而依此邏輯，自己本身不會受到傷害，任何時候都很安全。換句話說，就是將某一部分蓋上不良的戳記而排除掉，保護剩下的部分不受任何傷害，全體就能穩固的繼續生存下去，絕對不否認自我，這就是官僚制體質。舉個最新的實例，就是從去年到今年，學生們要求「自由」和「民主主義」的運動遍布了全國一百五十多所大學，胡耀邦被迫負責而下台。

在中國確實有一個任何其他社會所沒有的悠久傳統。那就是從西元前3世紀連綿不絕繼續保存下來，為其他社會無以類比的精緻發達之官僚制度。以集體匿名、凶狠攻訐、快速逃避、緊抓利權，一旦抓住即使天坍下來也不放手。雖是卑小的部分人，但集體卻頑固強大，中國的官僚制度與史達林或毛澤東不同，是絕對死不了的，不管好壞似乎就是那樣。

現代的學生們所要求的「自由」和「民主主義」是什麼？是像日本的那樣嗎？還是類似瑞典、英國，或是美國的那樣？我並不知道。聽說在上海的大字報上出現了「如果想要知道自由是什麼，可去問魏京生」這樣的報導，但這個魏京生目前正在某處之監獄。把這些學生們所要求的「自由」和「民主主義」叫作「資產階級民主主義」（雖然這也是意義模糊的言詞），並蓋上壞傢伙的戳記而排除，其間官僚制體質在活生生地運作，只有這點是很清楚。

在此對於內村先生不懷好意的質問，我的回答是這樣的。現在的中國，不論馬克思主義是如何，非常盛行馬克思的神聖冒瀆。由於具有悠久歷史的官僚制體質，連被束之高閣的偉大「皇帝」毛澤東也終究慘遭神聖冒瀆，也是由同樣的人在執行。

可以這麼說，今天想要懷有像那種極端生命力，抱有可親以外的感情，大概也很困難的絕大多數中國一般民眾在北京、上海、南京、成都及其他全國各地的都市，做為該社會固有的人民，雖然比宋朝《清明上河圖》遜色（那邊也是20世紀後半的世界），但也呈現比它更熱鬧的情景，做為龐大的群眾在流動著。明天也是這樣，後天也是一樣吧，不管是黑貓或白貓，在這個與官僚政府的道德不同的世界，人民大眾即使依賴變天思想，還是會活下去。波斯貓可能比較漂亮，但不像黑或白的雜種貓那樣健壯。在這樣的意味下，我對袴田先生的意見抱有同感。

在本誌二、三月號連續刊載的座談會之最後，請了主持會議的內村先生將重點集中在二個問題上。在本月號及次月號中*2，將以書面形式，刊登所提出的問題及諸位對此問題的評語（編輯部）

本文原刊於《日中経済協会会報》第162～164號，東京：日中経済協会，1987年2月，頁4～15；1987年3月，頁45～55；1987年4月，頁45～55

*2 《日中経済協会会報》第165號並無再刊此主題的續文。

渾沌的時代：亞洲與日本

——星野芳郎vs.戴國煇

◎ 劉靈均譯

時間：1986年12月12日

地點：富士全錄公司

對談：星野芳郎（帝京大學教授・產業經濟史・技術論）

戴國煇（立教大學教授・中日關係史）

亞洲的近代化與日本

編輯部：現在日本雖然頻頻說著要國際化，但是帶頭的政府卻常常做一些「非國際性的」發言，讓海內外皺眉，也讓我們不得不重新思考：原則與實際的意識之間差距是如此大。

在技術的世界中，也已經以「技術移轉」的形式推進了國際化，今天，我們想藉由這個技術移轉的問題，檢討我們與外國，特別是亞洲的人們，應該建立怎樣的關係。

首先，雖然說是技術移轉，但是終究卻都是人的問題。現在，技術人員的世界裡究竟存在著怎樣的交流呢？

戴國煇（以下簡稱戴）：在當今的日本，由於出身工程技術領域者退休後，為了追求新的生存的意義，他們自願前往亞洲各地做義工，進行技術指導，也就是說這些退休人員們組成了像是和平部隊一樣的形式，開始進行技術移轉。

目前在中國，戰時、戰後留學美國的工程技術領域者，在退休或者快要退休的時候，也發生了這樣的回歸現象。中國在近代化的呼聲中，並不像過去般採取封鎖的政策，所以在美國長年工作的人們，為了追求生存的意義，也開始回歸亞洲的祖國貢獻所學。

星野芳郎（以下簡稱星野）：這實在是相當有趣。然而問題就在於，日本的資深技術人員在退休後為了追求生存意義而前往亞洲各地時，總是會帶著日本的作風過去，但首先當地物質上的條件一定與日本相當的不同。會否供給一定的電力，水的品質如何、港灣設施的能力到什麼程度、相關的零件工廠、材料工廠之間的流通如何，這些infrastructure（社會的基礎建設）的問題就不同。

此外也有習慣的不同。日本人往往過了下午五點也不下班，然而亞洲各國的時間觀念不同，有的地方一到下午五點，人們就會一下子消失無蹤。所以前往亞洲各地的日本人感到相當困擾。理解當地的習慣，並且配合當地社會基礎建設、熟悉工作環境也總是要花上一段時間。

也就是說，即便說是技術移轉，也不能只是單純的移轉技術而已。因為人的習慣之類，還有心理、性格等，會帶著各式各樣的東西過去。並不是單純說「移轉」這麼容易。而且，在移轉過去的當下，或許會覺得和原來的一樣，但結果往往成為不同的東西。不同文化的人，假使想要把移轉的技術真正變成自己的，其結果會變成不同型態也是理所當然的。事實上。我甚至覺得本來就應該形成不同的型態才是。

此時為了不要產生誤會，讓移轉能夠盡量順暢一些，一開始必須明確地了解相互之間文化的差異、歷史的差異、物質條件的差異等才對。當然中間也包括待遇，也就是薪水的問題，我覺得這樣的問題應該使之更加清楚才是。

至今為止，因為技術交流而到海外的人，有的人碰到了很糟糕的狀況，有的人則相當順利，我們不斷聽到這些感想。然而應該要把這些感想整理起來，做成一本小冊子才是。正因為沒有這樣做，所以總是會有人怒氣沖沖地回國。所以我覺得，這樣的交流必須要更有系統、好好地做才是。

戴：星野先生好像一直有聲有色地進行著和中國的技術交流活動。

星野：關於和中國之間的技術交流，我和中華全國總工會之間已經進行五、六年了。其內容就是派遣退休者到現場去和他們一起工作，或派遣資深技術人員去到當地進行技術指導，還有和當地的大學——東北工學院（瀋陽）的研究室進行日中比較技術發達史的共同研究。

透過這研究，我們才發現過去我們只盯著歐美看，對於隔鄰的韓國、北韓、中國卻全然未留意。就連他們單純的歷史常識我們都不知道，令人不得不愕然。這樣看來，日本這個國家究竟在亞洲做了些什麼呢？有著怎樣的地位呢？給其他亞洲人們什麼樣的印象呢？現在我們正在重新思考。

我現在已經64歲了，但是到了這個歲數才開始對這件事情愕然，既是我的恥辱，也是國家的恥辱吧（笑）。

戴：就是說終於有了這樣的想法。我來到日本已經31年了。在這段期間，我一直注意著日本戰後經濟發展的情況，我覺得最近這樣的狀態是第一次發生。要說現在日本是如何討論亞洲的話，那就是如星野先生一樣，總是保持某種批判性的態度而思考的聲音愈來愈微弱，好像有莫名其妙的議論在亂竄。

也就是說，對於日本近代的批判變得幾乎聽不見，能聽到的時下的議論，都是把日本現在到達的經濟成長的表層部分拿來贊揚。強調所謂日本的獨特性、獨自性的文化論正盛行著，與之相呼應地也出現了類似於新國家主義的東西，然後成為對全世界強調日本的優越性。大名鼎鼎的經濟評論家〔譯註：長谷川慶太郎〕寫的《告別亞洲》〔《さようならアジア》〕、傅高義的《日本第一》等書之所以會熱銷，正是因為在庶民之間也有不知不覺接受日本人的優越意識根柢之故。

特別是現在我最擔心日本的年輕一輩人中，對亞洲逐漸產生了新的蔑視感。這大抵是現在將戰後民主主義全部當作虛妄之物的風潮中所衍生出來的吧。

編輯部：這種年輕人的蔑視感是以何種形式顯現呢？

戴：比如說剛進入公司一兩年的年輕業務員，會說美國沒什麼了不起的、亞洲也太落後了、沒救了之類的話。

當然，雖然過去與亞洲相關的書全然賣不出去，但是最近關於韓國或者菲律賓的書，鶴見良行先生等人寫的書有許多年輕人在閱讀，這或許還能有所補救。

但是就全盤而言，已經失去了對日本近代的批評的觀點，心情上已經認為，現在的日本經濟會繼續這麼好下去。而「果然日本人就是優秀」這樣的優越感正培養出濃厚的新國家主義氣氛，這以後會對亞洲的關係造成何種問題？令我有點擔心。

星野：這種形式就像過去的脫亞論一樣在蔓延。

但是從歷史的法則上看來，所謂脫亞論根本是不可能的。因為日本現在是全世界最大的債權國呢！日本的資金與人才大量湧入世界各地，已經不可能像過去一樣限制來自世界各地的資本和人才了啊。

在按捺指紋的問題上也是，有一種說法是那是為了防止外國人勞動力流入的護城河。如果被突破的話，很快地亞洲各國的勞動者就會流進日本。也就是說，在亞洲之中日本正處於美洲大陸上美國的地位。現實上已經有一個人來到日本，可以養活住在家鄉的一家人；有許多國家的男男女女都在日本工作著。那樣的構圖簡直就和美國一樣。

但是最大的差異就在於美國雖然確實有人種歧視，但另一方面因為美國是個移民國家，所以也比較開放。所以現在在美國英語不通用的街道已經不怎麼稀奇了，大都市中幾乎所有的市公所都在黑人區的正中央。此外，美國雖然曾經和越南打過仗，卻也有許多家庭養育越南難民的孩子。這些都讓日本人覺得很驚奇。

日本現在必須要在外交上擁有像美國一樣的寬容才是。這可以說是明治維新以來的一場大事件吧。在黑船開港時來了很多東西，但這次則是很多人要來。

這次中曾根首相會有那樣的發言，正是因為對於日本已臻極度國際化的時代，他的認知仍然不足的緣故吧。如果有充分的認識，應該會反過來說：「我們必須要學習美國的寬容。如果再不努力，真的會變成世界上的孤兒。」

我們嘴巴上一面說著「國際化」，卻只想和歐美國際化。日本今後要面臨的國際化是在亞洲和各國建立何種關係。現在就算想要和亞洲告別，日本的經濟既然都發展到這個地步，已經變得不可能了。這是首先必須認知到的。

戴：正如您所說的。日本不知不覺已經擁有優異的生產力，要怎樣持續下去，讓其一面進行正面循環且一面發展，在這一點上來說與亞洲的關係也應該變得日益重要。所以應該真的要採用擁抱主義才是。

星野：是的。

戴：但是單純只用擁抱主義的話，會變成大東亞共榮圈的構思，這樣就令人困擾了。事實上，目前已經在美國核傘的保護下，形成了由美國霸權加上日本共同維持的世界和平到目前為止相當順利運行。然而像現在這樣世界經濟低迷的狀況下，重要的是必須重新探討亞洲與日本應有的關係。

因此，美國式的過分介入或者大東亞共榮圈式的構思都不好。此外一部分人所說的新亞洲主義，和中國好好相處，將過去白人的霸權重新取回日本等的發想，從國民的立場看來，實在是不太妙。因為其中有人種主義的復辟。

應該還是要向前面所說的技術移轉一樣，必須要先充分理解進行經濟交流的對象的文化、價值體系、風俗習慣等，接著根據自國的習俗調整之才是最好的辦法。

眾所周知，亞洲各個國家中還有地方很貧窮，並且強烈打壓人權，連學問研究的自由或者庶民活動的自由都沒有。相對於此，日本能夠守住產生如此強大經濟生產力的戰後民主，我希望應該為了促進亞洲各國更好的近代化，創造能夠合作的新關係。

和魂洋才與中體西用

星野：日本的年輕人會蔑視亞洲，某方面來說是有根據的。會這樣說，是因為日本這個國家雖然處在亞洲，卻是亞洲國家中最歐化，天性也比較歐化。

編輯部：是從明治時代開始的嗎？

星野：是從更早以前開始的。

要說亞洲國家的話，中國與印度擁有的壓倒性影響力是不容忽視的。我會特別關注中國，有一部分是因為這個原因。

中國一直到清朝為止都是君主專制。中國早在西元6世紀的時候就創造科舉制度，舉行相當高階的考試，集中能夠通過考試、能力驚人的秀才，派任到全國去當官僚，為避免其在任職地區久待生弊，因此設計了不斷改派轉任其他地區的行政制度持續著。也就是說，雖然皇帝是世襲制度，官吏卻是考試制度，這看起來非常民主也相當合理。事實上我覺得這也就是為什麼專制君主制可以一路持續到20世紀初期的緣故。從握有權力的人的角度想來，實在是設計得很完備的制度。

因此，受到中國壓迫的諸國，一方面害怕中國，另一方面卻對中國抱持著憧憬。於是乎在行政組織上就模仿中國。不管是朝鮮還是東南亞都一樣。那裡雖然沒有像中國那樣專制的君主制度，卻也很難採取如歐洲或日本般諸侯割據的封建制度。

日本的情況是處於亞洲的東端，對於中國的國際利害關係而言看來不是很重要。中國關心的方向是南方，也就是從中南半島一路延伸至印尼。那裡因為彙集來自阿拉伯、印度與中國的商人競爭著，所以中國比較關心。

這也是為什麼元朝兩度攻打日本此後不再發生，之後日本就再也沒有受到中國直接的壓迫了。一開始日本確實嚮往中國，在大化改新等時也直接引用了唐朝的制度。約在鎌倉時代前後，日本走向不同的方向，做出了諸侯割據型的行政方式。在此就與中國大大地不同了。

戴：日本應該是由武士階級掌握了實權吧。

星野：正是如此。而到了江戶時代，商業經濟相當發達，並且滲透其中。雖然中國的商業也相當發達，但在日本一旦商業經濟發達，諸侯就不能只靠地租過活了。

因此，無論如何都一定要振興產業。在英國，庶民裡出現了手工業資本家，但在日本則變成了藩營手工業，也就是連振興地方產業的經營者都是領主，而武士從產業的開發到製品的販賣都站在經濟活動的前頭。

這點與德國相似。德國在三十年戰爭（1618～1648年）後，也是諸侯割據型。雖然與日本不同的是在諸侯國之間有都市這點，但諸侯是產業經營者則是一樣的。因此從產業結構看來，毋寧可以說日本是德國型的。日本會成為亞洲中的孤兒，也是因為有這樣歷史上的因素吧。

這陣子，我在與李約瑟對談時，他也和我這樣說了。也就是日本與德國的距離比日本與中國的距離要來得近，日本的發展可以說是德國型。從技術史上看來，確實是比較接近德國。所以這應該是在明治維新，歐美的文化進入日本時，日本已建立了容易接受這種發展的體制。

戴：還真有趣。

星野：但是，在專制君主制的狀況下，是沒有接受這種發展的基礎的。

也就是因為中國官僚的赴任地不斷地變動，所以對於他們而言，要不要振興赴任地的產業都無妨。他們每天只巴望著皇帝，希望有一天能夠換到比較好的任所。

所以即便是手工業，中國的手工業技術是遠高於日本的。中國的小工藝品或者是陶瓷品等都大大影響著日本，而且日本沒辦法跟著達到中國的水準。但是那樣高超的技術終究都是為皇帝服務的，因此中國形成了與歐洲的同業公會（guild）非常不同的工匠社會。

相對於此，在製造大眾化製品的領域而言，日本的領域比較寬廣。現在日本的技術特性，如果以較有國際競爭力的角度看來，全部都是大眾製品，也就是耐久消耗財，那是因為本來就有這樣的歷史背景。有人認為現在日本的中間管理層較為厚實，這是因為在武士階級的時代就已如此了。

我思索著日本與亞洲的不同，第一次感到驚訝就是這件事。我們雖然一直說著日本諸侯割據型封建制度的各種問題，但在某種意義上而言，就是因為有這種體制，才得以習慣於歐美的技術。而因為這條路與中國不同，所以成為了亞洲的孤兒。這也讓我們覺得亞洲非常難以理解。

戴：您現在所講的實在是非常有趣的話題，但是我最近在思考的，其實是武士這個社會階級在明治維新後的近代化中，究竟扮演了什麼角色。

我們舉新渡戶稻造的武士道為例，他試圖追問所謂日本式的精神是什麼。但是有一天這樣的精神被日本軍國主義搶走，導致日本第二次世界大戰敗戰後，大和魂、武士道都被蒙上了一層負面印象。

但我覺得並不是那樣，所以為了重新追問這個問題，我將問題點置於「和魂」。日本在明治維新以後，提出了「和魂洋才」以推行近代化。在同一時期，中國也提出了「中體西用」這個語詞，也就是「以中國的學問陶冶身心，以西洋的學問（科學、技術）對應世事」，進行了近代化的運動。

「和魂洋才」與「中體西用」在形式邏輯上是相似的。但是將之拿來應用的現實社會，卻打從一開始就不一樣。因此為什麼日本有可能維新、有可能導入歐洲型的近代化，但在中國卻受到挫折？這個問題可以從調查「和魂」這個語詞開始探討。

調查的結果，我發現，在「和魂洋才」出現之前，江戶末期曾經出現「和魂漢洋才」這個語詞，也就是以前是說「和魂漢才」的。那麼，這個「和魂」指的是什麼？通說認為是菅原道真所造的詞，從菅原道真以來，此詞就好像一直使用至今。

那個時候「和魂」一詞出現，我覺得應該是因為日本人在那個時間點，首次對朝鮮半島主張自己精神上的自立，或者相對經由朝鮮半島傳入，或者是直接傳入的中國的中原文化，用最近的新詞語來說，他們開始主張自己的群體認同，或許是那樣的一種表現吧。

而在那之後，以「和魂」為基礎，在某個時期與「漢才」互相連結，某個時期變成「漢洋才」，到了明治維新的時代則變成「洋才」，持續導入歐洲型的近代化直到第二次世界大戰前。到了戰後，「洋才」的中心移轉至美國，以戰後民主主義的型態維持至今。中間有著這樣的過程。

然而在中國，因為剛才提到的科舉制度有相當合理的一面，我覺得某種意義上有打破世襲體制的了不起機制。但是藉由科舉往上爬的人們，最後還是利用儒教製造出自己的特權，將之與土地互相結合，最後成為地主並且逐漸腐化。

然而想想日本的武士，他們拿的是俸祿，所以與土地並沒有直接關係，因而得以順著武士道維持清廉之身，我認為這正是中國與日本近代之所以會有差異的原因。

雖然日本近代式的官僚有強烈的菁英主義，但也不至於在考試時作弊吧。

星野：那倒沒有吧。中國科舉制度的作弊倒是挺有名的（笑）。

戴：正是如此。還有一個是中國沒有所謂的退休制度。中國的皇帝是不退休的。毛澤東也是這樣，到死之前都還握有大權。現在的中國正在試圖建立退休制度。

然而日本的新陳代謝順利進行。所以在我看來，日本的官僚制度有八成作用得很好，但中國的科舉制度只有兩成是正常，剩下的八成是腐敗，單純來說就是如此。

所以我覺得我們應該必須要稍微客觀一點來研究所謂的武士道。雖然武士道往往會被與軍國主義連結，但在另一方面，或許亦可將武士道視為引導後續日本近代化倫理觀形成的基礎。

也就是說，到底我們要怎麼樣重新正確地為近代日本人倫理觀的基礎中的和魂、大和魂定位呢？順著這個問題，要怎樣重新評價武士道呢？藉由重新評價其正面的部分，我認為應該就可以更好的解釋現在的日本。不這樣的話，我想是難以對抗現在輕浮的新日本論。那對於摸索日本與亞洲應有的關係而言，應該也是一件不幸的事吧。

「恥」的文化

星野：真是有趣。也就是說，我們如果想要弄清楚亞洲的問題，不仔細看清楚自己的臉是不行的。

戴：為什麼我會這樣說呢？這是因為中國人的社會裡，所謂的社會道德是沒有什麼效力的。因為大家不太在意。比如說，在中國即使貪污被登在報紙上，也是可以重新被社會所接納。在日本可是會全家都被大眾唾棄，所以為了不要變成那樣，日本人才會潔身自愛。

換句話說，中國人在意的就是錢。中國人本來是最在意名譽，但現在完全相反。至少清朝末期以後就完全逆轉了。

在日本我認為特別是當權階級的人，比起錢更在意名譽。這點您覺得如何？

星野：正如您所說的，在日本現在還有名譽比金錢重要的觀念。當然我覺得中國實際上也有的。比起缺乏道德的職業而言，能夠讓自己有好名譽的職業，就算是錢比較少也無所謂吧。而且會努力守護這份名譽。為了不要傷害名譽，所以不太會去做違反道德之事，這樣的道德觀，日本與中國無異。

但是在日本，所謂名譽不論古今，往往不是市民式的榮譽，而是做為服侍主子身分的名譽。現在在日本所謂上班族的名譽，事實上等同於公司的名譽，如果出了什麼問題就是傷害到公司的名譽。這個與一般市民沒有什麼關係。即使是從負責任的方法而言，武士會負責任通常是為了主子或者為了藩，並不是對一般人。公務員或者公司員工會負責任，也是對自己所屬的組織，而非對社會負責，為此往往會被迫悲慘地犧牲。這不只是在國內如此，在面對亞洲人的時候才是問題。

在投資理財風潮之中

戴：雖然到目前為止的議論都是比較日本與中國的內部，但我想再提出另一個觀點，透過出外的日本人與中國人的處世方式，或者是行動模式，再度探索我們的問題。

我在美國待了一年多，所以接觸了所謂日裔人士，不是駐外人員，而是取得美國國籍的日裔人士的生活、思考方式，還有來到美國已經不知道第幾代的「華僑」的生活態度等。

我覺得很有趣的是，比如說，過去在加州的橘子園裡工作的農業勞動者中，中國人相當多，然而現在幾乎沒有了；而日裔人士中，像新藤兼人先生曾經為移民到加州的姊姊寫了書、拍了電影，像新藤先生姊姊的家族般，仍然以農業為生的人相當的多。園藝師中也有很多日裔人士。中國人曾幾何時全都成了商人了。

還有，美國的大學裡有很多華裔學者，但是大部分都是原留學生，屬於美國華僑第幾代的非常少。然而日裔人士大多從事農業，或者不斷孜孜矻矻地從事著原來的工作，然後把孩子送進大學。他們的孩子有的成為學者，有的也積極參與政治。

相較於此，「華僑」社會則是把學來的能力都拿來從商，幾乎都不從事政治相關的工作。仔細想想其中還是有所不同。

「士農工商」這個用語在中文裡面有，日文裡面也有。而日本這個用語是一直到最近還在使用。不只是用語，還包括思考的方式。中國雖然是有這個用語，實際上已沒有這實體，「商」還是最頂端的。常常有人說我幹學者的賺不了錢啊？無聊的大學教授還是別幹了吧？（笑）也就是說，在華僑社會裡，沒有錢就沒有發言權。

因此我想到，日本人對自己的職業抱有自豪，或者是技藝（craftsmanship）、匠的精神，這樣的東西在社會層面上有著一定的廣度。但事實上這個與戰後傳來的美國品質管制運動結合，之後為日本帶來了經濟成長。

在中國，最好的工匠是在宮廷裡工作的。象牙雕刻之類的工作可說是超乎想像的，要花上一、二十年才能完成。雖然有這麼極端的例子，但並沒有廣布於社會中，直到現在還令中國大陸苦惱。

簡要的說，中國人的社會中欠缺廣布於社會的工匠精神，以及支持這種精神的價值體系，所以才會覺得再怎麼做園藝師或者是農業也是沒有用的。相較於此，日本人用心以匠的精神從事種花之類的工作，但中國人卻奔向拜金主義，這是有所不同的地方。

然而最近在日本也愈來愈嗅得到這種味道了。我覺得所謂「投資理財」就是這種典型，希望不用製造物品就可以得到利益。這和過去中國的宋朝或者是明朝初期的都市型消費經濟是一樣的。把錢當作遊戲來生活，而不事生產。

現在日本的所謂「投資理財」，某種意義上而言與過去的中國是相似的。以前是以製造物品來推動經濟，但現在是推動金錢，在某種虛構中賺錢或者賠錢。我認為再這樣下去的話，日本就會變得和亞洲一樣。我覺得這可能會是日本可以和亞洲共時性地參與議論的情形吧（笑）。這雖然是一種反話，但我有著這樣的感覺。

星野：也就是日本的工匠社會，一方面是以大眾為基礎，另一方面則是在藩的組織中成型。在這樣的狀況下，工匠與武士不同，是與市民或農民更加直接相連的。因此，工匠和武士比起來，變得更加有人性。所謂工匠的個性，與其說是對領主負責任，還不如說是向顧客負責。這點和武士可是大大不同。這種工匠的所謂意識或者傳統，事實上是在日本的勞動者中存在的，或者是在日本的知識分子中也有。

武士和工匠做為管理階層，雖然同樣為藩所掌管，但是工匠比較對市民抱有直接責任。所以日本不是有句話，說顧客就是神嗎？中國可沒有這種話。這就是日本的工匠社會的傳統，絕對不是歐美式的近代之物。

戴：因為日本擁有工匠精神的文化傳統基礎，所以在QC從美國引進來的時候才會很快的接受並且迅速發展，汽車產業或電子業才會有今日的樣貌。而原始創造QC的國家卻陷入困境。我想說，正是日本有這樣的社會基礎，才會發展得如此順利。

星野：即使如此，在另一方面也有著像工匠一樣的，想要做出好東西的勞動者執著吧，所以進入QC社團拚命學習。因為在那裡從事像技術人員的勞動，所以用美國的說法，當然是非改變工資制度不可。但是日本的勞動者可不這樣想。在這一點上面，可以說是非常前近代的工匠。

也就是說，在日本，藩意識就直接移轉為企業意識。本來應該是要變成縣意識、地方意識的，但是應該是因為日本當時都市不發達，所以才變成企業意識。進入QC社團，不想要輸給隔壁公司的心態，在工匠之間、在勞動者之間存在著。這點和亞洲非常不同。

然而正如您所說，現在日本的生產力逐漸擴大，在經濟上的地位有國際規模之後，接著則是因為日幣升值才讓日本的企業不得不出走。在日本國內製造商品的職場確實逐漸流失著。

所以現在所謂「投資理財」現象，我覺得確實像您所言，應該是一個相當重大的問題，暗示著未來的日本。

在這段因為日幣升值而使日本產業空洞化的過程中，年輕世代才會逐漸走向「投資理財」吧。

但令人困擾的是，中國華僑的「投資理財」某個意義來說非常的不乾淨。不管到世界的任何一個角落都在搞投資理財。但是恐怕日本要搞投資理財，只會在國內吧。以日本的國家為基礎。

戴：最近聽說有人去紐約買了一大堆股票呢。

星野：一定是總公司設於日本的公司員工被派到紐約去買的，並不會永住在當地吧。

戴：那當然是日本政情安定才能這樣。但是中國人的話，要在國內搞這個事情就不得了啦（笑）。所以才不得不出外打拚。

星野：確實是如此。因為無法待在國內，所以華僑反而比日本人更加國際化。把錢放在身邊恐遭不法之徒覬覦，所以先放在瑞士或美國，然後讓自己的兒子去倫敦，女兒去紐約居住之類的。

戴：這就是國籍分散。

星野：就是這樣子在做，所以才會遠比日本人要國際化。另一方面，也造成亞洲無法孕育出工匠社會、治安也還不是非常好等後遺症吧。

所幸日本因為治安很好所以沒有出國打拚的必要。即便是在紐約買了大樓，買下的人也只是希望工作盡早結束，一心想要早點回到日本的出差員工吧，這一點就大為不同。

所以要說「投資理財」究竟帶來了什麼，就像您一開始所說的，造成了新國家主義。也就是因為在日本受到大東亞共榮圈的思想浸淫，以跨越全亞洲乃至全球規模的挪動資金，我在日本這邊掌控調度資金或賺些零頭為生，這種意識我想今後會出現。

戴：以長遠的眼光看來，日本因為「投資理財」而使得製造產品的產業中樞逐漸空洞化，最後，日本的型態就會變得和亞洲相同。

星野：亞洲的孤兒終於要回到亞洲了呢（笑）。這也就是所謂的國際化啊。

戴：我們接下來的課題，就是要怎麼思考日本的國際化應該有的型態。

星野：在這之前，我們必須稍微考慮一下南北的問題。

目前為止，我們所謂的國際化都指將北方的文化挪到南方加以思考，但事實上並非如此。第二次世界大戰之後就不是這樣了。還不如說，從南往北的逆流非常強勁。

首先是外國人勞動力。在歐洲，阿拉伯和巴基斯坦的勞動者不斷地進入各國。在美國，則是有墨西哥等西班牙裔（Hispanic）不斷進入。這將會改變歐洲與美國的文化。

就像在日本，因為「投資理財」使得日本與亞洲的層次逐漸靠近，美國也因為使用外國人勞動力而使自身愈來愈接近第三世界。因此，從今以後北邊和南邊應該會逐漸混在一起。

因此在這樣的時代要談新國家主義，某個意義上而言是很滑稽的，根本就沒有達到那種階段。即便要說什麼新國家主義，偏偏眼前外國人勞動者仍然不斷湧入。

接著如果產業逐漸空洞化，或許「投資理財」真的可以因此賺些什麼錢，但也有所損失。所以，產業空洞化的現象乃至於「投資理財」的現象，還是會將日本好不容易奠基的經濟力拖垮下來。結果因為平準化，所以經濟能力下滑對於國際反而是好事。到時候即便提出只要日本富強就好、建立強大的美國之類的口號，也為時已晚。

戴：已經不得不以全球的規模來思考了。

星野：不用全球的角度思考不行。

與亞洲共生的芽

戴：剛剛我們提到了「匠」的精神，其實在中文裡頭，「匠」這個字自從清末以後就變得是指負面的意思。在日本則是有正面意義吧，指的是做了不起的工作、貫徹了專門領域的人吧。

比如說「泥水匠」這個字。用日文說就是「左官」。在日本說到「左官」看起來就是很了不起的工匠吧。但是在中文裡就會變成「那傢伙在做拌泥土那種蠢工作」之意。

事實上要把日本的技術帶到亞洲的話，亞洲只想要硬體的部分而已，光看外表就想要進行評價了。但我想說的是那不只是如此。

重要的畢竟還是驅動硬體的人的軟體部分，人的思考模式、價值觀、對工作的專業自覺，也就是所謂的工匠之道。這實在非常重要。

另一方面，如果政治社會的狀況不安定，就沒辦法像日本一樣建構穩定的生產基礎。畢竟日本在明治維新時也從德川體制官僚中把六成的人編組過來。必須創造出安定的社會狀況，從現在開始亞洲也需要如此。光用嘴巴說「向東方看齊（look east）」或者「向日本學習」是不夠的，事情沒有這麼簡單。

接著是從南方來的人。說是勞動者，我想莫如說是非熟練工的部分，而美國則是從墨西哥、菲律賓來的，日本則是從韓國來，最近連從中東附近也開始有勞工進來。

然而相對於此，一直聚集在美國的亞洲知識菁英們，則發生了回歸現象。美國1950、1960的黃金年代，把所有人才都集中到美國去了，那是因為當時有獎學金，美國的科學技術非常高超。雖然日本也把學者和研究者送往美國，但是日本人一開始就打算回來而去留學，不打算久住；但是中國人的學者則是一去不返。

然而現在的狀況逐漸改變了。生活上因為從美國也可以拿到退休年金，所以為了追求生存意義，而回到亞洲的人逐漸增加。只是要怎樣組織化、發揮機能呢？我想個人貿然的回國是行不通的，必須有相關的配套制度。所以我們接下來應該注意從今以後這個現象會如何發展。日本的狀況是退休者就像和平部隊一樣，要怎樣組織起來，不以企業單位的合營公司（joint venture）的形式出去呢？其中一個例子就是原先任職日本農林省技術系統的官員，他們去到中國指導中國人種植稻作等，受到當地人們的尊敬與感謝，這正是一個很好的動向。我們應當一面看著這種草根的萌芽，一面思考如何協助亞洲近代化的問題才對。

從今以後，技術人員、熟練工人、學者等應該有機性的互相連結，針對如何善加對應亞洲的新動向、應該怎樣創出這種狀況等問題擁有自己的觀點，我想是必要的。

星野：正是如此。如果各個國家只想著怎樣提升自己國家的效率及經濟能力，恐怕是與從今以後時代的潮流倒行逆施，也會造成很大的摩擦吧。

事實上，這樣的摩擦會不斷發生，別無選擇的，我們都必須要抱著第三世界非效率的這個面向，以抱入這個面向為前提去思考從今以後與亞洲的關係。只想著日本自己，在國際的政治力學上是不可能的。

進入1980年代，雖然美國的國際競爭力變弱，但這對世界而言也是一個很大的轉換期。從這之後的戰國時代，各國將不能關閉自己的國境，而是跨越國境，無秩序地人們來往的狀況正在發生。

正如您所說的，知識分子逐漸從美國或日本回到第三世界，而第三世界的熟練勞動力也將有地方可去。也有人為著「投資理財」四處來去。這樣一來，全體就會擴散成一團渾沌。雖然各國的個性理所當然的會有所殘留，但其個性也將互相混合。

這樣的時代就要到來了，所以我們的價值觀不趕快改變是不行的。

戴：是啊。國家主義已經過時，從今以後是共生的時代了。

本文原刊於《GRAPHICATION》第218號，東京：富士ゼロックス株式会社，1987年2月，頁4～16

輯三

共榮的亞洲族群

台灣各族應建立出生尊嚴

——戴國煇促自我認同，肯定自己尊重他族

旅日學人戴國煇教授昨天在演講會中呼籲，台灣全島的居民不論是先住民、閩南系、客家系或外省人，都要建立出生的尊嚴和健康的自我認同，可以講自己的話，唱自己的歌，肯定自己也尊重其他的民族。

戴國煇表示，中國人常喜歡以情緒談論政治，以政治資源分配不均為各種民族的訴求主題。他以為各種族不要自我膨脹，也不要妄自菲薄，出生血緣不能自我選擇，所以先要建立出生的尊嚴，然後再豎立民族的尊嚴，認同自己種族的文化和歷史價值，唯有肯定自己的存在，才能贏得他人的敬重。

戴國煇指出，先住民和客家系島民占台灣人口的少數，常使他們不敢公開表明自己的血統，和閩南系和外省人之間，也有偏見的刻板化印象，但是人權要靠個人及各種族的自我主張才能彰顯，各種族應該捐棄自卑和自尊的心理，彼此尊重，才能達成和平世界。

本文原刊於《自立晚報》，1987年8月30日，2版

這是一個好的開始

——中共學者與東瀛客談大陸採訪

9月11日，《自立晚報》以頭條新聞掀起這次事件序幕之後，本刊立即指派特派員就近追蹤。

在李徐兩記者踏上「中國民航」班機後，針對這次事件，分別訪問了日本新聞界人士，台灣在日學者及中共旅居日本代表性人物，內容極為詳盡，深受日本新聞界重視。

問：請問教授聽到這個消息之後有什麼感想？

答：這是一個很直接的反應，就是很興奮，特別是我這一次剛從台灣回來不久，因為我30號在台北的耕莘文教院以「日本往何處去」為題做演講，當然題目是題目，我想講的是全世界都在變，台灣在求變、求新，大家都有一種切身的臨場感，但是我相信，台灣一般的老百姓，對於一時或者是一地的看法比較習慣，其實不只是台灣在變，其實我是藉日本人往何處去的大架構當中，談到世界在變、日本在變，希望我們的觀眾能夠了解，把台灣當前求新求變的格局，放在世界等大來思考問題。

那麼在這個演講當中，我談到日本、美國，他們的總生產力已經大得達到飽和狀態，因此他們雖然不喜歡共產主義，更不是對共產黨有好印象，但是他們有需要跟鄧小平為首的中共領導層包容，期待他們的四化能上軌道，給他們的生產力提供一個有效的大市場，然後牽連在我回台灣的時候，也做過報告，就是亞洲的一條大龍和四條小龍往後的經濟成長，跟中國大陸以及西伯利亞所具有的潛在市場將發生很密切的關係，那麼在這個情況裡頭，大龍的日本已經拚命給中國大陸送秋波，也準備跟蘇聯拉近關係，香港、新加坡如何利用中國大陸的事情就不必多談，包括我們唯有的亞洲的大友邦韓國，也對我們非常不客氣的向中國大陸送秋波，準備建立更親密的關係，剩下我們台灣這條小龍，馬上要碰上美國的壓力，當面臨這個局面的時候，台灣的生產力規模也已經不是可以輕視小看的規模，只是利用香港等地做轉口貿易，可能已經緩和不了緊急的貿易開展困境，大陸市場對於台灣經濟將會發生怎麼樣的變數，是值得研究探討，在這種脈絡裡頭，我聽到李永得和徐璐能夠到大陸，這是非常大的突破，也期待他們能帶來好的開始，所以我很興奮。

問：請問教授認為這次採訪會對未來發生什麼樣的影響呢？

答：我雖然跟徐璐沒有見過面，但是看過她的文章，李永得見過面，一起吃過飯，我覺得他們都是很好的記者。以他們在台灣出生、長大，可以說是不具有特別的有色眼睛來看大陸，做出一個非常公正的報導的話，我想會給台灣的大眾傳播媒介或是各界帶來新的訊息。

不過我認為這個報導雖然重要，但是比這個更重要的可能是他們這一次所實行的這種突破性的行動，一定帶來一些困擾，但是我認為這些困擾是短暫的、不是很重要的，反而他們兩個人的行動，引起全世界大眾媒介的注意，以大幅度的報導，已經帶給台灣當局一個不需要花任何一毛錢的、而且是無限大的正面宣傳效益。所以我認為現在新聞局也好，有關當局也好，除了爭一時，另外還要爭千秋，利用這兩個觀點能夠雙軌齊下的看這兩位記者進大陸的事情。

問：請教戴教授，您對於台海兩岸未來發展的看法？

答：可能可以從這兩個禮拜所發生的事情來看，未來台海兩岸發展的趨勢，我們可以看東德昂納克（Erick Honecker）訪問西德，另外我們可以看到為了明年的奧運，韓國非常積極地向全世界表明，她與北韓願意展開積極的商談，更值得我們注意的是，今天早上（9月18日）美蘇兩位首腦所達成的協議，他們馬上就要開始會談。

在這樣一個不能擋住的變動趨勢的世界當中，我認為台灣當局應當積極地先把主體性建立起來，再積極地開展具有前瞻性的大陸政策，才能夠配合全世界的潮流來自求生存。

所以馬上要談到統一問題，或許有很多困難，但是降低海峽兩岸的敵意，對於雙方的老百姓都有幫助才對。當前台灣掀起一個很大的返鄉運動，這個站在人道主義的立場或是國府當局的立場也好，我們對於這些沒有機會結婚或是不能結婚的老兵們，我們都應該支援他們來解決40年來的鄉愁，才是夠意思、夠人道主義，也是我們始終以倫理道德，為民族美德者所應該做的事情。

另外，我們台灣有關係的外匯存底已經給我們帶來困擾，就好像我們人體一樣，一個成年的人，肚子裡頭有充分墨水的時候，讓它正循環或者是良性循環，對於一個人的成長與成熟都有幫助，但是肚子裡頭的不是墨水，而是油水，啤酒肚子鼓起來的話，不但不能產生正循環，反而產生負的惡性循環，馬上變成病人，糖尿病都來了，糖尿病會影響到眼睛和步行。

我們用簡單一句話，可以說，油水也罷，墨水也罷，這是台灣經驗當前的一個總和，台灣經驗能夠包括資金、人才和技術，能夠用在大陸還停留在未開發的同胞們身上時，台灣經驗就可以變成墨水，反之如果不能給台灣經驗找個出口，找到發展的地方的話，仍然會留下變成油水，除了說美國貿易當局的弊端以外，可能馬上就要面臨到新的困局，就是說能生產而不能銷售，因此希望當局不必急著談一些政治掛帥的一種統一，而須要逐步的先把民間的交流，特別是經濟和學術的交流能夠促進，讓它快速進展，才是我們應當做的壯大之道。

本文原刊於《美華報導》第110期，1987年9月，頁14～15。由東京特派員邊緯文採訪報導

知識分子也該省思

——突破中國結與台灣結的困境座談會

時間：1987年8月24日

與會：胡佛、李鴻禧、翁松燃（以上爲引言人）、韋政通、尉天驄、傅偉勳、戴國煇、張忠棟、陳映眞、朱雲鵬、王曉波、葉啓政、陳忠信

主持：楊國樞

我想以「代罪羔羊」的邏輯概念來談問題。雖然我沒到過大陸，但我在日本一直都注意中國大陸的情勢，我發現中共進行內部壓制時，經常以美帝、日帝乃至蘇聯做為「代罪羔羊」，因此，不讓知識分子講話，也不允許自己內部進行革新，以致發展停滯不前。

目前，他們已經發現必須面對現實；也敢於面對現實。

這幾年我較有機會回來台灣，我認為國民黨已慢慢有勇氣面對現實。其實國民黨過去一直也是利用「代罪羔羊」，譬如說中共要過海來，乃至連台獨意識的具體存在事實都不敢正視，指其為共產黨的走狗。其實這些都是缺乏基礎的藉口。

另外台灣意識強烈的朋友或民進黨，他們也都是拿國民黨做藉口，因為他們要抬頭，於是以國民黨做責罵對象來爭取選票，卻又提不出政策，也提不出理念。我們學界是不是也這樣？是不是我們都利用「代罪羔羊」的方式來看問題？

反觀美國跟日本，他們並不是喜歡共產黨，但是他們敢於面對現實，著眼於大陸市場的潛力，甚至希望利用西伯利亞的開發來維持資本主義經濟體制。他們比我們看得遠，因為它知道明天會發生什麼？所以，一個很硬派的、很保守的，很有可能重新走日本軍國主義路線的首相中曾根康弘，為什麼要到北京？他不是喜歡中共，他考慮的是日本財界的需要，日本的經濟會怎樣變化？所以他現在不敢到靖國神社去參拜，因為怕激怒中共。

何必甘抱駝鳥心態

最後談我的結論，雷根和中曾根都到中國大陸去，基於各自現實上的理由，他們敢於走在前面去面對現實。但是我們卻一直在做駝鳥，可以公然說沒有省籍矛盾、二二八事件已成過去諸如此類自欺欺人的話。但是當前台灣社會無論台灣結或中國結卻都顯示有相當多的問題存在。這種心病是需要由歷史談起，從歷史來慢慢治療，起碼由這100年來談起，利用精神分析和心理治療的方法，慢慢自我面對歷史脈絡才能治療得好。一直找藉口迴避，愈陷愈深，只會把自己逼入絕境，所以絕不能做駝鳥，要面對現實。再說如果不讓台灣的老百姓有更多參與機會，不給予充分的歸屬和滿足感，使他們感到這個政府可以歸屬於它，值得奉獻的話，反而處處充滿色情，自然環境也頻頻遭到破壞，社會日趨敗壞讓老百姓不獨將來可能不選民進黨，也會捨棄國民黨，只求之於自力救濟。所以還是希望民進黨、執政黨一定不能再找替代的藉口，一定要面對現實。如政通兄說的和大陸做長期的和平競爭。不要為了不必要的對抗，雙方都搞那麼多的軍事預算，這種沒有目的的對抗，吃苦的是老百姓。這一點傅偉勳教授說得好，我們學人無分海外島內應該要和大陸知識分子連結起來，共同為我們老百姓請命才對，謝謝各位。

本文節錄自《中國論壇》第290期，1987年10月25日，頁10～25。係戴國煇於「突破中國結與台灣結的困境」座談會的發言，1987年8月24日

中國會認真地改變嗎？

——開放與改革座談會

◎ 蔣智揚譯

時間：1987年10月

與會：陸鏗（香港半月刊雜誌《百姓》社長）

戴國煇（立教大學教授兼國際中心長）

吉田實（《朝日新聞》編輯委員）

中國共產黨第13次大會坦率地承認落後的現狀，力圖大幅的年輕化，顯示了更進一步的改革和開放的政策。由此可看見對於現代化的實現與祖國的和平統一之願望。藉著名「中國觀察家」陸鏗來日本的機會，邀請與戴國煇、吉田實會談。（編輯部）

吉田實（以下簡稱吉田）：中國共產黨第13次全國代表大會將中國的現狀定位為「社會主義之初級階段」。中國的社會主義並非依據高度發達的資本主義而來，乃根源於獨自的歷史與現實的社會主義，全代會做如此之定位，是從這樣的認識而產生的。再者，為了擺脫貧困和落後，首先要進一步改革與開放，並發展生產力，引進資本主義中積極的要素，將此在理論面加以正當化。在此好像看到鄧小平的真心話及戰略，首先想要請教陸先生，這個第13次黨大會在中國共產黨史中會被如何定位？

陸鏗（以下簡稱陸）：在為數13次的黨大會中，我想具有重大意義的是第7次大會和這次的第13次大會。第7次大會是第二次世界大戰剛要結束前的1945年6月在延安召開的。當時以毛澤東為首的中國共產黨，就在野的立場打出「聯合政府論」的口號，這是嘗試向執政的中國國民黨挑戰的「進軍號角」，使此大會成為朝向新建國方向之重要基石。

在此次的十三全代會上，中共做為負責任的執政黨，在建國後經過反右派鬥爭、大躍進、文革等諸多的曲折後，摸索如何保護政權，和如何重新提出穩當的建國方策，並公開其理論的根據的大會。雖然前途有很多阻礙，但初次超越了脫離實情的史達林主義，以冷靜的頭腦開出處方，因此受到了關注。

戴國煇（以下簡稱戴）：我是台灣省出身的，在這30年間，也是一直住在日本的華僑。又，雖然沒有去過中國大陸，但對祖國的命運一直都很關心。當文革路線大幅轉變，出現鄧小平主導的「四個現代化」政策時，我期待著此路線能夠順利地進行。但今年〔1987〕1月胡耀邦總書記辭職了，當鄧小平、胡耀邦、趙紫陽三頭馬之中有一人倒下時，就留下無法釋然之處。不過經過那樣的曲折而登台的趙紫陽，我們能夠從其活動報告（政治報告），讀取以往大會未見的率直與具體性。我想這次的大會所採取的姿態，是要秉持勇氣面對中國所處的現實，同時注視國際的動向以抓住「座標軸」。

吉田：此「初級階段論」朝著中國的未來，要把相當多的選擇項目變為可能，但改革和開放要進行到何處為止？

陸：中國今後會更促進商品經濟，長期繼續維持包含個人經營的多種經營型態吧。將會認可債券與股份制度，並容許紅利配股等不勞所得的合法部分。而且，也會逐漸適應經濟的國際化及技術革新的時代，以促進與外國的交流，並圖積極引進技術與資本。但如此一來，就有改革政治體制的必要。這次的大會把「黨政分離」推到前面足可做評價。而受到關注的提案為黨對行政、企業等，不「一元化指導」，為了克服官僚主義及提升效率，須確立國家公務員制度，並由國務院（政府）提出機構改革草案。

戴：我有同感。但問題在於中國的廣大與不均衡的發展，以及人口太多。而且文盲率相當高，隨地區而異，生活水準還有很落後的。上層的指示要貫徹到下層，可能還要花相當的精力和時間。

反映現實的趙紫陽報告

吉田：關於此點，在活動報告中也將初級階段訂為「從1950年代社會主義達成基本的改造，至將來社會主義達成基本的近代化為止，所需至少100年的時間」。這麼一來，採納資本主義方式的改革或對外開放政策，需要相當長的時間。居住在外的中國人或華僑社會對於這點有何看法？

戴：如果詳細檢討趙紫陽的報告，會感覺到中國共產黨幹部終於開始在講真心話了。例如，當涉及香港前途的中英交涉時，中共領導單位提出「一國兩制」，並聲明1997年主權恢復後的50年期間，香港的資本主義制度不會改變。很多人都認為或許那僅是統一戰線的口號。但是讀了這次的活動報告後，我感覺「一國兩制」並非隨興所想，而是相當認真的事。將大陸內部的實情，至下一世紀的中葉為止規定為「社會主義的初級階段」，從這裡就已表現出來。

陸：香港曾經有不少人對過去黨大會的活動報告認為許多是虛構杜撰的。但在這次報告中，感覺與以前不同。從長達34,000字的趙紫陽報告中，可以讀到他很大的決心。從理論上來看，也反映出中國的現實，可以看出中國共產黨進步的跡象。對於廣泛的民眾所要求的，都很努力地做回應。中國有一句話說「人民的眼睛是雪亮的」。反過來說，也可以說中國共產黨本身已呈現出不得不接受人民嚴格監督之局面。

吉田：也許大家都預想到，領導幹部的大幅年輕化可以說是繼續改革及開放政策的重要保證。

陸：在大會的第一天，從電視看到了有趣的光景。趙紫陽好像扶著長老陳雲而來，又胡耀邦好像攙著高齡的鄧穎超女士（故周恩來總理夫人）以護送她。這是對內外在加深中國團結的印象，同時宣告中國已面臨世代交接。可說這次大會的重要演說或人事布局就是依據這樣客觀的事實。

戴：鄧小平、陳雲、李先念等第一世代，在有生之年讓出超過半數的重要地位給下一世代，可看出是在保證政策之持續性動作。又若做善意的解釋，被開除黨籍的著名科學家方勵之等人，也可出國參加海外的會議，自由發言，與過去有著相當不同的氣氛。

吉田：從胡耀邦的辭職鬧劇以來，有人說鄧小平愈來愈像晚年的毛澤東。但他在頑固中同時帶有彈性，在著重延續中國的現代化、改革與開放政策的戰略上，可看出似乎有外人難以取代的平衡感在發揮作用。在中國有人批評鄧小平是「棉裡藏針」。辭去一切黨的要職，卻保留黨中央軍委會主席之職位，且將趙紫陽總書記置於第一副主席之位，此種手腕加強了內外印象，顯示他還是11億人的最高實權者。

而台灣海峽兩岸的中國大陸與台灣之間，多年來一直對峙的關係，最近雙方互動頻繁，令人眼花撩亂。

戴：大陸慢慢地在推行改革及開放，在這次的十三全代會中，對該路線的推展更加明確化。另一方面，台灣也以經濟繁榮為背景，民主化之聲高唱入雲，解除了歷經38年的戒嚴令，正式決定可以有條件地回大陸探親。也有一部分的新聞記者，以非法的形式赴大陸採訪。國民黨雖然繼續採取「三不政策」（不妥協、不接觸、不談判），但現實所產生的舉動若不以有色眼鏡來看，對雙方而言不是在朝向好的方向邁進嗎？

陸：海峽兩岸已經出現和平競爭的局面。台灣的經濟繁榮與民主化動向也對大陸的動向產生了影響，並在這次的政治報告中已反映出來。相反地，此姿態也會影響台灣今後的動向吧。在中國有一句諺語「我中有你，你中有我」，依我看，此情勢會繼續進展。

戴：近來，台灣的經濟發展有令人瞠目驚訝的東西。外匯準備金有超越日本、西德之勢，已經達到650億美元。台灣人最初欣喜地把這個趨勢認為是「已經變成很有錢」。但隨著日圓的上漲，台灣也在新台幣上漲和股票的忽漲乍跌之下，感到前途危險。值得注意的是，自去年以來，由於國民黨所實施的自上而下的改革政策，經由香港與大陸所進行的交易呈現急速成長。

率先改革的海南島開發

吉田：今年夏天訪問鄰近香港的深圳經濟特區，在參觀「中國航空標準件公司」之螺絲帽工廠時，遇到有趣的現象。此工廠是由來自中國西安的企業與香港的企業合資成立的。隨後，在日本國內處於市場不景氣的線材廠商，帶著原材料與裝置加入。其結果是經營上了軌道，目前有來自世界各地約三十個國家蜂擁而至的訂單。據經營者說，至明年六月訂貨已經滿檔。在參觀六層大樓的工廠時，加工機械中看到不少貼有「台灣製造」。那當然是以間接貿易帶進來的，在此工廠內，大陸、香港、日本、台灣是「和平共存」著。

陸：國民黨開放了「回大陸探親」，這可以說是站在人道立場的作法，但也說是某種信號吧。此作法也可以看成是著眼於將來的大陸市場而考慮到經濟現實利益的接觸。現在自由主義世界由於股票市場的混亂而鬧得很厲害。但中國因為沒有股票市場，簡直是無風無雨狀態。大陸今後如果也繼續採取穩固的改革與開放政策，台灣由於利用大陸市場，很可能成為可從資本主義社會「暴風」避難的「安全島」（防波堤）。

戴：這是很有趣的看法。不過我的看法是目前的股票市場全世界都是漲跌不穩，戰後40年期間，以一再擴張的美國、日本、西德為中心的世界資本主義，其總生產力已經不能持續良性循環的現象。這樣的話，中國的開發政策上了軌道，不也提供機會可以活用包含台灣的資本主義陣營走投無路的生產力及資金嗎？

尤其把台灣囤積太多而不相稱的外匯準備金及不久要碰壁的對外輸出生產力與技術帶進大陸市場，其意義甚為重大。希望不但對於提升大陸貧窮同胞的生活水準有所貢獻，而且也能紓解自己的困境。

吉田：與台灣有關而深具興趣的，就是將海南島升格為「省」的動態。依照來自北京的報導，出席第13次黨大會的「海南島」設立準備小組的許士傑組長（前廣州市黨委書記）在會期中的28日召開了國內外記者會。據報導會中許組長說明，要讓海南島成為改革的模式地區，在經濟面上要適用超越現有的經濟特別區的自主權、優惠案，在政治面上要早日適用這次黨大會所發布的「黨政分離」等政治體制改革的新方針。有關海南島的動態，我想今後會被詳細觀察吧，不知戴先生如何評價。

進行「和平競爭」的大陸與台灣

戴：看到要將海南島設立為新省的舉動時，我直覺到的是香港及澳門的主權恢復與向台灣接近之關係。如前面所說，要製造出拉動中國大陸近代化的火車頭很難。就此而言，海南島是離島，天然資源也豐富，面積與台灣略同，也有不少該島出身的海外華僑。因此，其目標應是在於把海南島模擬為中國大陸中的

「台灣」，做成實現近代化的先導模式。由於離島的關係，可脫離大陸的「泥濘」，集中投入大陸內部的人才，並容易推行政策。

海南島模式的建構如果成功，就可做為向台灣以及海外華僑展示的「櫥窗」加以活用。同時，也可藉此向世界宣示這是大陸實施香港、澳門「一國兩制」的依據。

陸：海南島包括沿海有很多石油或鐵礦等地下資源，也是中國盛產橡膠樹和咖啡的珍貴之地。幾年前曾經引起了貪污事件的風波，這次被黨中央委員提拔的許士傑化身為一般平民，從廣州出巡海南島，徹底調查了官僚主義的惡習，是建議有關今後開發與改革的人物。一般大眾對他的評語都很好。又海南島對日本而言，也可能成為廣大的投資對象。

吉田：其實我在三年前的冬天曾去過海南島。印象最深的是來自赤道的黑潮所觸碰到最南端的三亞灣。白色美麗的海灘連綿不斷，是可與夏威夷或泰國芭達雅（Pattaya）海灘媲美的海岸。雖然剛好碰上大寒，但海水的溫度為25、26度，我得以舒暢地游泳。在其北部的山區有黎族村落，這些少數民族特有的工藝品頗具魅力。一旦開發有了進展，航空路線也具備的話，日本的年輕遊客也會蜂擁而至吧。這裡是令人嚮往的絕佳觀光勝地。

戴：有關香港、澳門，還有海南島的動態，對台灣海峽兩岸的中國大陸及與台灣的關係具有正面作用，和平競爭將會逐漸正式化。我身為中國人，期待著大陸與台灣的民主化能有進展，實現人權及社會正義，以及人人能夠早日過著富裕和平的生活。

吉田：魯迅有句名言「其實地上本沒有路。走的人多了，也便成了路」*，這是魯迅的名言。在台灣海峽的兩岸，經過長期對峙後，好不容易開始見到曙光。如果持續互相交流，雖然可能會產生種種困難，但就整體而言，大陸和台灣間的緊張關係還是會緩和下來吧。

陸：人民的意識確實提高了。不論大陸的共產黨，或是台灣的國民黨對此應該都有或多或少的感受。希望今後能繼續虛心接受，認真加以改革。

本文原刊於《朝日ジャーナル》第1505號，東京：朝日新聞社，1987年11月13日，頁85～88

＊ 此句話係出自魯迅的短篇小說〈故鄉〉，請參照魯迅《吶喊》（廣東教育出版社，2003年10月）頁85。

理想與執行之間
——留學生的大學入學考試及今後的展望專題討論會

◎ 蔣智揚譯

與會：草薙裕（筑波大學日本語・日本文化學類長）
　　　岡田英樹（立命館大學文學系助教授）
主持：戴國煇（立教大學國際中心長）

戴國煇（以下簡稱戴）：聽說草薙先生是出生於台灣，吃台灣蓬萊米和米粉長大的。專長是從事最尖端的工學結合人文科學的研究。至於岡田先生，我們昨晚相聚了二、三個小時，談論近代中國文學。我們在討論之中，有了某種共識，談到種種愉快的話題。這樣看來，我感到我們今天最後參加討論的不是以紅線，而是以黑線結合的。我本來徘徊於農學領域，現在卻擔任歷史學系的教授。

今天討論的課題是「留學生的大學入學考試及今後的展望」。在某種意義上，我覺得這個課題事先都被深海老師談完了，這也無可奈何。不過今天草薙先生和岡田先生將各提供30分鐘的佳餚，最後再以我的炒鍋做出綜合的味道以供品嚐。今天若能與會場的諸位先生做出美好的對話，那恐怕是我31年來初次被迫學習到的知識，尚請各位協助，以達成目的。

國立大學的留學生問題

草薙裕（以下簡稱草薙）：我看到出席者之中很少是來自國立大學，尤其很少是國立大學的教職員。因為我在國立大學處理留學生問題，所以想談論這方面的觀點，希望各位能諒解。

一考慮到留學生問題，當然馬上會聯想到理想和現實之事。就我個人來說，我本身也曾留學，而且還長期與留學生交往，不過理想上我認為對於留學生，應該和日本人學生完全一樣來教育才是。針對留學生問題舉辦這種集會，其本身就是異常——雖說異常有點言之過分，但若能全無問題而變為與日本人一樣，然後對於留學生個別發生的各種問題一一加以解決，我想這才是正常吧！當然現實上會有種種問題，而這方面令人感到頭痛的，就是今後我們必須認真處理的問題。

舉例來說，在國立大學，通常留學生為定額外。所謂定額外，文部省希望我們若有餘力則執行之。一邊說不妨執行，一邊說請盡量照顧留學生，這是文部省的真心話。結果問題在是否有餘力。我們不可能會有餘力的，只要留學生一、二人進入研究室，須照顧的程度要超過日本人。為了認真處理，必須有這樣覺悟，因此我認為定額外的構想本身不無可疑之處。

在國立大學的情形，我們實際曾遇到的問題是，一旦當作定額內而接受多數的留學生，我想就會出現低次元的論調，例如日本人學生抱怨他們失去入學的機會，或是學生的家長抱怨為何不讓自己的子女入學而讓外國人入學。我認為日本人當然會為日本人教育，另一方面充分考慮到預算或教師的分配，而把留學生當作定額內來執行。

我想目前除了有時在負責留學生問題的人，或與留學生問題有關的人會把留學生問題認為是重大問題之外，周圍的人可能就不了解。以我們教師為例，目前的實情應該是，在教導留學生的教師就會很認真地思考這個問題，但從未教導過留學生的教師就可能一無所知，或完全對此不關心。關於職員也一樣，今天出席的負責留學生的各位，日夜都很辛苦地為此而努力，但在其他部門的職員是否也同樣具有問題意識，那就值得懷疑。

以政府的層次來說，文部省對此了解，但大藏省就不了解。又在文部省中，負責留學生的部門對此了解，但其他部門則不了解。即使在文部省裡，負責大學的部門及負責留學生的部門就有不同的意見。前天，黑羽先生的談話裡，認為留學生問題很像草根，是外界所不容易看到的。我想我們必須把每個問題都讓外界了解。

以我們的大學來講，在此十年之間，最初留學生只有四、五人，但現在已經超過600人。在某種意義上，幸運的是在這十年之間，我們為了讓留學生委員會或留學生教育中心的營運委員會的成員能了解現場，費盡口舌做了宣傳，或一直在做簡報說明。而大致能了解這些人不久都將成為管理人員，逐漸有了對問題整體了解的氣氛。

留學生的人數愈來愈多，留學生的種類也多樣化，這些都是留學生的問題。就我稍微所想，留學生有自費的，也有公費的。在大學部內有正規生，研究所內也有。至於研究生，其中有本來意義的研究生，他們來日本是要接受大學教授的某項研究指導。此外就是可說研究所的預備學生，他們還須通過入學考才能成為正式的研究生，所以是具有預校性質的學生。

除此之外，有國家所設為期六個月的日語教學課程，供預備進入大學之前密集學好日語；有為期一年的教學計畫，專供研修生學習日語與日本情勢；還有初次為東南亞國協舉辦的為期一年半的教師研修留學生；也有各大學之間的交換留學生或旁聽生，種類繁多。又各國也有種種不同的情形，所以我想有很多留學生問題不能以單一的想法去解決。

留學生問題形形色色，就如我先前所介紹那樣，同時要教授日語與語言學，尤其要教電腦語言學，簡直是蠟燭兩頭燒。我教授日語有三十多年之久，在此想談日語教育的問題、生活指導，以及昨天所留下入學後的問題等等。

首先談到入學的問題。大學部的入學和研究所的入學，二者之性質不一樣。講極端一點，如果我們的入學考實在只能採取目前的形式的話，那麼留學生的考試是否應該也要採取一樣的形式才好？不過那會附帶一個前提，就是日本人的學生是否非採行那樣的形式不可？結果關係到文學系的學生是否也要考一次共同科目的數學或理科？

除此之外，不論在上日文課、或用日語與教師或學友交換意見時、或寫日文報告時，都必須用到日語。關於在大學部是否需要日語考試？一言以蔽之，我認為應該不需要。

理由是我們的大學是接受一次的共同考試，然後視大學部各系的決定，有些學生必須加考三科目乃至四科目，但有些學生只經過推薦，再以短篇論文或面試，完全不經過學力的考試就能入學。這樣的推薦入學的學生平均占25%的額度，因為這些占25%額度的學生不經過學力的考試，在大學中的評估有很優秀的學生，也有不得不被留級的學生。所以我們目前正在重新考慮推薦入學的作業。

但是如果日本人學生能以短篇論文或面試而入學，當然留學生也可用類似這樣的入學考方式來入學。不過先前所提到的日語的問題以及日本人學生應有的常識，這些是入學後要運用到的，就此意義而言，這樣的常識都是有無留學資格之前的問題。

關於研究所，還有一個問題。有人認為不懂日語的人可以用英文來考，等入學後再學日語。但另一方面，也有人認為等入學後再學習日語已經太遲了，必須在入學前就學好日語的一種看法。如果日語能力不好，入學後將來考試是否會順利，或是雖然懂日語，在學科方面是否能跟得上，我想這是必須考慮的一件重要的事情。

其實昨天有亞洲各國的入學考的說明會，我是希望能更深入討論一些問題。例如關於採取聯考制度，我們實際上不知道可能會有哪種學生來日本留學。例如在台灣是採用一貫的聯考制度，學生依學科別從第一志願填寫下去，甚至填到第40志願、第50志願、或第60志願。從聯考成績好的學生優先錄取，依序進入所志願科系。如此一來，可能也有學生認為選到一半就好了。原則上只要大學整個容量允許，全部都能考取。只要不挑剔，考得好的學生都能進入大學，剩下的就是考不好的學生。

另一方面，即使採用聯考方式，如果只能以第一志願或第二志願選擇學校，則會發生成績優良的學生無法進入大學的問題，這是完全不同的另一回事。我們聽了鈴木先生等人所說，成績名列前茅的幾成學生是去歐洲或美國留學，但我們會誤以為約有二成頂尖的學生是來日本留學，其實視情形可能有很多學生因為考不上本國的大學而大舉來日本留學吧。我們要接受這樣的學生嗎？我認為必須認真加以思考。

再來就是入學後的問題。如各位所知，各國有各國的風俗習慣，或在大學中有不同的傳統，我們對這些問題及對我們日本的大學體制或教育上體制的問題都必須加以注意。例如在美國，即使研究所也是在學期初就拿到要閱讀的書籍清單，然後每週有小考，千篇一律絕無例外。我本身是在美國研究所留學，覺得這好像是高中的延續，大感不可思議。

但是在日本的大學，有很多研究所或大學，不要說是小考，即使連期中考或期末考都沒有，只要交出報告就可以。當然日本人學生也是經過一段時間才適應這樣的情形。特別對於外國學生，某種意義是否須要特別指導，使之適應日本大學的制度。在這種情形下，雖然校方對日本人學生都很放任，但他們通常都會自動自發去用功，或如有學生來請教，教師們會懇切地予以教導。他們有這樣的學習風氣。但對國外來的留學生，如果置之不理，不知又會如何？

在昨天的座談會中也提到，有很多學生想在日本做有關日本的研究。但不同國家的學生學習日語的時間不一樣，也有學四年才來的。

他們都在教所謂日本學科之類的地方學習。有些人雖然日語能力很好，但在discipline（專業領域）方面卻完全沒有訓練。有些學生來了之後，不知如何寫論文，要寫什麼，甚至如何選擇論文題目也不懂。

「老師！我該寫些關於什麼才好？」，我一聽就會大聲斥罵：「笨蛋，你不會想麼？自己想一想之後再來吧！」要經過這樣的斥罵才會決定出論文的題目。

「老師！我該閱讀什麼才好？」，我只能回答：「我們有圖書館是幹嘛？走一趟圖書館吧！」

留學生的人數一增加，這樣細緻的指導就逐漸做不了。這是一件非常辛苦的事。

這些細緻的指導，由指導大學班而碩士班而博士班，隨著層次愈高愈麻煩。目前文科系還沒有博士學位，文部省希望文科系很快會有博士學位。大學中也有理科系的教師在抱怨，認為文科系沒有給博士學位真是豈有此理。

聽說深海老師那邊已經改變基準了，但我們這邊並未改變基準，更何況在文科系的情況下，我本身也不太清楚是否有博士學位的基準。那是指導教師的責任，如果認為值得做博士論文，那麼不妨授與博士學位。無須等到四、五十歲才授與論文博士，否則在研究所設立五年時間的博士班指導學生就沒有什麼意思。

即使國立大學也可說須與文部省討價還價，以爭取預算來增加課程。我們那裡在八年前就利用現行的體制擬定計畫，在碩士班培訓教育日語的教師，在博士班培訓研究者專門研究應用語言學。如此，雖然碩士班尚未被承認，但博士班已經在去年〔1986〕確定了入學人數，好不容易被承認了。

我們那裡去年以日語取得博士學位的留學生中，有來自南斯拉夫和香港各一人，以及今年有越南人。目前有中國人和西班牙人各一人正在做最後階段的努力，準備於12月中提出審查。如果說由此要改變基準的話，由於在人文科學中有背負了幾十年或幾百年傳統的專業教師，因此會造成相當困難的問題。我希望以後把這些問題提出來。我們主張在這樣的基準下進行，但是在選拔中，國語學、語言學或英語學的教師也加入了審查，我們在相同的基準下，認為達到符合博士學位資格才給出去。

對此必須做個簡單的聲明，就是在我們的研究科中，對外國人的日語並非特例。至今在日本文學或英語學的領域，對日本人曾經授與課程博士。這樣的土壤雖非大量存在，但因有過這樣的土壤，我們的課程才得以現行的基準過關。

關於日語教育

我想談一下日語的教育問題。談到日語的教育，有一問題就是究竟要如先前所說的，在入學前就要準備好，或是可以在入學後再學習；還有另一問題就是要在日本學習，或是先在學生的母國學習。我認為最理想的是基礎在母國學習，最後在日本做後段加工（學習）。

因此如昨天所說那樣，愈來愈多的泰國人在其本國擔任日語教師。聽說那是（泰國）自己的教育體制，但我想目前的狀況，他們仍須不斷地從日本聘請老師去教導。如此一來，出國的人回去時怎辦？這也是一個問題。

此外日語教育是應該在大學中學習，或是在外面學習，我想這是一個非常重要的問題。我想日語教育是比較特殊，與普通語言學有點不同，日語必須能馬上派上用場，出了教室後就要能應用。

再來就是必須在短期內學會。如果需要五年或六年去學習，那就要弄清楚學習的目的是什麼。舉一個極端的例子，先前所說的日語密集訓練課程，必須在六個月後就能到教室上課。

再來就是要經常提出新的教材、輔助教材或測驗。所以在大學中若有日語班，其相關教師受到非常大的壓力。因此必須安排密集的訓練，或花費整個暑假或春假去做訓練。這樣的勤務形態與普通的大學的教師相當不同。

例如在我們那裡，有兩種人都能了解他們的任務須要顧到所有從研究所到留學生教育中心的日語，大家必須分工合作。一種是以擔任留學生教育中心的日語課程的人事而進來的人。另一種是在目前流行的教師培訓的學系課程計畫下，教授日語、日本文化學科的人。學生人數較少的時候，還可以順利進行，人數不斷增加時，必須耗費暑假去教日語，因此有些年輕急躁的研究者抱怨：「我們不知何時才能做我們自己的研究？」。

另外雖然想要從事日語教育，但浸淫太深的話，在開發教材上或在協調兼任講師上需要花很多時間和精力。另一方面，當我們告訴教員：「你要做研究，交出好的論文來。」，教員總是回應：「這種情形下，有可能做到嗎？」受到這種由下而來的壓力，我也拿他們沒辦法。既然要在大學裡從事日語教育，當然有志向是研究者的教員和志向是教育的教員，在大學裡總要有人從事這樣的人事工作。

不過我們學校是採中央管理體制，因而人事委員會屬全校的體制，各領域的老師都有人參與。因此會聽到種種的閒話，譬如說業績好像很差所以不行等等。這不只限於日語。有人認為外語教育也要把教科書認為是業績。後來擔任人事委員的理科系教師說：「把日語也包含在內的外語教科書，這是什麼意思？」我最初完全想都沒想到。

理科系有人提到：「國中的生物教科書也是教科書，大學的概論教科書也是教科書，如此不涉及研究，只是綜合一些結論，難道我們要評估這些嗎？」我這才知道在不同領域，對教科書原來有不同的概念。那麼是否也要以日語教育的教科書做為評估對象，我深感必須向大學的教師們做簡報說明。

日語教育是新的領域。當然從戰前就在進行著。目前至少大學裡在教語言學、英語學或國語學，這些學科有時都與日語教育有關聯。說一句失禮的話，岡田先生本來是研究中文的，在某種意義上只是碰巧搞起日語，是至今在負責日語教育的原因，因而包括我在內也擔任專門領域的訓練，所以我才能硬著頭皮一直在大學混到今天吧！

不過今後，日語教育會不斷地擴大。尤其培訓日文教師之計畫，約七、八或十人的教師突然以一個團體出現在大學裡，就要進入人文系之中，他們做為對手來說是一大威脅。

此外因為還是新的領域，訓練之確立還早得很。搞不好也許會令人認為只要是日本人，什麼人都能教的都可以成為學問的發想。前天黑羽先生說，在日本做好日語教育總會有辦法。我想告訴他不要說得那麼簡單。在確立作為學問之學門領域之前，這是非常麻煩的事。大家都知道，現在到處都有日語的職缺，私立大學也不斷出現日語科或日語。日本文化科之類的科系，教師職缺的布告也在增加，這是一件麻煩的事。

不過卻完全沒有成為其核心的人物。就我們這一年代而言，大家都成為負責人。如果把那些負責人提拔過來，那邊的計畫就動搖不穩，另外也有些教師雖有經驗，但缺少研究業績。這些教師今後要如何才能使之累積業績？要如何建構日語的專業領域？這是非常重大的問題。

例如在一所大學裡編制一個人為日語的負責人，他不知道整體的專業知識，不知道如何教導，或是不知道其他的大學已經研發的教科書。我們從去年開始召集了在國立大學擔任日語教學的現場人員，成立了「國立大學日語教育研究協議會」。目前每年召開一次會議，把各人在自己的領域內或在其他領域內所執行的有關行政、教育、研究的情形提出討論，互相交換資訊，以避免浪費。

我們也有希望私立大學加入協議會的構想，只是我們認為還是先召集持有同樣問題的國立大學的教師做討論，等上了軌道後再邀請私立大學的教師來參加。

最後有關文化上的不同，我們是否應該讓來日本的留學生與日本人過著同樣的生活，或是要尊重他們國家的文化，這也是非常重要的大問題。

例如洗澡的問題。在我們的大學宿舍，洗澡是在公共浴室，聽說女子留學生還是穿著內衣在洗澡。除此之外，美國的學生有早上淋浴的習慣，因為我們大學的附近沒有淋浴設備，所以非常不習慣。在飲食方面也一樣，例如在此若有阿拉伯人，我們就必須考慮菜單的內容。

或是如果留學生在精神上出了問題必須遣返回國時，就必須採取與日本人學生發生問題時完全不同的處理方式。如果發生問題的是日本人學生，只要請他的父母過來帶回，就可簡單了事，但如果發生問題的是留學生，就像曾經在我們的大學發生過的事，我們必須由大學的生活指導顧問、大學的精神醫學的專家，以及他們的親戚總共三人隨同遣返回國。又若發生了自殺要如何處理？若發生自殺未遂，請其父母過來時之旅費要誰負責，我們知道當然會發生這樣的問題。

一般人不會想到這些問題，等事情發生後，才感到驚訝。以上東扯西扯，難免語焉不詳，就說到此為止。

立命館大學的留學生教育

岡田英樹（以下簡稱岡田）：今天要基於這二天的議程，關於接受留學生之後的大學教育，也可能有種種生活上的問題。其中僅就教育的問題來提供話題，我的理解是這樣。因此我想談一些立命館大學的配合現狀，並從中談到有關前面我所提到的問題點。

不過我想先聲明一下，我並非留學生問題或日語教育之專家，我本身對此並無專業的知識。老實說，我只能說一句：「事到如今，騎虎難下」。我想我必須把我自己的研究與國際化或留學生教育的問題之間，找出接觸點提出我自己的見解。

我正在從事中國的現代文學的研究。針對較少被提起的中國東北地方「舊滿洲」，我將此「舊滿洲時代」的中國人作家活動做為論文的題目，這幾年來一直在做此研究。當我在思考日本人是如何看待「滿洲」這個問題時，如先前我說過的，對於所做研究與留學生問題或國際化的問題之間可能的接觸點，我覺得多少抓到一些頭緒。

那並不僅是一般常說的，我們對於亞洲所負戰爭責任的問題而已。當然那是很重要，我想在考慮國際化時，必須把這個問題擺在最基礎上。站在此立場後，再來就是一些其他的問題，如日本人的民族觀，或是日本人如何理解了其他民族等問題。對此一般都漠視它，這是很大的問題。在剛才所說的研究中，對於這些問題的可能線索已有了心得。

如各位所知，所謂「滿洲」本身只延續了14年。這是歷史的事實，說民族的協和，或五族協和。所謂五族就是指漢民族、滿洲民族、蒙古民族、朝鮮民族及日本民族。在滿洲出現了口號要聯合這些多種民族來建立一個完全嶄新形象的國家。住在「滿洲」的日本人在現實生活中，不問可否都不得不面對那樣的民族問題。當然也有遵循國策而行動的人，但對有良心的或誠實的人，或知識分子階層來說，遷移到「滿洲」的人是思想的轉向者，有很多這樣的人遷移到「滿洲」。這樣的日本人對此民族問題做何對應，這點我想會給予現在的我們很多啟示。

與此同時，我想必須一方面比較那時處於此狀況下的中華民族呈現如何抵抗的態度，必須加以思考。日本人混在「滿洲」的其他民族中，強行塑造一個「國家」。我認為所謂「滿洲」就是當時日本人慘遭失敗的經驗。

我想藉由再度研究這樣的問題，可以重新看出與目前我們面臨的國際化的問題，或與接受留學生之教育問題相關的情形。這絕非只是「滿洲」的問題，在某種意義，更嚴重的型態可以說是台灣或朝鮮問題。

我不太想去回顧痛苦的歷史，但我認為那是日本人面對民族問題而生活，其命運被左右的經驗，因而有很多地方必須學習。我希望能藉此研究所獲得的成就，在有關留學生問題上也能發揮效用。以上為開場白，再來我想將話題轉到立命館大學的留學生教育之現狀。

立命館大學留學生問題的實際狀態，還並不到須在此盛大的會場上來報告的地步。只要舉目前在立命館大學的在籍人數之例馬上就可知道。一年級、二年級約有30名，但三年級有11名，四年級有4名。這絕非立命館大學的留學生教育不好，讓留學生不斷失望放棄，而是因為在三、四年前只招進了那些人數。

再回溯來看當時的情況，1983年度僅2名，1982年度僅1名。總而言之，立命館大學正式地把留學生問題做為全校的課題而付諸實施是從1986年度才開始，也就是說今年是實施後的第二年。

對正規的留學生實施全校的統一考試也是從1986年度才開始的。除此之外，也有以短期留學生的形式，簽訂留學生交換協定，將立命的學生送出國，並接受來自國外大學的學生，進行為期一年的短期訓練。成立這種制度及開始實施也是從今年開始的。或是以海外授課性研討會的形式組成30名的團體，送往加拿大、美國、中國的大學，進行約五星期的語言研習訓練。實施這種制度也是從去年才開始的。

這些所謂以國際化之名所象徵的政策，立命館大學推動實施也才不過二年的時間。

就這樣大體算是確立了體制，但相對於那些早已運作該體制的大學，說立命館大學正在努力奮鬥，那就誇大其辭了。其實目前立命還有種種問題擺在眼前，痛苦不堪。我認為把這些事情毫無隱瞞地發表出來，反而可以提供做為今天部會的議題。

如先前所說，包括研究生約有一百名在籍的留學生，其大部分為自費留學生。所有留學生都是亞裔，其中有七成是以中文為母語，有三成是來自韓國。其他大學也大概類似這種情形吧。至於這樣的留學生，應該如何提供教學內容才好，雖然有些瑣碎，我想還是報告一下比較好。

首先，關於第一外語，我想通常哪一所大學都一樣，我們的大學也是採取二年四節八學分制，設立了教學課程。關於此第一外語，我們授與日語，而且給一年級三節，給二年級三節，以提供超過所需節數輔導其學習。至於第二外語可能會引起爭議，我們採取二年之間三節六學分制，並設立了「留學生英語」課程。設立的理由是因為來自先前所說地區的留學生幾乎沒有學英語，對很多留學生英語是初次所修外語。對於這些留學生，如果把他們從初級學起的英語教育擺在日本人學生的正規英語班，恐怕很難跟得上。所以對那些恐怕跟不上的留學生，設立了「留學生英語」課程。

我們還設立了「留學生中文」之科目做為第二外語。那是有種種的理由的，因為中國語系的留學生占絕大多數，要考慮如何教導這些學生。將他們集合起來以「中文」的形式來教「日語」。透過共同的媒介中文，掌握身為中國語系的長短處等，利用此有利之點來從事日語教育。當然並非所有的留學生都可分到這二邊。其中也許有留學生想學法語，也許有人想學更高層次的英語，在此情形下就讓他們進入日本人學生的班級學習。

另一方面，關於一般教育科目，以日本情況、日本文化為名，去年度提供三節，今年度提供四節。以上是為留學生特別設立的科目。至於其選修方法，可從一般必修的教育科目的36學分中提出16學分，並從必修的保健體育科4學分中提出2學分，以日語或日本情況之科目來替代。如此指導留學生盡量選修第一外語所提供六節的日語或日本情況、日本文化之科目。

可能各位無法理解到細節，我們不得不定這樣的制度，其背景是留學生有他們現實的狀況。先前草薙先生說過，按道理留學生的日語教育的基礎應該在本國就要先學好，然後才來日本進修。那是理想的狀態，我本來也是希望如此。但是一看到實際入學的學生，我們只好從所要求的基礎開始，現實就是這樣。

例如要一對一詳盡地指點選課之輔導。有時很難讓他們理解，真希望請懂中文的人來幫忙一下。這問題當然在於如何舉辦入學考，錄取的標準設定在哪裡，如何排除？不過我想必須暫時把這個問題放在一旁，及早從基礎教導日語，使他們具有能力跟得上大學的授課，這應該是必要的吧！我至少必須老實地把立命館大學的留學生的實情向各位報告。我們處於此現實才設立了剛才所說的制度。

對於此制度，當然校內也有種種的批評。有人認為我們對留學生太照顧，應該採取與日本人學生一樣，才能維持他們勤勉求學的態度。現在的四年級留學生沒有享受到此制度的好處，所以有一位留學生一臉哀怨地訴說無法在四年內畢業。如果在一年級時就有此制度，就能在四年內畢業云云大吐苦水。

我也聽到這樣的話，留學生和日本人學生一起上課時，最初讓留學生大感驚訝的是日本人學生不認真讀書。他們說日本人學生不是翹課就是上課時不斷聊天。有人認為在這種環境下，這樣過於照顧的制度，會使他們趨於安逸，導致其墮落。我也必須對這樣的批評洗耳恭聽。對留學生採取的特別體制是否絕對正確，我沒有確切的想法。

在此我想說的是，我們在此批評制度如何，過於照顧云云之前，其大前提是立命館大學要接納留學生，進行四年的教育。而必然的問題是，在這四年期間，我們的目標要到達什麼地步為止，又此目標究竟是整個大學的一體共識，或是各個教員所認知。例如現實中，在大課堂與眾多學生一起上課等等，對留學生應該如何處理才好。有的教師在考試前交給學生特別的題目，要學生就該課題發揮，然後再做對應。有的教師覺得打分數有困難，他們通常會事先要求學生提出報告，以此報告做加分處置。我想目前的情形就是以這些方式來對應。

我認為這種問題與先前所說制度的問題可以說是同樣的問題。在看清所收留學生的現狀後，要考慮大學教育的目標，我想這是非常困難的課題。但關於這方面的討論，無論如何有其必要。討論的結果，必會意見紛歧，但我想必須逐漸使紛歧的認知趨向一致。另一方面，現實是不斷地向前邁進，目前的實況不是一邊走一邊想，而是一邊跑一邊想。既然打出留學生教育之策，問題是無可避免的。

這種意識正如同此研究會一貫的主題。我認為在這方面必須追求從所謂「出島型」轉換為「草根型」〔譯註：出島為日本鎖國時，唯一的貿易口，把外國人移到此地。出島型意謂把留學生與日本學生分開教育；草根型則指將兩者混合來教育〕。這是我想說的第一點。

第二點是留學生科目的負責人的定位問題。國籍不同，年齡也不同的年輕人，以留學生的名義大舉進入大學。他們在大學學習的過程中，當然會有種種的要求和不滿。我想在大學裡必須設立可受理這些問題的機構，使他們在制度上也被保障。

不過從教育面來說，我想日常與留學生接觸的教員必須從接觸中了解他們的生活、學習問題、以及他們在想什麼或有什麼煩惱的事。我不得不說，在為留學生集體授課的教師，尤其擔任做為訓練核心的語言學的教師負有重大的責任。我想特別是對一年級及二年級要如此。留學生平常與日本人學生一起上課總會比較緊張，但留學生每週應該會有幾次只有他們聚在一起，此時會顯露他們原來的形貌，在此氣氛下也能自由地說出他們的感想。

立命館大學採用「小班教育」為其宣傳標語。當然這個方式是以日本人學生為對象，從一年級開始，以研討性授課會的形式提出專業科目，培養學生的集團化，以及自動的學習態度，大學的基本方針也要讓他們在此討論。我想如果將此應用在留學生，就可成為現在的外語課程，尤其是日語班吧。只不過日語教師被定位在這樣的日語班必須有自覺，因為這種小班教育方式尚未被制度化。當然如果草率的制度化，難免會使留學生的問題成為部分語言學負責人的問題，這是很危險的。

我們大學的留學生目前也還未成為全體的問題，目前所見到的狀況只有日語教師日夜在為此問題煩惱。那麼，最初所說的草根型留學生教育、國際化的內情還是必須置於第一基礎。

現在我來談一下我們所遇到日語教育的一個問題。在大學必須接受的日語教育還是為了接受大學教育而設的。這樣的說法有一點不容易讓人了解。我們遇到的問題在於有些留學生在日常生活都能自由表達，被認為是沒有問題的，但經過交談後才知道他們對於課堂科目或專業授課完全不懂。

想想我們自己在大學時都會聽到一些很困難的日語，而愈專業化，愈需要程度較高，或特殊的日語能力。

那並非單單在語言上的問題，也包括為了理解專業的問題必須知道的一般事情。於是問題就不只在於日語教育的負責人。專業教育這邊也會被要求考慮留學生教育，如何將留學生導入專業。如先前所說，立命館大學的學生從一、二年級就開始學習專業科目。因此從初期階段就必須考慮導入專業。如此一來，是否要請專門的老師來教導專業的術語？不同的專業，其教導方法也不同吧！而關於在一般的日語教育上不會出現的詞彙、措詞或做為學問背景的基本常識，認為必須在某處來學習。

立命館大學將一般教育科目換用另一科目名，設有日本情況之課程，並從今年開始在此課程中設立了「日本之經濟・經營」的科目。這是藉由日本情況的名義來解決我剛才所說的問題，就是一般日語能懂，但趕不上專業講課的問題。其中經濟、經營二學系有很多留學生進來，我們想從這裡來著手。

又我們在研究所的日本文學專修班中，採取研究生陪同當嚮導，進行專業導入的特訓形式。但關於此問題在理論上或制度上都還不充分，必須及早採取對策。我想必須提出這些問題，與專業的教師及一般教育和語言學的教師共同思考大學留學生教育的應有作法。

除此問題之外，其實我們還有堆積如山是做為未曾經驗過的種種問題。例如明年將入學的短期留學生，那是締結交換學生協定的大學的學生，他們大部分是來自美國、加拿大、法國等歐美系的國家。這些留學生僅限一年的留學期限。還有，歐美系的留學生與絕大多數的以往亞裔的留學生之間的關係，或是要如何教育這些短期留學生，以及是否能採取目前這種體制和內容之問題。還有留學生與日本人學生的交流問題，或留學生社團活動或自治會活動的問題。

其次，四年的教育也很重要，而之後就是留學生畢業後的出路問題。如果希望在日本就業，那又將如何等問題。已好幾次出現關於授予研究所的博士學位的問題。因為我是文學院出身的，很了解此問題的改善是瀕臨絕望的，總之一提到擔心的話題，也就沒完沒了。我希望無論如何把我所提出的幾種立命館大學曾發生的問題，以及目前採取的具體措施列入整體的討論中。

我在發表此報告的同時，腦海裡浮現慶應大學深海老師的話語片斷。從他認真處理的內容來看，我們真是微不足道，所以我在講話時，尾音都會顫抖。但是做為日本大學的一個現狀，我還是抖出其赤裸裸的狀態。以下要見識戴老師的烹飪手藝，我的話到此為止。

戴：非常感謝。在座的各位都是老經驗的教師，而且都是日語能力比我好的日本朋友，所以對二位先生的報告我不敢加以彙總。在座的各位首先對草薙先生的報告如有詢問，請踴躍提出。

日本政府的留學生政策

與會者：是否可因為有入學考，而對入學資格稍微寬鬆一點？或是可以嚴格要求入學資格，而免除入學考？我認為這是有互相關係的。關於這點我想請教先生。

草薙：是否有入學資格，或是否可讓他們入學，亦即要有入學考，我想這完全是另外的問題。

關於資格的問題，因為國立大學受到文部省的種種束縛，並非完全沒有受教育的人也有入學資格。尤其如中國大陸或中南美地區，過去有如修學年限不足那樣的例子。就我們大學的研究所而言，大部分都以研究身分在大學修習一年，所以把研究生的修學期間算在修學年限內。

另外在大學之中已成立了資格認定委員會。我想委員會有他們基準，大體上該委員會贊成的話，就會給予資格。

然後就是是否要讓他們入學的入學考問題。如我先前所說，我們可採取與日本人一樣的方法，那並不是表示採取一樣的考試，要之必須考慮留學生進入該學系或研究科後，能否好好地培育他們，我認為入學考必須考慮此適應性。

因此如我先前所說，大學部是否有聯考的必要，或是否需要科目的筆記考試，或是不需要這些考試，只要提出短篇論文及面試，這些我們都在做部分的實施。即使是如此，也做得還可以。不過我們的學類還是新的，還在學年進行中未完成，所以不知道其相關關係等等，但我們逐步在做調查。我認為我對日本人也應該做非常徹底的開拓。

我們大學的入學考，尤其留學生的入學考向來是由各部局及研究科與學類自行負責，所以都採取各部局認為適當的方法。但是關於日語或日語教育，我們那裡不論是碩士或博士課程都是採取完全與日本人一樣的考試及專業考試，唯一不同的是日本人有二種外語，但外國人有日語和一種非母國語之外語。

我們頭腦裡完全沒有對外國人比較寬鬆，對日本人比較嚴格的想法。碩士的情形大約有五倍的競爭率，考上的人各一半。應考的人也大約各一半，外國人也許比較多一點。因為考慮到適應性或將來性，所以即使要實施日語教育，不會因為日本人會日語而比較有利。

在大學部，我是日語。日本文化學類長，如先前所說，是培訓日語教師的課程，假如要像立命館大學那樣，負責教導從基礎開始學起的學生，則可能至少需要約十年的時間。因此，我們那邊從一年級開始就要上專業的基礎科目，學生要確實了解這樣的科目，正以這樣的基準考慮。

戴：好！請說。

與會者：我是同志社大學的市村。有問題想請教二位老師。例如目前在大學教的日語（供不應求），是否想到民間的日語學校將來可加以活用，這是要請教草薙先生的問題。另外想要從亞洲接受10萬個留學生，像這樣的事情恐遭批評為大東亞共榮圈的思想，因之想請教岡田先生的高見。

戴：那就先請岡田先生。

岡田：咦？是我？正在思考中呢！劈頭被問這樣的難題，應該可以等一下再回答吧！首先，在亞洲人之中有個問題，就是要到日本留學的需求大增。其理由與背景不一而足，須探討其現實。而日本的大學應該開放門戶，因應此留學的需求，努力進行國際化。不過此時，在留學的希望大增的背後，這段時間日本企業正以如洪水之勢進入東南亞。包含當地生產的企業之海外發展，也必須加以正視吧！在這種情形之下，因而考量中曾根首相的10萬人構想。

剛才講到「滿洲」的問題感到羞恥，也是看到那種現實。如果沒有經濟政治上的平等對等關係的話，還是無法達到根本的民間之相互理解或民族間之平等交流。這是在研究「滿洲文學」中所得教訓。

現實上，現在也認為被問到一個問題，就是與亞洲人士是否可能有其真正意義的平等對等之交流，而且認為這是非常困難的問題。此問題可能在於身為涉及留學生教育的我們，必須經常意識到其困難。我知道這並未給您滿意的回答，不過希望您多少能接受。

戴：我也認為並未回答。那麼有請草薙先生。

草薙：是的。一言以蔽之，日語教育也就是所謂對外國人教授日語的教育，有甚多不合大學體制之處，這是我一直想指出的。也就是說，正如剛才所談，說到日語教育，恕我口不擇言而嘰嘰喳喳地直指其負責的老師們不好，其實我並非輕視他們，毋寧是在教育方面，像幼稚園的老師可能最辛勞，而大學的老師可能最輕鬆，因此不得不嘰嘰喳喳地嘮叨。其實在現場有許多教學方法很棒的教授。

不過說到這些教授，至多僅止於教材開發，所謂在大學可供評估的研究業績，他們無暇從事，而其能力也另當別論。我持續觀察至今，以所謂研究者而成為傑出一流人才，而其嘰嘰喳喳也出類拔萃者，可能就是大家知道的羅伯・拉德（Robert Lado）吧！也就是與佛利斯一起開發所謂密西根法的人。我的教授方法師承拉德，自認受益良多卻不知其說與做如何。但看過他的公開演練，才驚覺他唱作俱佳，將理論當場全都實踐。

不過我們夸夸其談之餘，實際教起日語來，動不動就想用英文說明，以所謂分析法也難以圓滿解釋。就此意義，我認為有志於教育的老師，與在大學有志於研究的老師，其質——講「質」或許會被誤解——或性格容有差異。雖然二者可以共存而接受相同的待遇，但其問題首先在於採用人事。

因為沒有業績而被找碴。例如要寫關於教外國人發音方法的論文，事實上立即有人批評謂此背離國語學的音韻論云云。另外升任也成為問題，也會有其他的待遇問題！

還有一點就是，在國立大學的話，我們那裡聚集眾多人數，因此精力、戰力可以集中，但是在地方大學的話，負責教授例如日語、日本情況的教職各一位而各守崗位，結果造成很多浪費，應該可以加以集中而活用人才，但現實上未能做到。

我覺得文部省，像剛才所提六個月的密集日語預備課程，以前是在大阪外語大學舉辦的，也就是以前岡田先生所在的地方。另外在學部層級，高橋先生所在的東京外語之附屬學校曾舉辦過，最近聽說要分散到北海道、東北、筑波、廣島、九州等地。但對文部省而言，交由大學來辦可能最簡單，因而就這樣辦下去了。我認為這樣一來必須考慮大學的體質，體質也要努力改善，或者在大學之外直接由國家來經辦如何？而且不僅在日本國內，到外國教日語的老師們，不要四、五年回來之後沒有職位，也要給他們繼續教的機會，應該設立一個中心以達成所謂兼顧內外的人才活用，這是我個人的見解。

戴：多謝。同志社的市村先生與立命館的岡田先生，二個關西人的對抗賽，希望能再多展開些。關於岡田先生的理解亦即中曾根總理大臣的10萬人構想，以岡田先生的認識就夠了吧！是否有不同的理解？要之，岡田先生所說的就是亞洲都很想來日本，為因應之，中曾根先生乃提出10萬人構想。這樣的理解是否正確？有無不同的意見，請提出來。

與會者：我想中曾根首相提出10萬人的構想，與其說因應亞洲人士想來日本，不如說全為了日本的國家利益。我認為有這樣想法的人可能不少，現今留學生都集中到美國，這兩天也都談及到美國的將來性較高，因而終究理解美國文化社會的人會增多。當然，全世界也有反美思想者，但畢竟世界上頂尖人物都集中在美國，不論親美派或知美派，我想這樣的人會增多，對美國是非常有利的事，頂尖人物都集中在美國，也牽涉美國國家的活性化。與此同樣的事希望也讓其在日本發生，我認為這是中曾根首相的想法。

也就是說，今天日本在驕傲，但日本如果不與世界各國協調的話，就無法生存下去，日本如果在世界上被孤立就會一籌莫展，因此產生知日派、親日派愈多愈好，我想其目的在此吧！

戴：多謝。岡田先生，您覺得如何？有不同的看法嗎？

岡田：在會場上再多討論些如何？

戴：喔，是嗎？那麼先來確認一下有哪位先生與岡田先生持不同的認識，哦，有了。請說！

與會者：我是日本國際教育協會的堀江。中曾根首相提出10萬人的構想，其契機是在1983年五月中曾根首相出訪ASEAN（東南亞國協）各國的時候。來到新加坡時，有了接見新加坡的原日本留學生團體之機會。當時其中有一個相當活躍的成員之一，叫做Shanhion先生的，曾在新加坡駐日大使館供職過。他告訴中曾根先生說絕對不想讓自己的子女到日本留學，使中曾根首相大感震驚。回到日本後，即詢問文部大臣「究竟日本接待留學生的事宜是怎麼了？」而指示進行調查以提出具體的構想。

因而，五月初回來後立即指示，而那個構想最初出來時已是那一年的八月底了。首相出國而聽到令人相當吃驚的言論，必須想出對策，當時的五人小組被要求提出建言，所提出的就是那個構想。

當時最初1983年的「建言」中，並沒有10萬人的具體數字，只是認為像當時法國接納留學生的人數，日本應該可以接納，也就是完全比照歐美的意識。而10萬人的數字，就是當時法國恰好約有10萬，在翌年的「展開」中具體地提出10萬人的數字，認為直到21世紀初期可達約10萬人。

不過談到實際的數字，我認為事實上是以超乎其上的速度在增加。因而中曾根首相是怎麼想的，是怎麼一回事已經不太重要，事實就是在增加。因而出了各種問題，使制定接納體制的大學等等拚命要跟隨，我想這就是現狀吧！

戴：非常感謝。其實今天與會在座的，可以看到來自中國四川省的宗小姐。那麼在市村先生與岡田先生的議論中，所謂大東亞共榮圈，就某種意義而言，我想那是出自岡田先生自己的專業領域所自我鑽研的日本之國際化，或是與其他民族之共存而提起問題的。我是台灣出身的中國人，就我們所見，這不是那麼容易應付的問題。

上述所謂五族共和，原本是杜撰的人造國家的五族共和，這點我想岡田先生希望多談一些，但因限於時間而無法說明。不過關於這樣問題的提起方法，宗小姐是否有意見，請說！

與會者：我是來自中國四川省的宗曉川。關於剛才先生所提留學生的接納，中曾根總理大臣說到21世紀可達10萬人，我不懂的是接納10萬人的關鍵為何？承諾接納的關鍵為何？最近我在筑波與留學生做了許多溝通，剛才草薙先生也提起了，目前尤其是亞洲人來留學，發生各種問題，甚至有人說今後絕對不會讓自己的孩子到日本留學。我想這樣的人對日本政府不免是一項衝擊吧！今後對於亞洲人的留學生，尚望日本的老師們多多照顧。這是我的一點期望。

戴：外交辭令還不錯嘛！似乎一進筑波大學，大家都變為文部省的人。其實在座中應該看到傑法・雅分迪先生。法政大學的鈴木先生原本應該與留學生所屬各國的相關人員一起進行思考，關於這點可否請傑法先生發言？

傑法．雅芬迪（以下簡稱雅芬迪）：我是從印尼來的。目前在筑波大學研修教育中。現在我的日語還說得不好。

戴：說得很好呀！請加油。

雅芬迪：到目前對日本沒有問題。覺得很有趣。請多指教。

戴：感到有一點文部省筑波大學留學生的樣子。那麼，還有一位叫李先生的韓國留學生，可以看到吧？日語的唸法是李慧聖先生。

與會者：我是來自韓國的李慧聖。對於日本，我想日本人自己認為已成大國。不過從韓國人的立場來看，日本在經濟方面的確已成大國，但在國際合作方面，我想尚難稱為大國。

日本人大抵喜歡數字，因此在經濟上自認GNP或國民所得等已經很高。但在教育方面與美國相比，卻顯落後，因而中曾根首相似乎希望能增加留學生。我想這樣可以讓外國尤其是亞洲國家認為是大國吧！

自內部的國際化做起

戴：多謝。像李先生這樣優秀的學生，如果筑波大學能多招收些的話，我想筑波大學會成為更好的大學。

那麼，涉及草薙先生與岡田先生所提的議論，暫且到此為止，在此三天的流程中，即使忘了我們所議論的，也希望能與提出問題的先生們一起來思考之。身為主持人的我，行使了特權，其實正如赤木先生所介紹，我是個老留學生。因而這次隔了31年再來學習，包含提出一些問題，希望能夠拋磚引玉。

今天有一件非常可惜的事，黑羽先生先走一步回去了。我一直在聽他講話，其實馬越先生與黑羽先生之間再多談一會的話，其邏輯就能完結。要之，所謂國際化，內在的邏輯與外在的邏輯為一個邏輯的次元，在相同次元加以議論，這就是要努力的目標。

而以現在為例，在外面的日本人學校、日本人教育的問題，將其與在日韓國人、在日中國人等教育的問題，全然以切割的形式加以考量。結果這次研討會中馬越先生所提出問題，黑羽先生未做太正面的回答，包括像這樣的問題，我想這是一點。

另外一點，那就是慶應大學，對於我們是非常先進的實驗，為了日本或國際性地，一直在儲存技術祕訣。而其中還是送出留學生與招收留學生二件事較為重要。另一問題就是歸國子女如何以保持日本人的民俗特點之形式，使他們不成為負面人物。並非國粹主義性的傲慢日本人，保持這樣的日本人特質，而且也持有國際性。這樣的日本年輕人，以此為常態形式而不是稀有貓熊的存在，這樣在某種意義上將刺激帶進日本的大學。如此一來，其實大學內的氣氛也會改變。

因此，日本人其實便能將至今所保存內在、內向的閉鎖之物加以突破吧！因而大眾傳媒本身，如果不是我弄錯，應該在這十四、五年內達到驚人的變化。大約直到十幾年前，尤其是曾出國的父母，對於子女獨特的思維或國外的體驗、國際性作為或思考型態的引進，毋寧要消除剝奪之。在還是非常狹隘閉鎖的日本視野之中，要將其一律視為異類，我認為那就是大眾傳媒的想法。

不過昨天聽到長谷部先生、曾我部先生的高見，我還是認為日本如果不從內在來國際化，日本民族會變為世界的孤兒，這點雖然現實中少有人提及，但能夠做到的話，日本民族可預見開展為亞洲或世界的大民族，至少已到了這個狀況。而這情形也其實意味著內在與外面的邏輯終於能交叉在一個次元之中。不像以往，譬如歸國子女的問題屬於歸國子女，招收留學生屬於留學生那樣。

昨天與鈴木先生之議論中，我試圖將自己定位。我是全然不可愛的留學生。因為日語太好了。不過這是跟我的同僚這樣講的。雖然這樣講是非常失禮，但我們自己到哈佛，或長春藤盟校時，究竟以何形式被接納？其實，身為英文老師，自己老實講要多久才能真正聽懂英語授課，要三個月？六個月或一年？

然而現在卻將其全部忘掉，想要對留學生築起很高的門檻。要求資格，要求什麼的。多一點教育的考慮，有沒有以栽培為根柢呢？

我許久沒見到名古屋大學的飯田經夫老師了，不過個人認為他是了不起的經濟學者，現在日本可能達成了所謂的經濟奇蹟，高度成長的成果或許已趕上歐美，甚至要超越了，對此狀況有些日本人不久就幡然傲慢起來，認為日本人原本是優秀的。對於這樣的想法，飯田老師並不以為然，他說不是原本而是偶然。因此我認為他是以批判的知性對日本的現狀來發言。

恕我直言，我在日本已經31年了。我的恩師東畑精一常說，自己一直覺得當時日本的經濟變得再大，所謂貿易額不會超過60億美元。而通貨膨脹至今很嚴重。剛才所說中曾根先生的10萬人構想之中，其實還有更大的問題。講明了，就是日本的經濟開始具有不得了的總生產力，今後如何將其維持下去，為了不停止正循環，勢非國際化不可。我想這種觀點便是一種主張。

所謂10萬人云云，或日本如何因應亞洲的需求等等，我認為中曾根先生是格局更大的優秀首相。思考更大的事，就某意義而言是世界的大格局，思考日本應走的方向。我想應做如此善意的解釋。

這點也包含在一起，原理上至今這三天所做的，其實早有內在的邏輯與外在的邏輯。事實上今天草薙先生非常在意國立大學，老實說我吃了一驚。私校出身的人那樣拘泥於國立大學來發言，讓我非常吃驚。而同時先生始終所言，是以遭文部省限制為前提來說的。在您發言中，並說國立大學若有餘力的話，才照顧留學生。這樣的發言是趕不上時代的思維，已經不是這樣的情況了。

到柏克萊大學看看。有1,500人是亞裔的學生。中國裔的教職員有八十人。副校長是我的朋友，台灣出身的。當然柏克萊在很長的歷史中都照顧著留學生。而日本真正照顧留學生，是最近的事。與中國的關係是特殊的關係。因此我認為，此事在此歷史的脈絡中，我們必須重新思考。

像現在的例子，岡田先生所說立命館大學，或是我們的立教大學只有60人。留學生有如貓熊的存在。其實這並非正常，因為日本與世界保有如此的經濟關係。因而正如韓國的李先生說得貼切，經濟很了不起，但文化教育的問題究竟如何？我們要將它一起做整體的考量，我認為已到必須如此的地步。

我的拋磚引玉有點超乎主持人的身分，不過深海老師在最初一開始時提出要旨報告，說出我們所有的問題意識，使我們沒有出場的機會，因而在此讓他負起責任，請他發言。

深海：首先一開始要說明一下，為何碰巧由我來做要旨報告，或昨夜也做留學生的問卷調查，為何我們的慶應大學較突出，實在受寵若驚，毋寧不僅慶應義塾，早稻田大學也有特點，或其他各大學都那樣地努力著，岡田先生為何僅提及慶應，各大學都在盡力，這一點先要講一下。

那麼，剛才已由戴老師提起問題，其實最初由我提出要旨報告，有那樣的問題意識，總之留學生問題的教育不能以個別留學生問題的形式來進行，毋寧以內外結合的意義，使大學內的教育體制達到國際水準或合乎國際同等性，或如剛才所提名古屋大學的飯田先生所說，我認為所謂日本特性論可能有非常大的問題，以這樣的意義，承蒙做了整體性的議論，關於這點已經說明過了，容我再提幾個具體事項。

一項是我前年參加了JAFSA（國際教育交流協議會）的研究集會，與戴老師們列席研討，一直到今年都在研究中。我所感覺的，其實與我最後結論所說有關，就是不僅JAFSA，大學相關的全員，都可能已到應該改變思維的階段了。換句話說，當初JAFSA集會的開始，其主題是為了以認識或相互理解的方式來尋求問題之所在，而問題在哪裡，似乎已有共同的認識，因而應該超越尋求問題所在與共同理解的階段，進入下一步。

雖然我對JAFSA不是很清楚，但每次JAFSA送來資料，我都全部仔細閱讀以求理解。閱讀的結果可看出JAFSA也是以對此等改善有所貢獻為主要目的。因此如何能夠解決問題，我希望就此意義與方式來整理問題。

我最後說過，認為畢竟問題須先加以區分。正如剛才岡田先生所提示，在各個人的層次，不論其基本認識，或是教育，或是留學生的接納，在這些承辦的各個人的層次，事實上有其應做的問題，這些雖屬個人責任制，但首先在各大學內或各學系研究科內，就是要問究竟能做什麼，即使多次盡其在我地努力，或盡力做公關，但很抱歉這樣的努力有其限度，我認為不只如此，還是要由幾個大學以共同的步調，或如剛才戴老師所說也行，分為國立公立私立，透過全體才能改善，似乎有如此的問題點。

例如像昨天以來的議論，就所謂入學資格的等值性之問題，也已經是形式性的議論，並非如是否為12年的年限那樣，而是以實質的形式再努力以稍求改善，如果能以此形式取得一致的認識，則國立公立私立可一以貫之，而且教職員合起來，對於同等性可再稍積極地共同努力以赴。

此時，當然可能也有僅私立能夠的問題，僅國公立能夠的問題，但在此議論至今的等值性之問題等等，似乎正如那樣的形式在推動的階段，我有這樣的感覺，而其事後關照的問題，或硬體方面的問題，也正如這類吧！

然而同時，當然不能僅獨以大學來議論，因而對社會對國家，或對經濟界對產業界，要以什麼形式求得理解，在這方面進行溝通，在此究竟什麼事能共通地做到的，我認為應該是要加以彙整的階段了。

不過此時還有一個大問題點，像剛才在此所議論的一個例子，關於入學考試的方法，可否以某種形式加以共通化，可能有這樣的問題吧？如此一來，在各學系或各大學仍須具備創造性或獨特性，這樣的意見的確也會存在吧？

有一個想法，例如在此剛才堀江先生也發言了，日本國際教育協會正實際進行私費統一考試。將此考試毋寧加以國際化，以這樣的形式總括地採用對方國家的統一考試，或者由日本這邊來做的意思，可否將此日文能力考試以如TOEFL的形式進行，這可能也是一個方向。或不此之圖，仍應由各大學獨自來辦，也未嘗沒有這樣的想法。

抱歉又談及慶應義塾，至少在慶應義塾對於留學生的入學，舉辦特別的入學考。以往各學系獨自舉辦，但因成立了國際中心這樣的橫向關係組織，所以共同加考日語、英語，文學院不考英語而考本國文以外的語文。基於這樣的認識，至少加考這些共同的科目，由各學系分別派出入學考委員、出題委員。由此團隊來處理全校性的留學生事務，這樣的體制已經確立了。

該委員會對留學生要解決的問題，包括像應否對留學生考日本的世界史，以這樣的形式逐步在校內推動入學考的改善，至少在慶應義塾的階層，除了醫學院以外，共同的出題評分委員會是由各學院的出題評分負責人或其成員所組成，以這樣的形式來進行。因而就英語考試等來看，已經頗有改善，因應留學生現況的英語試題，最初其出題方式連日本人學生都考不好，乃以這樣的形式展開改善。

另外，我們的部分學院院長對留學生，考慮是否採行與現在慶應義塾對歸國子女的相同辦法。即是否採用對方高中的成績，或統一考試的結果。此時考慮其基礎學科能力。

這樣一來，草薙先生也說過，那麼日語不當作問題的話要怎麼辦，就要與日語教育的問題進行配套作法，例如入學考的方式與一般學生完全不同，其方向可考慮與歸國子女共通的相同程度。如此，接下來便是日語教育要如何，必須面對新的問題了。像這樣，目前先談總論，可以考慮有什麼具體的改善方法。

因此，例如入學試題、入學考的方法這一項，也必須由大家考慮怎麼做。其中一個方法，我認為是加以劃一的方法。

這樣在校內有可做改善之處，或整體有須加考慮之點。基於這樣的基本認識，正如岡田先生今天趣味盎然的談話，由各大學更具體地彙整各項，例如關於入學考，資格認定要如何，以這樣的形式來具體設定問題，找出對各大學可共同化的對策，並以共同的步調來推動。

歸國學子的教育問題

戴：多謝。早稻田大學國際交流中心的川瀨先生，請您發言。

川瀨：其實我只參加了昨晚與今天上午的二場，對於整體的過程，並沒有什麼評語。我本來是教務長，今年六月才兼任國際交流中心長，對於國際交流完全是新手。

因為這個緣故，毋寧從大學教務的立場來考量留學生或歸國子女的問題時，大學全體老師所思考的，總會變為關於留學生問題、歸國子女問題的思考。

在我們的大學，一學年來說，每年接近1萬人。其中留學生所占的約為600人。包含歸國子女可能在700人以內。在大學中特別意識到留學生，為留學生做種種制度的保障，我認為當然必須做到，但是僅將問題聚焦其上的話，往往可能產生若干問題點。

毋寧日本的學生的問題也還是必須同時考慮吧！也就是我感到日本的大學生處於非常不幸的狀態。

與歐美的大學相比，東南亞的其他大學也有許多相似之處，看著同一學年的人幾乎是相同世代的人，只差二、三歲而已。這樣的人大概從幼稚園幾乎全國都在相同的基礎上，在相同的教育環境中培育過來。而上了大學，經常意識到的也是坐在自己的隔壁的同學。他是這樣的程度，因此自己也是這樣的程度就可以，這種感覺很強。這種平日念書的態度，在初來日本的留學生看起來，當然會對日本人不用功感到訝異。

亦即經常將自己的身分與他人比較，形成一種氣氛。我看著自己的學生有這種感覺。其中的留學生，說到我的理工學院，一般入學考考取的為60%，再加若干細分的話，我們的附屬高中以及其他的系屬高中，其所推薦而進來的約為20%，再來就是一般推薦進來的約為15%。剩下的就是留學生與歸國子女，目前對其設定有某種比率。

另外也有接納體制的問題等等，其中關於歸國子女，昨晚已由深海老師報告。而說到早稻田大學的歸國子女，每一學系的入學資格要件也都不同。這是因為我們考量狹義的海外子女加以接納的，就是雙親因職場的情況而派駐國外，其子女也跟隨移居，因而接受當地教育才回國的。

也有將此事列為條件的學系，但是只要有國外經驗就可以，要積極接納這些人，也有些學系的想法是碰巧以歸國子女的名義而接納他們的。

如此達到入學學生的多樣化，進而改變其生活狀態。將這些加以多樣化，能增進相互的刺激吧！在此當中，學生身旁有了過著與自己非常不同生活的學生，會凸顯自己的身分，達到精神的自立，並逐漸使社會的學問進化，提高抽象的層次。

這樣理解抽象性的東西，我認為是為了某種程度的精神自立與成熟度所必需的。此時學生本身，在大學中如果只和從預校一直在一起的人接觸的話，當然這樣的精神自立會遲緩下去。這種精神自立的遲緩，成熟度的遲緩，就某種程度而言，亦即學習時所需的精神之成熟度，乃處於非常不平衡的狀態，我認為這就是今天日本的狀態。

如此說來，外國人的留學生的話毋寧這種不平衡在自己國家較少。這樣的人來到日本，由於在日本高中的應考準備，必須猛K，因此這方面當然會產生一種衝突，而因為有這樣的留學生在，反過來說，可能起了給予日本人學生某種自我認同的作用，這樣的想法就是我在思考的多樣化之形式。

雖然這樣說，在人數上即使歸國子女，全校也是非常之少，其表面上的生活形態乃逐漸被日本人同化。不過在自己的內心，認為自己現在的生活還多虧有過國外生活，對其產生一種自負。

這樣的狀態，某程度會增加，設若沒有10%左右的學生，恐怕很快就被同化而消滅殆盡了。

這樣的影響，如何能夠保持其相互給予的狀態，就某種意義須從教務或研究教育方面思考。對我們而言，必須探討在現今的大學制度之中，能夠達成這樣架構的部分在哪裡，當然此外須對政府、文部省來要求或其他種種的，在校內也有不少吧！

至於那個部分，正如剛才深海老師所說，所謂各大學的橫向聯繫，是藉由相互知道其狀態而能夠理解自己的大學，我想這樣也可以吧！

戴：非常感謝。女子大學方面有什麼問題可以提出的，東京女子大學的葛西先生在嗎？

葛西：我們的大學現在是只有一學系，二個研究科的小大學，因此認為與其他的大學可能有不同之處。由於是文學系，不像商學、國際關係論，或理工那樣可以帶什麼東西回母國，只能期望日本文學或日本史而已。

因此，要帶什麼東西回母國的話，還是希望能成為日語的老師，不過因為我們是小型大學，也沒有成為日語老師的課程，今後為了有這樣的課程，必須創設一個學科也是問題。如此一來，即使英文課或日語課，或日本文學等兩方面都來，專業領域並非那麼簡單。

一進入學部，就有滿多的必修學分，因此建議盡可能到研究所方面。其實中國要求直接在家應試而招收大學所推薦的人，並由我們負擔獎學金與生活費，這樣的方式非常成功。

不過說到女生有什麼的話，與一般學生一起住在宿舍而生活，但這與國立大學進入留學生會館相比，我們的大學是女生共同生活，二者的印象可能大相逕庭，來了之後才發覺情形不一樣。

並不是特別說女生，而是無法有像在較大的大學所提供課程，或特別供留學生之用的，不過今後我們希望能做到。

戴：是的，非常感謝。九州產業大學有什麼要發言的嗎？

井出口：從以前就多少懷有疑問，不顧留學生的需求在多樣化，入學資格卻想要套上劃一的箍環，想不透這是什麼思維。既然需求在多樣化，入學制度也該多樣化，我認為應該舉辦像這樣的研討會來思考。在這種場合恭聽各大學的方針，然後提出自己的大學可做什麼貢獻，我是期待著這樣的資訊。不過不知何故，國立的老師們發言較多。以入學資格的同一化來做等級排名，卻不以所造就學生的優劣來排名，可能這樣樂得輕鬆吧！毋寧是不論收什麼學生，出什麼學生才能定勝負。因此這方面的考量，以及各大學的辦法，這些應該多加議論。

戴：是的，非常感謝。東北學院的鈴木先生，能請您簡單發言嗎？

鈴木：我們的情形也非常接近岡田先生的立命館大學的情形，短期大學在國際交流上，其狀況都是遵循留學生所入大學的教育課程。不過關於最近的國際交流問題，我並非要拜託各位，只是認為應該與對方大學的人員合作，努力做出最合適的課業程序。因而在接納留學生時，也要充分知道對方大學的情況，配合每一個留學生的需求，在全球性的視野中考量國際交流。今後日本，不僅對美國或歐洲等，對東南亞的狀況也必須充分了解。

戴：多謝。明治大學國際中心所長的濱本先生，請您發言。

濱本：我也是從昨天才參加的。最近被校內的某教授提醒有流言說，近來國際交流中心趨於官僚化，當下感到很意外，然而昨晚碰巧與川瀨先生在同一房間，談到事務機構，這是指包含職員與教員而言的，其組織化進展之後，究竟在校內會產生什麼變化，二人談論的結果頗具同感，認為首先會出現的是一種官僚化。

事情搞成這樣並非出於惡意，除了留學生的送出、接納之外，還要做學術交流，事務非常繁忙。而且出國研究的研究人員，其事務也要我們通過，變為類似一種權力集中的工作。這樣的事情由他人看來，可能給人官僚化的感覺。聽了各位的高見，覺得不論對留學生也好，對校內也好，不要因為事務繁忙而變得官僚，感到不能高高在上而必須自持的重要性。

戴：多謝。文部省留學生課的人也光臨了。不論國公立私立大學，總之都會牽涉到日本今後的國際化，而且也會牽涉到亞洲與世界的和平，對於人類、人類共同體邁向21世紀的新道路，也會有所牽連。就此意義，有請來到現場的，目前由文部省轉調東大的坂東女士發言。

坂東：關於留學生問題，其實我本身在文部省全然未曾接觸過，而是去年到東大才知道有這個10萬人的構想之事。雖然以前就聽過，實際的內容卻什麼都不曉得，做為文部官僚，感到非常羞愧，可能是這樣的狀態也說不定。而由這種狀態開始工作，就某種意義來說，以大學的立場從一開始來涉及留學生問題，我認為毋寧是幸運之事。就這樣子才過了一年多，而且今年才開始參加這個研究集會，因此自認不是有談大事的立場。

剛才深海老師所說，尤其是最後的部分，問題點已整理差不多，可能該說的都說了，接著談到種種具體的政策或建言等等，毋寧是要去彙總這些的階段，我這三天參加研討下來，對這點深有同感。

的確JAFSA累積了非常用心的研究，這點我以淺薄的經驗也能感受到，這可說是與留學生課程的關係。不過政府的負責人，不僅限於文部省，如何來與其牽連，這樣的事應該實際去做，我感覺這點可能成為今後活動的重要聚焦點。

當然以深海老師所提起留學生問題為關鍵，關於大學教育的作法本身的問題，在這方面每個大學都各保持種種特色，我認為這點很重要。不過涉及制度，如宿舍問題等不一定靠一個大學的努力就能解決。

例如考量制度的問題，其實這可能是深涉社會狀況本身的問題而無法簡單解決的。像最近東大也起了一點問題，就是身分保證等的問題，老師收留學生時，以個人身分當接納教官，對其租借宿舍等要負連帶保證，一旦發生什麼事故，其損害賠償必須全部由老師負責。這個責任可否以什麼方式轉嫁到公家機關，我想不久就會有人提出這樣的問題。

像這樣的事，我想由一個大學解決是非常困難的，應該集合各大學的經驗、見識，採納各種建議來做，就此本研究會若能對今後積極的社會或教育行政，成為各種溝通的橋樑，認為那就太好了。關於這具體的兩者之點，此次獲益良多，非常感謝。

戴：多謝。最後想要提出二點，一點是岡田先生與草薙先生之間的內鬨，這不過是作秀而已。故意為了炒熱場面，並無其他意思。再者我非常強勢的運作方式，還是因為時間非常寶貴的關係，就某種意義，涉及地區的特性及女子大學，或是早稻田大學、明治大學最近都成立了國際中心，因此藉由發言來相互刺激，目的只是如此，並無他意。

承蒙各位出席，非常感謝！

本文原收錄於《21世紀への留学生政策の展開をめぐつて（Ⅲ）——留学生の日本の大学入学資格と教育上の問題について》（第7回JAFSA夏期研究集会報告書），東京：外国人留学生問題研究会，1987年12月10日，頁144～170

國籍與民族
——1985「青年之船」座談會

◎ 李毓昭譯

時間：1985年11月12日
地點：青年之船
與會：金兩基（靜岡縣立大學國際語言文化學科教授）
李奭鍾（建國中・高等學校校長）
戴國煇（立教大學教授）
朴炳閏（民國中央本部權益擁護委員）
權清志（在日本大韓民國青年會中央本部會長）
主持：金總領（《統一日報》論説委員）

1985年「青年之船」的目的

裴哲恩：金兩基先生、李奭鍾先生、戴國煇先生、朴炳閏先生、以青年會立場前來的權清志會長，以及主持的金總領前輩，從現在開始，我們要用將近一百分鐘的時間討論上述主題。可以的話，現在就請開始。

金總領（以下簡稱金總）：本次會議是從前天展開，今天是第三天，要整理各位之前談到的諸多事項，或對談、影片論壇等的內容，同時概括各位先生的意見。首先要請青年會的權清志會長再次說明設計此課程的原因，以及主辦者本身的意圖與內容。

權清志（以下簡稱權）：此次有來自全國將近三百名青年齊聚一堂，全部的人應該都抱著「要以什麼方式活下去」的煩惱，同時也期盼「維持民族性的生活方式」。只是既無法如實表現，也不能用話語表達，因為是處在這種社會環境，面對著種種歷史問題。在時代的要求下，為什麼我們要為維持民族性的生活方式而煩惱？碰到的阻礙是什麼？要如何著手進行？將這些問題整理出來就是我的出發點。

縱使不會說「我們的話〔譯註：韓語〕」，沒有去過祖國，也不太知道祖國的歷史，但是在生長的過程中，大家應該都會覺得「我好像真的和日本人不一樣」，而產生「想要維持民族性的生活方式」的期盼與心境。而且剛開始會想要釐清「我究竟是什麼人」。在生命中某個時期，我們會感歎：「為什麼我不是日本人？」但相對的，因夏令營或其他機會前往祖國時，祖國的人又會說：「你們根本是半個日本人，連我們的話都不會講，和日本人沒什麼兩樣！」我們在日本社會愈是受到阻礙，就愈會幻想祖國會無條件地接納自己，這個幻想也就這樣破滅。這時的心情會更加低落進而自暴自棄。在日的第二、三代同胞多多少少都經歷過這種「我什麼人都不是」的時期。我們既不是住在祖國的韓國人，也不是住在日本的日本人，只能說是名副其實的在日韓國人，這是無庸置疑的事實。因此，舉辦此次的「青年之船」時，我有點貪心，不只從韓國與日本的縮圖去省思自己的立場，也想要知道有多少人的處境和我們一樣？是不是應該要從全球規模，而不只是從日本與韓國的縮圖去檢視我們自身的存在？

對第二、三代青年來說，國籍與民族是非常重大的課題。即使在嘴巴上說「國籍和民族不一樣」，心裡其實還是會有點抗拒，懷疑這件事是否真能套用在我們的日常生活上。舉例來說，我拒絕按捺指紋時，區長對我說：「你只要拿到日本國籍，事情就會變得很簡單，不是嗎？」難道只要取得日本國籍，就能夠解決我們的問題？我認為並非如此。我想要釐清的一點，就是為什麼要拘泥國籍這件事。拿到日本國籍就不會被強制遣返，也不用被強求按捺指紋。或許也可以像昨天的金光浩（電影《桔梗之歌》中的男主角）找到了工作。但為什麼一定要在甘願承受不利條件的情況下生活呢？這就是我想要釐清的問題。不只是抽象的「生存」而已，而是要具體地思考在生活場面中出現的問題，例如本名和日本名的問題。

其次，要保持在日韓國人的身分必須具備什麼？其中最重要的還是民族教育。如果純粹從在日本社會生活的角度去思考，或許去讀日本的學校就已足夠，可是為什麼要在教育上添加「民族」二字呢？為什麼有這個必要？為了要讓大家一同來尋找解答的線索，而設定了民族教育的課題。

我們這次特地邀請戴先生參加的原因是，我們也要追求不受國籍束縛的境界。可是這是在肯定歸化一事嗎？完全不是，而且其中也牽涉到與歸化同胞的關係。如果只是以國籍為標準去總結整個同胞社會，就只處理了想要以在日同胞生存下去的希求的部分。當然對我們要維持民族性這一點來說，國籍這個概念非常重要，可是我想從中延伸出同胞社會的「紐帶」，所以特別邀請戴先生來。這方面的學術研究和一般理論上的國家與民族的圖式不同。實際上，如果從我們目前在日本國內生活的特殊性，以及韓國與日本過去種種的問題思考，就不能說：「民族與國籍不同，所以乾脆拋開國籍。」我們要與此國籍問題格鬥過後才去思考問題。

因此，1991年的法律地位問題勢必要解決，指紋的問題也是非深思不可。昨天在討論中出現的本名問題也是一樣。有些情況是無法使用本名的。但雖說安於現狀的人本身有問題，而造成這種情況的人本身也有問題。這些都是大家都要去解決的事，將各項議題整理起來，就會知道問題所在：是什麼東西在阻礙我們生存？又牽涉到什麼法律？弄清楚需要何種的行動與活動，聚在這裡的我們不就可以思考要如何著手，來找答案吧。就是為了這個目的，我們才會舉辦這次的研習會。

華僑的智慧

金總：謝謝。我們再回顧一下，首先談論的是少數民族或民族性問題，由洪炯圭先生發表意見，接著是戴先生以華僑和同是亞洲人的立場，發表與華僑或華人問題有關的看法，然後是來自新加坡的卓南生先生，以及《朝日新聞》的田所〔竹彥〕先生分別提出了意見。

從他們的談話可知，這個地球上處境和我們在日韓國人一樣的人有猶太人、日本國內的愛奴人，還有我們此後要去的沖繩，亦即琉球人民。這些少數民族的問題是什麼樣的情況？用一句話來說，就是這些民族在世界上的權利愈來愈受尊重，少數民族自身的主張也愈來愈強烈。尤其洪先生提到的愛爾蘭人、黑人、猶太人在美國境內的實例。

另外，我們也聽到諸位先生從自身立場談到對日本的想法，我們無法在這裡回顧所有內容，不過對戴先生的談話有人提了一個質詢還未答覆，就是希望能比較華僑與在日韓國人的境遇。今天因為有時間限制，所以現在就請戴先生談談華僑或華人如何保持其民族性，亦即如何在保持民族性的同時，又能積極地往外面的世界發展。

戴國煇（以下簡稱戴）：我簡單地向各位報告，依照統計，現在在日華僑大致上有五、六萬人，如果把歸化的人加進去，大概就有七萬人上下。至於提供民族教育的民族學校，橫濱各有一所國府台灣系統和大陸系統的，而東京有一所由兩系統共管但主導權大致由國府台灣掌握，但支持大陸的家長還是會將小孩送去這所學校念書。大阪有一所由國府台灣主導的；神戶則相反，有一所大陸主導的，長崎也有一所。我們不大使用所謂的通俗名，也就是日本名。畢竟中國太大了，日本社會對我們的看法似乎與對各位不一樣。中國這個國家或許人民窮困，但國土龐大；日本則是精力充沛，從明治維新開始就不斷地往外侵略。朝鮮半島夾在這兩國之間——你們想必相當困擾。就是在這種情況下，各位才會有日本名和本名的問題。就這一點來說，各位是我們的防波堤，這是我的看法。

明治維新前夕，大約是在鴉片戰爭之後，我們就是從這時候開始建立中國城的特殊型態。橫濱、神戶、長崎，還有函館都有小規模的中國城。在此就不提歷史上的形成因素了，但中國城主要是由中國人組成的社區，在這裡過著社區生活，亦即語言相通的同胞，或生活方式相同的夥伴聚在一起生活，因此有利於保持昨天提到的民族性。但所有事情都有正反面，中國城雖有優點，缺點也是在所難免。關在中國城裡面，就會耽溺在自己的感性中而因循舊習。雖然能夠保存民族性，卻無法衍生出對外的普遍妥當性，亦即無法在外面較勁。我最近經常提出一種看法，就是第三、四代的華僑應該在保持民族性的同時，走出中國城，在日本社會爭勝負。如同土居健郎先生的《日本式的愛》〔《甘えの構造》〕一書，我激勵他們，在中國城輕鬆度日是跟不上時代的。所以我們的理想型態是自己盡可能去重建民族性。重建的意思是，除了巧妙連接祖父和父親那一代的民族性，也要再添加新東西。而應該考慮添加的東西是外在的世界，不只是日本而已，也要斷然加上美國、歐洲的世界，所以不會只是開「中國餐廳」。對各位來說，就是應該考慮跨越「韓國烤肉」等傳統的形式。

我也說過應該要有人去大學鑽研法律，因為這裡是法治國家，必須多學習法律。而像金融、國際經濟也是得去學的，不能老是待在中國城裡面。我不是說開柏青哥店不好，但就某方面來說，那是我們萬不得已才要在日本這個社會選擇的行業。該是我們的下一代展現實力的時候了。所以我要大聲呼籲，為了在大學等場所追求各種形式的可能性，朝向新世界邁進，我們一定要多用功。就此來說，我這次來也是為了向各位學習。我非常高興慢慢有些人在努力了，希望有一天這些人也能夠和各位交流。

金總：能不能具體舉個實例，讓大家認識那些正在努力的第二代或第三代？

戴：東京的人應該都看過中華料理連鎖店「聘珍樓」的電視廣告，內容很有趣。以中國餐廳來說，第一代在中國城開設的中華料理店都無法成長，已經變得一成不變，而這些人也都慢慢上了年紀，賺到了錢，開始感到疲憊，不想再掌廚。他們的小孩也不願意繼承家業。這麼一來，只好聘用日本廚師，或是從香港、台灣找來，近來也會從大陸引進。可是年輕的一代不習慣近代化經營，始終無法跟上潮流，只能抱著腦袋裡的偉大中國的概念，持續以家族式的經營勉強賺取每天的進款，沒辦法在近代社會與世界潮流結合。不過最近出現了第三代，在大學裡學會近代經營學，得以跳脫中國城，以父親在中國城的店為基礎走出來，在外面展開近代化的連鎖經營。當然這麼做也有相當大的風險，要由第一代提供資本，如果第二代繼承之後，再由第三代進一步擴展，不小心就會被第三代搞垮。無法順利掌握黑箱裡面的技術，只會做表面工夫的話，最後還是會失敗。

最好的方法是第一代和第二代把技術從黑箱取出，再巧妙地融進近代化經營或日本的近代化經營，一邊結合一邊發展。而在這方面，努力學習也很重要，必須付出心力才行，例如參加日本的青年會議所等組織，與日本的年輕經營者一同在講習會中學習。對民族性太執著是不行的，還是要帶著民族性的個性加入日本社會。日本人總覺得華僑的經商法有什麼厲害的訣竅，而積極地找我說：「戴先生，請務必前來演講，談談華僑的經商法。」

其實華僑經商法就只是拚命努力而已。非得一邊吸收近代化的經營學等新東西，一邊學習創造不可。而創造時，積極主動的精神很重要，這種成功案例正逐漸出現。

一直都使用本名

金總：謝謝您。談完少數民族和民族性的問題，接著就是有關影片論壇，大家討論了本名和日本名的問題。使用本名這件事對在日韓國人來說，究竟有什麼意義？會不會正因為較少人使用本名，在日韓國人和日本人的關係才會有點扭曲？每個人都意識到這點。影片論壇中並沒有充分討論此問題，不知金兩基先生對這方面有什麼看法？

金兩基（以下簡稱金兩）：從我還很小時，家人就用韓語叫我「金兩基」，我使用本名的時期遠比日本名長。我和各位一樣是在日第二代，在東京出生、成長，也在東京受教育。因此我從一開始就要告訴大家，使用本名並非想像中那麼困難。現在我最小的孩子念小學四年級，最大的是大學四年級，名字全都是韓語發音，小孩從小學到大學畢業都過著這樣的生活。

我們換過兩所學校，現在要稍微談談前一個小學的事。那所學校叫間門小學，位於橫濱中區，是公立學校的模範學校。我的小孩在學校都用本名發音的名字，全校只有我們家的小孩這樣。有相當多在日同胞就住在學校對面，從那裡上學的小孩都是用日本名。那些小孩會來我家玩，知道我家小孩是韓國人之後，就會叫他們「金同學、金君」，而他們不是山田就是小林、青山之類的名字。有一天，「在日朝鮮人總聯合會」的人來我家訪問，說是因為這裡使用本名的人非常少，所以前來拜訪。「在日大韓民國民團」*[1]（簡稱民團）也有人也因為我們是罕見的例子而來探望。後來搬來了青山一家人，在學校旁邊興建富麗堂皇的豪宅。那時我去參加間門小學的家長會，碰巧青山家的夫人也出席。青山一家人原本姓李，青山是他們原籍地，所以他們是青山的李氏。但是他們使用日本姓「青山」，我們姓「金」。那戶人家的母親叫我「金老師」，知道我的職業後，就對我說：「我是青山的母親。」、「好奇怪啊，請看看我家的孩子吧。」我回道。「金老師，我要小孩從中學開始用本名，一直不太順利。我覺得他們上中學時是說服他們的好機會。」她說。我記得她的四名小孩果真從中學開始用本名，在學校的名字和我家小孩一樣用韓語發音。這是一個契機，雖無法立刻去做，但還是可以改變的。這種例子我碰到過幾次。

接下來要講的例子是我現在念小四的孩子。我們大約在兩年前搬到川崎。川崎是非常大眾化的地方，生活環境和之前有很大的不同，不過那裡的宮前小學也是一所模範學校。我的小孩在那裡念書，同樣只有他一個人使用本名。不知道各位知不知道「櫻本」這個地方，那裡有許多同胞群居，因為宮前是好學校，有幾個小孩特地來我們這裡上學，也有人從附近來上學。家長們是在認識後才知道彼此是韓國人。我去參加運動會時，有個母親特地問我小孩：「你父母親是哪一位？」因此找上我內人。同胞之間

*1　南韓在日本的僑胞團體。

的接觸就這樣展開，小孩會去彼此的家裡玩。奇怪的是，那個母親是從韓國的大學畢業後才嫁來日本，在嫁來的地方改用日本名。在韓國受過高等教育的人，來到日本就採用日本名，毫無抗拒感，也對使用日本名沒什麼感覺。我們來往之後，她曾經表示：「你們家好厲害。沒有碰到任何歧視或覺得有什麼不方便嗎？」知道我的職業後，她的反應是：「難怪可以用本名。」我覺得這和職業並沒有關係。這在最後一天會議的總結時，我再來談。

有關本名的插曲

話說一星期前，我在首爾看了つかこうへい的舞台劇《熱海殺人事件》。翻開簡介，劇作家名字印的是韓語發音的片假名キムボンウン（Kimbonun），漢字可以寫成「金峰雄」。金峰雄（筆名つかこうへい）的韓語發音並不是つかこうへい，上面寫的是韓式發音「スカコオヘイ」。他的簡歷是《朝鮮日報》*[2]的記者寫的。接受《統一日報》*[3]的訪問時，他曾經說：「在我父親的時代，要想盡辦法才能填飽肚子，沒時間去想這方面的事。」可是他去韓國時，有人問他：「你是韓國人，為什麼不會說韓國話？」知道他怎麼回應嗎？「我就回他一句：『我寫的日文比日本人還好。』」這就是他的回答，他在韓國受訪時和在日

*2 韓國發行量最大的報紙之一。

*3 在日韓國人發行的日文報紙。

本的回答並不相同。我來這裡之前，為了確認，曾詢問寫稿的記者：「那裡面寫的事是真的嗎？」他回答：「訪問的人是我，所以沒有錯。」如果看過《統一日報》的報導和韓國的那份解說，對つかこうへい這個人會有什麼觀感呢？應該會覺得他有雙重人格、雙重性格，或是騎牆派吧。光是一個名字就有可能在現實中發生這種事。つかこうへい在日本有很高的名聲，會產生什麼效果？關於這方面，我會在後面談到社會領導人的問題時一並說明。在此只是拿來當成例子，讓大家了解用本名會產生的現象。

昨天我參加了分組會議，談的東西正好與我之前為《朝日新聞》寫專欄「日記選錄」時寫的一篇標題是「本名」的文章重複。這篇文章裡面有這麼一段：「我去美國時，並不會變成Mr. Gold，我姓金（Kim），在日本的發音卻是 Kin，就像去了美國就變成Mr. Gold一樣。」我也在著作《韓文的世界》〔《ハングルの世界》〕中提出一個疑問：「這種現象有可能在日本發生，會在日本的媒體中持續多久？」現在如果是北韓人，因為幾乎無法知道名字的漢字，因此在日本都是直接以韓語發音，用片假名寫出來。但如果是南韓人，就知道名字的漢字。也就是說，如果南韓人是チョン・ドゥファン，就會寫成「全斗煥」。而如果是北韓人，例如金日成已經廣為人知，卻還是用片假名寫成キム・イルソン。這兩個名字同時在日本電視或媒體上出現時，就有可能一個人用漢字，另一個人用片假名。我之前就預料到，這種情況會在以後變得很奇怪，果然在這次的世界盃中，選手的名字全都是韓國發音，或是用羅馬拼音表示。不只是世界盃，世界大學運動會也是一樣，導致日本播報員經常舌頭打結。各位或許可以唸得比較順暢，因為受過訓練。這至少是接近本名的唸法。日本的媒體已經開始用本名了，不再有Kin Ryoki〔譯註：金兩基的日語發音〕這種稱呼。大概是去年八月吧，我參加NHK的電視節目，主持人田中明先生問NHK的主播：「NHK之前有本名問題的官司，今天要怎麼稱呼才好？」主播回答，田中先生可以依情況決定。熟知韓國問題的田中先生或許對NHK有所顧慮，竟然在實錄時說出「Kin先生」。連對媒體的看法和實際的見解都那麼獨到的田中明先生，在當時都必須有如此的顧慮。不過，那種時代已在急速瓦解。希望大家能夠在此瓦解的過程中，好好思考使用本名的問題。

使用日本名這事

金總：謝謝。接著要請問朴炳閏先生，日本人遇到使用日本名的在日韓國人時，當然知道他們是在日韓國人，但是用日本名和日本人接觸時，日本人會有什麼想法呢？

朴炳閏（以下簡稱朴）：這個問題和金先生剛才的話有關，現在青年會的人幾乎都是用兩種名字過生活。一個是在工作場所使用的日本名，另一個是參加青年會時使用的本名。總覺得如此區分名字有點不自然，雖然這麼想，但還是在日常生活中這麼做。例如，與日本人來往時，都是用日本名自稱。與日本人接觸時，究竟能夠當作朋友交心到什麼程度？我覺得青年會的各位必須在這方面好好思考。

各位的朋友有的是以日本名和你們來往，有的是用本名。恐怕你們會覺得用本名與人交往的朋友比較可靠。而從日本人的立場來看，雖然不會武斷地說用日本名與人交往的人不太可靠，但相較之下，他們會覺得用本名來往而有交情的朋友，真的值得信任。我們這邊的人可以明顯流露民族性，日本人也會覺得：「我交往的這個朋友和我同樣都是人，但又有不一樣的地方。」而從這裡產生新的關係。所以從信任的角度來看，本名還是比日本名更能夠建立新關係。剛才金先生說「時代正在瓦解」，在瓦解的過程中要好好思考本名的問題，我感覺終究要用本名結交朋友，才能建立出完整的情誼，真心地互相信任。

還有一個是不論是否與日本人交往，但換成自己本身的問題時，我不知道這和本名有沒有關係，但是20年前發生了一件事，本名是「梁政明」的山村政明自殺了。他家是在父母那一代歸化為日本籍。他留下的遺書中寫著：「我是地球人。下次出生時，我要當在韓國出生的韓國人。」而經過了一段時間，又發生了林賢一事件，各位應該都知道這件事，那是霸凌導致的，但是他並不是直接因為受欺侮而自殺，而是和梁政明一樣，心裡面有太多煩惱，才會選擇自殺。不只是梁政明，舉個也許不太正面的例子，高史明這個同胞作家的長男真史也是在12歲時從屋頂跳下自殺。高史明的兒子並沒有說自己是地球人。他遺留的詩作中有這麼一句：「我是宇宙人」，接著又說「只是在等待崩落」，然後他就從屋頂上跳下。以性格缺陷來說，不知道這是否是適當的例子，但這個孩子正逢敏感的少年期，即將步入青春期，卻硬把自己逼到死角。身為少數民族，不知道他是否有少數民族的自覺。因為找不到自己的位置，而斷送生命的事情就發生了兩件。不僅與他人的關係不佳，與自己的關係也因為名字而模糊不清，才會在最後走向絕路。

昨日主持人的金總領先生也提到了這種性格有缺陷的人，不知道各位知不知道這個名詞，對於性格缺陷這件事，我也有同感。還有一件事不知道算不算性格缺陷，就是作家立原正秋的著作《劍之崎》〔《剣ヶ崎》〕，裡面描寫的對象是混血兒。也許我的記憶有點模糊，但主角曾在某個地方寫出這樣的句子：「要是8月15日朝鮮民族能夠和日本民族一起滅亡就好了。」無法認清自己，就會像這樣無法認清自己的身分。我要反過來把這件事和同化連結。一旦被同化，就是背叛自己的民族，自己在毀滅的同時，也希望對方毀滅，這樣的結局真是殘酷。雖然把「名字和死亡」連在一起並不好，但自我否定實在不是件好事。

本名與真實

權：有過這樣的插曲。崎玉縣上福岡第三中學的林賢一霸凌自殺事件發生時，我與崎玉縣的日本人老師談了很多，其中包括民族歧視。有一個人說：「日本國內有中國人、北韓人和南韓人。中國人很了不起，北韓人就不怎麼樣。看看中國的王貞治就知道，他的姓是『王』，再看張本這個人，他明明姓『張（Chan）』，為什麼要用『張本』這個姓呢？為什麼要遮掩自己？可見北韓人比較差。」這段話不禁讓人心想，這傢伙到底是什麼意思？但如果張本在現實中是用Chan這個姓，這個日本人就不會有這種言論了，真令人懊惱。

可以的話，我們也不願意在生活中使用日本名。以我本身的經驗來說，離開鄉下，進入城市的大學時，我就打算重新出發，只使用本名。這需要相當大的勇氣，真的雙腳和嘴唇都會發抖。可是用了以後，眼前就豁然開朗，歷史新頁就此展開。以前叫我的日本名字，與我交往的人，都改用「權」這個姓。只要願意去試，一切都會改變！我在學生時代辦活動時，有使用日本名的女同胞找我商量，哭著問我：「我會找你商量是因為你用本名，我正在和日本男性交往，那個人不知道我是韓國人，如果我說出來，他會不會和我分手？」這裡面包含的現實問題是她希望對方真心愛她，與情人的關係中卻夾雜著謊言。就像剛才朴炳閏先生說的，最後會把人逼到死路。

我接著要說的是與父母之間的問題。譬如第一代團長經常會對我們大叫：「你們為什麼不會說韓國話？」我是歷屆中央會長中第一個不會說韓國話的，因此經常惹他生氣。「連韓國話都不會！你們要有民族意識，好好努力。」民團有多位幹部也會不可一世地這麼說，可是一旦離開了公開場合，他們就會用日本名彼此稱呼，譬如哪裡的金原先生、張本先生、高田先生。以青年的立場來看，他們根本就是言行不一，令人失望。而失落之餘，我們自己也稱呼什麼金子先生的話，就不值一談，但僅就使用日本名這一點，我們也無言辯解。可是對於第一代，我們有些話還是非說不可，尤其是對民團那些所謂的民族領袖。

金總：民團的幹部確實有這種情況。雖然表面話和真心話難免會不一樣，但民團的人會站在講台上拚命鼓吹民族性、愛國心，這是必然的。他們的表面話和真心話可是分得一清二楚。不過，不只是民團的幹部，各位使用日本名的家長又是什麼情況？這方面能不能請李奭鍾先生發言？

第一代與我們青年人

李奭鍾（以下簡稱李）：好像是輪到我來扮最壞的角色！既然我的年紀最大，就由我來說吧。我是李奭鍾，從昭和19年到昭和26年，有長達八年的期間使用日本名，而在進大學時開始使用本名。就這方面來說，我算是從二戰前開始算的第一代裡面較早使用本名的。我要事先聲明，我並沒有兩種名片。話說回來，各位有兩個鬥爭目標，第一個是要打破不用日本名就會有阻礙的日本社會，而目前已經有了缺口，如不把Kim Yangi（金兩基）稱為Kin Ryoki，而Yi Sopuchon（李奭鍾）也不是Li Sekisyo。所以各位要先去敲開不使用日本名就會有所不便的日本社會。另一個鬥爭目標是給各位取日本名的家長，他們要負起責任。以各位的年齡來說，距離解放已有一、二十年。他們的理由很多，例如生活困苦、沒什麼好在乎的，但終究是怠慢行事，值得追究。不過，相對的，各位也有一些該做的事情。譬如剛才說的，我常聽到第一代這麼說，讓人聽了就生氣：「最近的年輕人……既不懂我們的語言，也不懂我們的歷史，更不懂人際關係和禮儀。」這時候你們大可以回應：「你有兩種名片吧？請用自己的本名，而我們也會學韓語。」怎麼可以讓那一代的人推諉責任。

昨天的分組討論會上，我也說過要拜託大家，至少要讓你們的後輩一出生的時候就用本名。這是再三的妥協。現在的日本男人平均壽命70歲，女人是80歲，以後要再活四、五十年。不要在四、五十年以後，還在分開使用名片。有位先生也說，從日本名改成本名有兩個步驟，第一個是契機，各位參加這場聚會就是一個契機。其次是要劃分階段，這個階段很快就會來臨，例如各位結婚時。如果錯過這個時機，至少你們都要使你們的後輩使用本名。很抱歉這麼煽動你們，你們可以怪罪包括我在內的第一代。但相對的，第一代對你們也有所要求。失禮了。

金總：謝謝您。

金兩：剛才炳閏先生用日語發音稱呼總領先生。我們會在日常生活中無意識地這麼稱呼，連在這方面極力抗拒的炳閏先生也會這樣，雖然「金」字是念成Kim，但「總領」兩個字卻用日語發音，而不是Chonryoong。

金總：不好意思，我自己偶爾也會這麼用。

金兩：的確如此，所以我要說，台上的人不先改變，怎麼會有說服力呢（笑）！

朴：抱歉。我在私生活中會更嚴格的。

嘗試使用本名

金兩：我也經常教訓學生，批判別人時也要批判自己，我對小孩也會這麼說。我自己也是在各位的教導和指正中批判自己，所以也希望各位批判自己，也就是要give and take，必須要有超越世代的give and take。

還有一點，李先生剛才也提到了，所以我要談談我家小孩談戀愛的事。他們都有許多男女朋友，我告訴他們：「去和男同胞交往嘛。」卻一直沒聽他們談起男同胞的名字，有點傷腦筋。目前在準備重考的兒子很受日本女生青睞，我說：「你有異性緣很好，可是找自己同胞交往看看嘛。」不論是戀人還是知交都行，並不會因為用了本名就有阻礙，遮遮掩掩反而不自由。會出現阻礙是因為要隱藏實體。我家高二以上的三個人都沒有結交異性的問題，反而對象太多，讓我忙著監視。沒有異性緣的人不妨使用本名看看，一定會受歡迎的。我大學四年級的兒子和我說：「我可能會和日本人結婚。」我表示反對，女兒就跟我說：「爸爸明明活在國際社會上，卻講出完全相反的話，根本沒有說服力。」可是我有充分的理由回答她，這就留到最後總結時再說。

使用本名的聲音

金總：謝謝。本名和日本名的問題似乎在分組討論時談了很多，現在為了總結此前所有的談話，先請現場的與會者針對這個問題發表意見，再繼續往下談。請說。

河鐵也：大家好。我向來都使用本名，說到開始用本名以後的感覺，就是覺得肩頭輕鬆許多。之前長達20年的遮掩，總讓我覺得很沉重，使用本名以後，那些重擔就都消失了。我已經結婚，內人在婚後也和我一起使用本名。我們之間就是這樣的關係。

金總：你是要我們羨慕嗎？

河鐵也：不，不是，不過我的妻子還真的是個美人（全場爆笑）。

我是在青年會認識她的。內人很了不起，一直用本名勇往直前。在我有些畏懼的時候，她也會說：「怕什麼啊，我堅持要用本名。」所以我家從瓦斯帳單到所有一切文件都改成本名。小孩也是本名，所以和近鄰相處時感覺很自然。到目前為止，我們都沒有因為用了本名而被四周的日本人說長道短。反而是被我的父母和親戚當成瘋子，實在很遺憾。他們經常批評我們：「那小子是不是腦筋壞了，夫妻兩個人都瘋了，連門牌都寫出本名。」可是我改成本名以後，真正的朋友或親友都會用本名稱呼我，對我把小時候用的日本名改成本名表示理解。就算無法真正理解，經過多次討論韓國的問題、當前的局勢，日本朋友也都能夠認同。所以在這方面，自己不努力不行。

還有一件關係到身障者的事，就是我想在青年會成立手語社團，也在今年積極去上市政府的協助員培訓課程，成員總共有五、六十人，當然只有我一個人是韓國名字。由於其他人都是日本人，我憑著一股不服輸的精神拚命努力，終於修完課程，也成為那裡的代表。我在裡面與四周的日本人討論了很多事，韓國問題也談了不少。差不多有40名去那裡上課的人從我這邊了解到韓國問題，那是他們之前一無所知的。譬如歧視的事情，以前他們只聽說過，但不知道實際情況。我因此在那裡特別受歡迎。這就是我使用本名的情況，根本沒遇上什麼困擾。請多多指教。

金總：謝謝。害我捏了一把冷汗，還以為主題會變成恩愛夫妻的生活（笑）。再請一兩位發言好了。請說。

金相雨：我使用本名將近七年了。當然會用本名是有原因的。我是從中學開始參加青年會，但之前也讀過很多東西，例如第一代的渡航史、日本與韓國的歷史等，而在接觸這些東西時，就免不了碰到日本名的問題。從「創氏改名」〔譯註：1939年日本統治朝鮮時的皇民化政策，要朝鮮人將傳統姓氏改成日本姓〕開始，對我來說，這件事本身就極為矛盾。我先簡單自我介紹好了。我一直在青年會服務，境遇與此次參加「青年之船」的人幾乎都不一樣，所以有點不安，不知道是否可供各位參考。我使用本名的原因直接關係到歷史所證明的部分，另外就是以後要在日本生活的考量，到底要用本名還是日本名？要考慮歸化，還是去某個國家定居？我想夥伴們當下的想法都是要繼續在日本生活。之前青年會曾為了此次的《外國人登錄法》發起許多運動。我最感到震撼的還是國民年金的問題。如果日本人能夠對我們的存在有多一點了解情況應該會有較大的改變。我們自己也要思考，為了讓日本國民了解，我們做了多少程度的宣傳。第一代從民團、在日朝鮮人聯盟〔譯註：簡稱朝聯，1945年成立，1949年解散〕開始，到目前為止策劃了許多抗爭，但實際上在日本社會——我可知的部分——與日本人交往時，就我所知，幾乎所有人都是使用日本名。只有極少部分的人會正大光明地在門牌上秀出本名。到了第二、三代，依然沿用這種作法。

以談戀愛來說，從名字到要不要揭露自己是韓國人都是問題。但反過來說，譬如小時候受過歧視的原因之一是有很多人用了一聽就知道是韓國人的日本名，例如金田、金山，或是新井。其次是家庭環境。附近的小孩很快就會知道某戶人家是韓國人。他們並不是直接知道，只是憑著推測，歧視就是這樣開始的。我知道很多例子是，一知道是韓國人，就不會有那麼大的歧視。我確實聽過從小就用本名的人說，他完全沒有受到歧視的感覺。我個人要以韓國人的身分生活，也希望同胞社會變得更好。為了有助於日本社會的發展，我們能夠在自己的層面上做到的事，就是思考如何主動去宣傳，當然這時候就要用本名，堂堂正正地說出自己是韓國人。如今的時代已經可以這麼做了。以前會被丟石頭、被人欺負的時代已經結束了吧？

實踐民族教育

金總：謝謝。我們時間有限，所以要繼續下面的主題。因為要避免重複，今天已經以民族學校為中心，請李奭鍾先生和鄭夢周先生對談。民族教育，尤其是以民族學校為中心，是以什麼方式進行呢？民族學校的教育內容又是如何？關於民族學校的學力，各位之前都聽說過，有些是傳言，但有些是事實，水準究竟如何呢？如果學生的學力無法提升，即使能提供民族教育，家長也不會把小孩送去念。這個問題需要大家來討論。實際上也很遺憾，民族學校目前只有四個是韓國系，做為一種社會教育的民族教育，對各位來說，像國語講座、民族教養講座等應該是比較切身的問題。

有些人也提出這方面的問題，例如「高槻木槿會」〔譯註：1972年由在日韓國人在高槻市設立的組織，讓年輕人有地方可傾吐煩惱，無窮花的學名為木槿，是韓國的國花〕。比這個團體成立更早的，大阪的八尾市也有一個組織，稱為「八尾獨腳鬼會」

〔譯註：韓國神話傳說中的獨腳妖怪〕，今年應該是第12年了。這些人住在八尾市的安中町——典型的同胞群居地，居住的都是窮人。該區的有志青年為了照顧區內素行不良或容易誤入歧途的青少年，而成立了這個組織協助他們做功課。後來取得該區部落解放同盟的支援雖然有些特殊，但無論如何，在獲得八尾市的教育預算贊助之前，已有十二、三年的歷史，在該區繼續做為社會教育的一環，持續提供民族教育。同樣在地區組成的兒童會，除了之前提到的「高槻木槿會」之外，川崎也出現了以教會為中心的「社會福利法人青丘社櫻本托兒所」。另外還有大阪的「蛇草」等，東京的荒川也在去年成立，雖然規模很小，但也是以在地區施行民族教育為目標。類似這樣的運動或活動已經在各地萌芽了。

對各位來說，民族教育終究還是要以一種社會教育的方式展開。雖然與之前民族學校中的民族教育問題有點不同，但是對聚在這裡的各位而言是相當切身的問題。李奭鍾先生對這方面有什麼看法？

李：談到教育時，不能不連帶談到家庭教育、學校教育、社會教育，甚至終身教育。早上的議程跳過了家庭教育和社會教育的部分。我們同胞的家庭教育相當困難。我昨天也和一些人談過，第一代雖然有意讓小孩接受民族教育，卻沒有能力。他們幾乎都沒有上過學。所以各位的父母應該都曾一再叮嚀你們，要努力讀書，才不會輸給日本人，但是遇到難題時他們根本不教。所以他們終究是心有餘而力不足。第二代在這種環境中長大，雖然有能力教導，但那是學力上的，重要的民族性方面的卻沒有紮根。再加上沒有意志力去驅動，所以不具有民族教育的能力。這是我們在日同胞的一般情況，但並非全部如此。

我想在這裡拜託各位青年，你們當了父親或母親之後，一定要成為有能力提供民族教育的父母。這一點相當重要。如果做不到，我就必須撤回剛才提到的將會發生的回歸現象。我對各位寄予厚望。回歸現象有內外在條件，我只在這裡談內在條件，內在條件就是民族內的文化繼承。可是現在的在日同胞父母親幾乎都不能給予小孩民族教育，這也是我必須拜託各位的原因。剛才會長也拜託過，要結合青年的力量來成立兒童會，讓小孩和各位一起讀書。各位要獨自去學韓語會很困難，但如果你有必須教別人的壓力，就一定學得會。所以你們要去學習國語〔譯註：韓語〕和國史〔譯註：韓國史〕，除了磨鍊自己之外，對兒童會也有好處。拿我昨天說過的建國的例子來說，有位從日本的小學畢業，念完日本的中學、高中和大學，就來我的學校當老師。他是第二代，不懂韓語，因此花了一年時間在校內學習，終於從今年四月開始擔任小學二年級的韓語老師，結果學生的學習效果比來自韓國的老師還要好。

所以我希望各位能夠去從事社會教育的工作。為什麼我要這麼拜託各位呢？民團也有許多人可以指導，但是多半缺乏吸引力。如果是由各位來做這件工作，提供的教育應該會比較有吸引力。缺乏吸引力並不表示沒有能力，而是沒有經驗。沒有團體生活的經驗，就會缺乏吸引力。各位都具備這樣的基礎，所以能夠與人相處，能夠與小孩和社會人士相處。各位只要學習韓語和韓國史，就能擔負同胞社會的社會教育。

擔起這個責任，對你們有益無害。各位透過這種活動，可以預先訓練對自己後代的民族教育。很抱歉，我淨向你們要求拜託。

話說回來，我剛才和會長說過：「你對年輕人有點過於嬌寵，只擔心年輕人很累，我都60歲了，還比大家晚二個小時睡覺，早上起牀還是精神奕奕，怎麼會累。」我向他抱怨了幾句。我也會盡量做到累倒為止，希望各位也一樣。不要還沒做就說不行。真對不起。

民族教育的累積

金總：謝謝。關於民族教育，還剩下一些時間，可以多談一點。

朴：關於社會教育，剛才提到了八尾、高槻、青丘社，我可以稍微介紹這些團體的實際情況。尼崎的「兔子兒童會」、高槻的「木槿兒童會」，以及八尾的「獨腳鬼兒童會」從開始到現在都已超過十年，青丘社還更久。我要介紹的是這裡面的高槻和八尾。尼崎市的有四個人，由青年會成員在只有四疊半榻榻米大小的地方開始，高槻是高中畢業的李敬宰成立的，從為一兩個成績吊車尾的學生補習開始。八尾剛開始的對象則是不良青年。現在高槻在做的就是我們所說的民族教育，但是在行政上是地區的社會教育活動，因為是這樣的定位，所以應該由市公所支付在「兔子兒童會」或「木槿兒童會」工作的指導員薪水。也因此指導員是半公務員的身分，領政府的薪水，號召同胞推展兒童會的活動。這一點是大家需要知道的。

八尾的情況也是一樣，將「兔子兒童會」定位為地區的社會教育活動，所以可以接受政府撥款補助，在大約三年前拿到1,000萬的預算，場地也變得很氣派。好像有人很驚訝，但這樣的努力並不只限於這三個地方，相關團體於到處像雨後春筍般成立，由不參加青年會的同胞青年在各地組成。因此，也許在同胞的學校由同胞老師教導同胞學生的民族學校是最理想的，但另一個重點是，如何把分散的同胞集合起來，由高中生教國中生，或是大學生把高中生拉上來。青年會的人與高中生和大學生一起合作，讓民族教育或社會教育在這些地區紮根，再一一往外推展，同時活用在青年會的活動中。這方面也是要請大家思考的。

金總：總括李奭鍾先生和朴炳閏先生的談話，就是不要認為沒有提供民族教育的學校，小孩就無法受到民族教育。希望每一個人都能夠在地區建立做為一種社會教育的民族教育，成為這方面的領導人。在努力成為這種領導人，或是當上領導人負起責任時，就可以逐漸成為民族教育的推手。很抱歉要加快討論的速度，因為只剩下20分鐘。最後要談的是朴炳閏先生所說的1991年的問題，之前他沒有講清楚為什麼要談這個，請朴先生再次說明。

民族教育在1991年問題中的位置

朴：因為只有20分鐘，我只能用五、六分鐘來整理。各位都知道，距今20年前的1965年6月22日，韓國和日本締結了在日韓國人的法律地位協定。其中第一條是永住權，第二條是永住權的期間，第三條是其中的內容。現在只就期間來說明。永住權是從1971年1月16日……

金總：能不能請你寫在黑板上？

朴：簽約日期是1965年6月22日，1971年1月16日是協定永住的期限，一般稱為協定永住第一代，當然在那之前出生的第二代也包括在內，這方面姑且不論，1971年1月16日無論如何都是協定永住的第一代。在1991年1月16日為止的25年間，沒有釐清的部分要再次協商。哪方面還沒有釐清呢？就是1月16日截止後，在1月17日出生的零歲小孩是屬於協定第二代。這個人滿20歲時就是1991年，以後出生的小孩並沒有明文規定有永住權。韓、日閣員會議中曾談到要在年底前討論第三代的事，卻沒有下文，到現在還是未知數。在這25年期間，如果韓國政府要求日本政府，而日本政府答應再協商，協商就會開始。如果韓國政府沒有要求，就不會重新協商，不過韓國已經提出要求，協商也已啟動。

永住權只到25年為止，如果等到25年快屆滿時才協商，就來不及了，所以今年的閣員會議已經展開作業。如果考慮到實際情況，這個零歲小孩是女生的話，現在已經在16歲，可以結婚了……。

金總：理論上16歲生小孩是太早了。

朴：只要父母親允許，16歲就可以合法結婚，生小孩。今年是1985年，現在當年出生的小孩已經14歲了。

金總：沒錯，14歲了。

朴：是的，今年剛滿14歲，可是如果要生育，生理上是有可能的。不論是否有這樣的情況，再過2年就會出現16歲的同胞，有父母的許可，結婚生下小孩，這個小孩就是第三代，沒有協定永住，就只有特別居留許可。因此，理論上到了後年，第二代小孩就可以結婚生下小孩，不用等到1991年，就開始使用特別居留許可。關於居留資格，除了這個問題，法律地位協定上還有三個重點，就是社會保障、居住權和教育權。

姑且不論我們是否可以在這裡論斷定居外國人的事，但是從歷史背景來看，青年會的主張應該是所有社會保障都不應該有國籍限制。根據法律地位協定，目前在社會保護方面，我們只有國民健康保險和生活保護這兩種，其他部分都沒有，因此各位必須要用社會運動去爭取，這是大家要有的觀念。至於居住權，特別居留許可已經開始，與此同時七年以上則會被強制驅逐出境，這項條文也必須從法律地位協定中除去。還有在民族教育方面，要如何在制度、法律或財政上獲得保障等這種強化民族主體內容的工作，應該也會成為接下來的課題。

我們面對著21世紀，要如何跨越1991年呢？這正是要由各位去擔負的重任。有件事要告訴大家。1965年7月有一份內閣調查室公布的文件，當時李東旭外務長官和佐藤總理最後為了解決協定永住的事，在晚宴上交換了祕密文件。對於協定永住，李東旭外務長官說：「請延續到子子孫孫」，得到的回答是：「不行，如果是子子孫孫，那就是永久條約了。」李東旭外務長官還說：「25年後我應該已經死了。」佐藤總理也表示：「我那時八成也不在了。就交給當事者處理吧？」這件事就在兩個人乾杯後劃下句點。我覺得他們所謂的當事者就是各位了。

李：主持人，請給我一分鐘。

金總：好的，請說。

李：剛才朴先生談到法律地位、居住權、人權、保障、教育權的問題，所以不好意思，請翻開講義第38頁（資料24：「1984年度結算百分比」）。萬一各位懷有疑慮，以為我一直拚命鼓動大家去抗爭，自己卻在房間裡睡大覺，就傷腦筋了。

這是我們學校1984年度結算的百分比，最上面的金額是學生付費收入，占26%，本國補助金有大韓民國的補助金占25%，其次是大阪府的補助金21%。為了得到這筆補助金，我們花了四年時間，證明了只要肯努力，就能夠領到政府的錢。今年的金額是8,200萬再多一點。可是我要給民團一個忠告。剛才說已經用掉了十幾億，其中包括大阪府給的錢。再請看一下。理事會的自負額是13%，民團的援助金是3.5%，所以我一開始說的民團的民族教育只有口號，沒有內容。請民團多花點錢在民族教育上。拜託。

金總：竟然趁機要求民團撥款了。說到1991年的問題，如果我們子子孫孫的法律地位沒有受到保障，父母和小孩的法律地位

表1　資料24　1984年度結算百分比

收入部分		支出部分	
學生付費收入	26.1%	人事費用	60.7%
本國補助金	25.0%	教育研究費	13.8%
大阪府補助金	21.0%	管理費	13.9%
理事自負額	13.1%	設施設備費	3.5%
民團補助金	3.5%	其他	8.1%
伙食費收入	2.9%		100%
其他	8.4%		
合計	100%		

是要分開還是一起都不知道，處於這種不安定的狀況下，確實需要好好討論。戴先生，您對居住權有什麼看法？

新地平線、定居的外國人

戴：在談問題之前，我要以華僑的身分提出對民族教育的看法。各位先生會主張要有民族教育，應該是因為受過殖民地統治，或是在戰後不幸的對日關係中，民族主體性受到傷害、消滅或壓抑，而意圖恢復原狀，重新往前看，創造層次更高的民族主體性吧。可是民族主體性有時候可能也會有極端排他的一面。日本以前就是為了自行對抗歐美列強，或可能懷抱著黑船以來對外界的警戒心，而產生日後的歷史，亦即講求內部民眾的統一、由大和民族主導的日本式團結。日本人把歐洲的先進「民族國家」當成老師，從大和民族變成日本民族，再接連贏得中日、日俄戰爭，成為帝國主義的日本，而繼續侵犯我們。

可是我們現在想要進行的民族教育和民族主義，與明治、大正到昭和初期的日本形式有本質上的不同，我覺得這是我們必須要先確認的地方。這是新的變化。因此，我想要拜託校長先生、各位領導人，甚至年輕的各位，務必要與有心的日本人合作，以積極的態度去探討今後在日本要如何結合民族教育與應有的國際人教育，重新去創造。

我們的民族教育可以做為一種能夠讓日本人理解的理論根據。如果進行的民族教育只是向年輕人大力宣揚祖國的偉大、歷史的悠久、文化和藝術的絢爛，效果應該不大。中國有句俗話說：「言教不如身教。」亦即應該以身作則而不是說教。可是知道是一回事，做起來又是一回事。這就是我聽了各位的話以後想要補充的。

再談下一個問題。1981年春天，我和田中宏先生、立教大學的同事澤木敬郎教授三人討論中國的新國籍法，以及與「華僑」有關的國籍問題。（參照《日中經濟協會會報》1981年3月號）對我來說，當時的日本已有相當的經濟發展，有餘力顧及其他，而且也在戰後奠定了議會民主主義的基礎，日後如果不走向國際化，日本就無法維持。可是國際化應該始於足下。國籍的英文是nationality，市民權是citizenship。我建議賦予我們有永住權的定居外國人類似residentship的權利，亦即「居民權」。我住在東京的杉並區，繳了相當多住民稅等地方稅，卻沒有相對的權利。我覺得這個權利的形式可以是參與國政之外的都政或區政。為什麼會這麼想呢？因為我們是區民，也是納稅人，會把小孩送到區內的學校。我們和日本鄰居共享杉並區的生活。如果我們居心不良，故意在杉並區傾倒會製造公害的物質，當然馬上會被警察逮捕。先不提這個，我想如果我們能積極參加都政或區政，所有居民的生活會更充實，彼此關心，分擔憂愁或共享快樂。

我們行使區民權、選舉權，或是被選舉權時，這個區會有更充實的國際化生活，一點也不會侵害到日本的國權，也不影響日本的外交。我認為這個階段應該就要來臨了。今天朴先生談到參政權，所以我想把我四、五年前的想法說出來供大家參考。也需要有心的日本人一同思考，努力去實現。這對日本人來說並不是壞事。我們對區公所反映不同的想法，能使日本國內的精神層面、對事情的看法更加國際化，使國家變得更強大，不論在國內外都能負起符合經濟實力的世界責任。我們具有永住權的定居外國人扮演好居民的角色，從國內支撐或促進日本國際化，讓日本更加豐富，不是很好的一件事嗎？這一點需要大家一同思考。

金總：謝謝。戴先生是說，我們的主張必須在日本取得開明人士的理解，除了為我們自己之外，也要為日本社會思考應該採取什麼活動或方向，同時去爭取可譯為居住權的residentship，也就是區民的權利。另外，在朴先生的1991年問題中也提到，我們今天在青年之船第一堂課的基礎演講就斷然從國際化的角度出發，亦即少數民族、民族性的問題，再次從散布在地球上的民族或少數民族問題開始，藉以對照我們本身的問題。戴先生的著作中也有這樣的觀點，亦即分開去思考政治認同、社會認同，以及文化認同時，就能夠更開放、更寬鬆地解釋少數人的問題。洪先生和戴先生也都提到過這種從全球規模，站在地平線上的觀點。

我們當然要有身為地球居民的自覺，為地球或人類社會努力，讓所有民族，所有少數人都能夠與多數人共存。而為了堅持走在這種普世的道路上，我們就不能不去克服特殊障礙。可是，很遺憾的，這些障礙並不單純，裡面夾雜著歷史因素，在社會和現況中產生阻力。為了未來人類社會的和諧，我們要抱持理念，讓世界上所有少數人和民族都能夠共存，不受歧視。在朝向這個目標時，我們的國語問題也是身為在日韓國人必須思考的問題。這是朴先生談話的重點，請朴先生再針對這一點說明。

少數民族的質與「國籍」

朴：問題愈來愈困難了。不只是國籍，以國際化來說，我們正迎向21世紀，尤其是在座的人都要帶著小孩在21世紀生活，日本恐怕會進入高度的管理社會，形成更豐富的資訊化社會。價值觀會趨於多元，創造出更豐富多元的文化，思想、人權和民族都要共存。我不知道這麼想對不對，但是以最樂觀的方式去想，如果這麼成熟的社會在21世紀產生，我們少數民族會以什麼樣的文化，或什麼樣的認同，什麼樣的民族性或國籍和他人共存？這是我們要去面對的課題。簡而言之，就是我們要努力創造一個地球村，讓所有人類或民族、個人把擁有的好東西拿出來和彼此分享。屆時我們每個人要帶著什麼東西去參與？帶著什麼樣的民族性去參與？如果屆時我們的生活還被綁在某種特定的價值體系、某種特定的文化體系裡頭，根本就沒有東西可以拿去參與。所以我認為今後要檢討的是，有什麼東西可以讓我們帶去參與。

國籍以外的東西倒是可以整理清楚。我們可以帶著韓國的文字、語言、文化去參與。可是帶著韓國的國籍面對這種成熟的社會，參加地球社會或地球村就稍有難度了。有人認為，這種社會是讓人把寶貝帶去與人分享的平台，要建立富裕的地區社會、更富裕的國際社會，並且去面對或參與如此的社會時，還需要花費很長時間。把這一點當成共通的理念時，大家對國籍的概念就不會那麼絕對，所以我們現在大可不必太拘泥國籍。可是我認為其實相反。在這種成熟的國際社會上，為了避免成為國際孤兒，我覺得以什麼立場、國籍、民族性和人權觀點去參與是非常重要的。前面的演講也提到，在可以從170個國籍中隨意挑選的日子到來之前，應該要避談選擇國籍。即使社會進展到可以從170個國籍中挑選，我們也要以韓國籍加入。這個世界散布著1,000種以上的民族，為了建立每個民族的生存都受到保障的國際社會，繼續以韓國人、韓國民族的身分生存似乎有點矛盾，但就是要在這樣的對立中創造新的社會。縱使國籍不同，也要去尊重每個人。反過來說，縱使社會能讓人隨意改名，再怎麼樣也要去尊重自己和對方原始的名字。這就是人權觀念或維繫民族性的民族觀，國籍也是一樣。我們目前是在日本社會擁有韓國籍，主體性地生活著。在維持此主體性的過程中，日本終究會逐漸開放。我們就是要在這裡建立這樣的社會，所以國籍和名字、民族性都是我們的寶貝，也許這麼說有點極端，在某種意義而言，或許如同宗教吧。

話說回來，這位校長都已60歲了，第一代還懷有恨意。五、六十歲年紀的人都經常往返日本和韓國，分開使用日本名和本名，日語也很流利，而到了像我這種四十幾歲的人，不知為何青春沒有完全燃燒，就渾渾噩噩地活到現在。至於三十幾歲的人，就還在迷惘之中。雖然不能一概而論，但二、三十歲的人到各位這一代都還在迷失，更像無根之草。在你們下面的一、二十歲的人，將會從這樣的歷史中重新蛻變。希望你們不會讓小孩去否定自己。就這一點來說，現今的歸化制度不承認本名就是在否定人權，否定民族性，也就是否定我們的主體性。目前離選擇國籍的時代還很遙遠。有誰能夠改善日本以歸化制度否定我們的歷史、我們民族的這種體質？我認為只要我們好好努力，情況就會改變。我這番話或許並沒有回答問題。

「在日」的歷史生命

金總：謝謝。我們要繼續談從國籍延伸出來的問題。我這個主持人要補充一點，就是韓國和日本的關係，一個是受過殖民地統治的國家，另一個是殖民地的統治國，不論是我們的法律地位還是人權，都要從這裡出發。

還有一點，日本社會在歷史上向來都是島國，由於極為特殊，才能進行範圍廣大的貿易，達成現今的經濟規模。但以從事國際性經濟活動的國家來說，令人吃驚的是，日本國內並沒有為以後在國際社會中生存做準備。

而且在發展過程中，對於我們這些少數分子、民族性問題，日本在1945年8月15日根本無心解決。因為這樣，各位才會在今天聽到這些非常複雜的法律問題，如剛才的「4-6-1」*4、「4-16-3」、「4-16-2」*5，還有協定永住第二代、第三代的事。沒聽說過的人，一定會覺得這些數字莫名其妙。而且又有1971年1月16日、1991年1月16日，以及更早時提到的1966年1月17日這些日期，實在很複雜。與我們的居留權有關的法律就是在這樣的背

*4 據前後文來看應指4-16-1，是與日本人之配偶或者子女之居留資格之相關規定。

*5 1952年《舊金山和約》簽訂後，繼續居留在日本，但喪失日本國籍的人（韓鮮、台灣），日本制定特別法，允許其永久居留，但不包括其子女。對其子女之居留則另以《出入國管理法》之條例規定。4-16-3（4-1-16-3）是針對子女，4-16-2（4-1-16-2）是針對其孫子輩，屬於特別居留，且須不斷申請更新延長。

景下產生的。

因此，各位出生時，不論你的個人好惡，所有的歷史都反映在各位的法律地位和現今的人權上。這些問題就是歷史的問題。各位再怎麼不願意，日積月累的歷史還是要由各位扛起。想要克服，只有一個解決辦法，就是具備歷史生命力。要具備歷史生命力和歷史活力，才會有我們。換句話說，我們要團結起來，讓子子孫孫繼承我們的傳統，一邊擁有國籍一邊跨越國籍的限制，邁向和諧的人類社會。綜合大家的想法，我想這應該就是必須在現實中拓展的具體路徑。

剛才也談到了父母的問題，親子問題是全世界共通的。父母養育兒女，小孩從父母那裡接受寶貴的精神資產，然而也要去跨越父母在他們的時代受到的限制與束縛。新的社會的發展就是在這種過程中產生。站在這樣的立場上，在1991年的問題被提起之前，各位究竟要怎麼辦？這一點就由青年會的會長來總結吧。

權：首先，我們在此時此刻的結論是，我們還是有以在日韓國人的身分生存下去的希求。這個觀點並不只是來自韓國人與日本人狹隘的關係，也是想要從世界潮流、人類進步的軌跡等全世界的立場來檢視我們的存在。在此基礎上，本名是現實生活中的基本問題，才會浮上檯面。這場討論會有一個具體結論，就是我們自己要訂立階段，製造契機。契機就在你的生活史、生活步調或人際關係中。希望各位能夠從中找到契機，先從做得到的地方開始。每一天都會有戲劇性的場面或變化，突然要改回本名真的很困難。最近有青年在拒絕按捺指紋的同時也把日本名改掉了，這件事就是極有意思的契機。像結婚、小孩出生，或今天是3月1

日都是每個人可以考慮的契機。就像俗話說的「誠欲致士，先從隗始」，從能做的地方開始做。

接著要談民族教育。剛才有人提到重要的觀念，就是我們非得以領導自居不可。依我本身的經驗，以前仙台的韓國青年同盟曾經來福島，在人口稀少的猪苗代湖舉辦兒童夏令營，教給我們許多事。聚在這裡的我們不也可以做出同樣的貢獻嗎？我們不也能成為親切可靠的韓國、朝鮮大哥哥、大姊姊嗎？立刻展開這類活動，應該就是我們今天討論民族教育的結論。

至於1991年的問題，結論幾乎與朴先生的發言一致。之前的9月底，韓、日召開定期的閣員會議，決定對住在日本的第二、三代進行實況調查*6。我們必須留意的是，實況調查一定要反映出我們在日本土地上生活想要保持民族性的心聲。日本政府會依自己的方便去書寫教科書內容，想到他們這種體質，就令人害怕。我們具體上需要什麼樣的法律，想要改變什麼的心聲，都必須彙集出來。

最後，針對以後的課題，最要緊的應該還是在日第二、三代的內部充實化工作吧？這是我在追究按捺指紋問題時之感。當初在推行《外國人登錄法》修正運動時招致許多反彈，其中最大的聲音是「那是必要之惡」的主張，亦即被強制按捺指紋儘管令人討厭，但也是沒辦法的事，因為平常假裝是日本人的同胞，或即使完全被同化的同胞，都必須按捺指紋，一旦遺失外國人手冊而

---

*6 本文中討論的「1991年問題」在1991年1月舉行的日、韓外長會議中達成協定，制定《出入國管理特例法》，對戰前日本舊殖民地國出身者及其子孫均給予特別永久居留許可。

被帶到警局時，就會被揭穿朝鮮或韓國人身分。如果沒有這條法律，同化的傾向會更強，所以有拒絕按捺指紋會連接到同化的主張。

被日本人以不愉快的方式揭穿而萌生的民族意識又是什麼呢？本來民族意識就是上一代傳給下一代的寶貴傳承，也是民族教育的一大支柱。到目前為止，民團一直只是用口號在宣揚民族教育，青年會也是一樣。雖然明知很重要，卻什麼都沒做。可是我們現在要透過按捺指紋的問題，不倚賴歧視的法規，靠自己去塑造民族意識。這是我們可以從切身經驗得到的結論。除此之外，還有一個新的重要課題就是「文化」。這應該可以從最先提到的我們是在日韓國人時顯現出來。不是去模仿祖國，而是將我們的想法以及生活中遇到的各種困苦、煩惱與悲喜的劇本表現出來。

可是很遺憾，能夠表現的方法和場地相當有限。我們在放眼文化領域之前，要先去和日本社會、日本政府抗爭，及面對祖國分裂等棘手的問題。儘管如此，我們是活在1980年代後半期，是在日本社會生活的青年，也是在日韓國人，既不是日本人，也不是本國人，所以要去創造只有在日韓國人才有的東西。這就是我要在此所下的結論，金兩基先生也會在後天的總論中談到。

金總：感謝各位先生和現場聽眾長時間的參與。

本文原刊於《'85「青年の船」報告書——新しき水平に向けて》，東京：在日本大韓民国青年会中央本部，1987年12月15日，頁151～183

要培育健康的亞洲認識，應踏上亞洲之「旅」找回人性

◎ 劉淑如譯

——：我們知道戴先生是於1955年秋天初訪日本的，對於當時的日本年輕人，不知您是否有特別印象深刻之處與軼聞趣事？若有，請您談一談。

戴國煇（以下簡稱戴）：我在大學當主任時，學生的父母親一聽說上課的老師來自台灣，都很訝異，有個學生的母親甚至還跑來一探究竟呢。不過，當他們看到我出現在電視上，尤其是NHK的教育電視台後，都認為我是相當不錯的老師，給予我極高的評價。另外，還曾經發生過，來上我討論課的學生一說想要去台灣，他的父母親就急忙回應：「要出國的話，就去歐洲，錢我們會出。」當時我還很驚訝，心想這是怎麼一回事呢！

台灣距離日本最近。日本由於殖民統治台灣50年，照道理說，日本人應是最該了解台灣的。

不過，實際上日本人對於台灣幾乎不了解。經常聽到日本人說：「去台灣那種地方，萬一得到傳染病的話……」，或者「要是發生什麼的話，就……」之類的話。而其實相較之下，紐約還可怕得多呢，可是父母親並不了解這種情況。我班上有個學生的

父母親，反而因為女兒去台灣而對台灣產生興趣，後來就常常去。

另外，有一個故事也同樣發生在日本大學生身上。那位學生的弟弟出生時的接生醫師是台灣人，他說，聽媽媽說，當時大家都很擔心。那位醫師是我的學長，他是慶應大學畢業的。大家因為他是外國人、是亞洲人，而且還是台灣人而擔心。如果是白人醫生，他們就不會有那種情結了吧。那種情結老一輩的日本人都有，它不知不覺也滲透到戰後的世代。而那位學生雖然並未學過也未聽說過日本將台灣殖民地化的歷史或南京大屠殺、霧社事件等，但卻對於接生自己弟弟的醫生是台灣人一事直覺得不舒服。這就是因為和家人生活的經驗累積使然，才會不知不覺養成了構成「生理性言語」的一部分的亞洲蔑視感。從這些例子可知，日本長期以來的以歐美為中心的，以及「白人」的價值觀優先的，而在物理上的距離，亞洲雖然實際上距離日本最近，但在心理上的距離，卻是遙遠的存在，這點頗令人感慨。

——：您剛剛提出了相當嚴厲的批評。接下來想請教您對於日本近來的狀況，尤其是日本應付第三世界的態度，不知您有沒有什麼感想？若有，能否請您談一談？

戴：幾年前我去美國，回來後發生了兩件令我驚訝的事。

這兩件事和韓國全〔斗煥〕大總統的訪日有關。對於日本政府的作為，據我所知，日本媒體並沒有展開批判。他是第一個事例吧。而這是否是日本人對韓國人的一種贖罪意識呢？後來我對媒體說，「光用贖罪意識來處理那樣的報導，令人感到困擾。你們應該先好好批判他獨裁的一面，再歡迎他，或者定位他的訪日，應該這樣報導才對。」萬眾同心式的贖罪性的處理方法是很日式的，它總是以大家常提到的日本社會的集團主義之型態呈現。這有點可怕呢，因為它跟言論統一、劃一化的根源是相連的。

另一件事，是非洲的援助運動很了不起。而日本人對於非洲饑荒的救援心情，這麼好的一個胚芽，我們要如何孕育它呢？我無意潑冷水，不過，從事這項運動的政府方面的人，他們的意圖是什麼呢？我會這樣質疑是因為它太過唐突了。我聽一部分人說這與在聯合國的投票有關。先認清官民間的矛盾後，再踏踏實實地去從事市民的救援運動，這才是重要的吧。他們的意圖這麼明顯，恐將招致惡評。

亞洲和非洲應該都贊成日本民眾對他們的關心吧。不過，我想他們也期待日本能夠先稍微對非洲目前的飢餓問題有結構性的認識之後，再展開持續性的援助活動。

——：您剛剛所提到像是「結構性的認識」或「歷史性的認識」，這些不只在年輕人，在所有日本人的心中都很淡薄，這點我們時有所聞。而有關年輕人的亞洲認識，您是否有特別印象深刻之處？

戴：日本年輕人的亞洲認識有兩個面向。

目前，日本資本主義正來勢洶洶地以全球性的規模延伸其觸角，而生產力的規模又極為可觀。學生的意識甚至其周遭的氣氛，在一兩年之內就會改變。也就是說，世界的變化很快，年輕人敏銳地反應這種局勢。至於年輕人如何長遠地思考自己的將來，這是完全不可能預測得到的，這或許很無奈。而同時，年輕人也是短視近利的。高科技產業流行起來，他們就一窩蜂地趨之若鶩；聽人家說「金字邊」的產業很安全，就往銀行鑽；一聽說商社的前景不穩定，商社的人氣就下跌。不知不覺他們就變得容易被捲入日本資本主義快速的步調裡而迷失自我。年輕朋友關心亞洲，這個意義我很想把它想成是健康的，但一想到能否在帶有年輕朋友的主體性的獨立思考中期待他們的亞洲關懷，我就不得不悲觀起來。

大眾傳播對年輕人的影響很大，例如像是電視上一談論起亞洲問題，他們就有所反應，反之則不願意對亞洲表達關心。他們想購買的書是「how to」〔譯註：入門書指南〕之類，或者是旅遊玩樂的雜誌，至於單行本之類的書則不太買。他們有興趣的作家主要是大眾傳播中的風雲人物，認真的學者他們則似乎敬而遠之。

在那樣的情況下，戰爭的評價或是殖民地統治相關事實則成了愈來愈遙遠的事。年輕人要是打工賺了一點錢就想去夏威夷衝浪，所以要期待他們有健康的亞洲認識，是變得愈發困難了。

——：以我們來說，我們很努力地想要盡量挖掘多少對將來有益的面向。在這方面，您是否有能夠對年輕人抱持希望的素材呢？

戴：所幸有救的是這兩三年亞洲相關的書籍賣得很好。舉個例子，聽說弘文堂出版亞洲方面的「更想知道」一系列的書籍時，連「緬甸」一書都三刷呢。何以緬甸會暢銷？出版社負責人自己都感到訝異。在此之前，緬甸相關的書籍都賣得不好。或許跟社會脫節的年輕人想要「與未知邂逅」，進而想從誰也不會去的地方發現生存價值跟興趣。另外就是，若是要去玩的話，亞洲既便宜又簡單方便。還有，可能也因為緬甸總是擺脫不掉「政情不安」的形象，而使他們感到有趣。總之和十年前相比，亞洲方面的書變得較為暢銷，這是好事。

只是中國・東南亞等日本資本主義活躍的空間正如火如荼地擴張中，若是因此而使得亞洲的書籍變得暢銷，我想這也可以視為是日本資本主義的氣勢增強的一種反映。總之，年輕人如何培養健康的亞洲認識是很重要的，而本人也想為此努力。

——：要培養健康的亞洲認識，有無具體的方法？

戴：中國有句俗話說，「言教不如身教」。光是嘴巴說說是不行的，要有效果的話就必須以身作則。我想，透過實踐去教導是很重要的吧。也就是說和年輕朋友前往亞洲，共同進入亞洲人的生活，從中發現一些東西，這種形式的累積是有必要的。不過，這當中的陷阱是當年輕人看到「亞洲的貧窮」這個事實時，他們能否看得出貧窮的結構性理由？光是帶著「亞洲很貧窮」的實際感覺回來，只是這樣就結束的話，只會留下一些問題。

立教大學從幾年前起就帶著學生在菲律賓的山上露營，做起志工運動。原則是不能過超越當地民眾生活水準以上的營區生活，限制「有錢學生」的行動，不那麼做的話就很容易將菲律賓村子裡雜貨店的商品全部買完。大約生活了三個星期，學生們都看出村子實際的狀況或他們的貧窮。另外，我們帶學生到通都（Tondo，馬尼拉的貧民窟）去時，學生幾乎啞口無言，面色凝重。不過，在此感情呈現出兩極化，一種是因受到驚嚇而感到害怕的感情，一種則是非做些什麼不可的感情。

上面提到的是以從菲律賓看日本甚至全世界的這種形式，藉由體驗來認識亞洲的有效且重要的一個例子。這當中也是有危險性的。因看到極度貧窮而不知如何是好的日本年輕人來說，認為和自己相同的人，卻只過著此種程度的生活。他們也有可能沒能將思考的廣度帶到其歷史性結構的理由之中，而蔑視亞洲。當我向學生們分析，那些人的生活是由於外國的侵略及企業投資的經濟活動而受到破壞、支配時，大家都鴉雀無聲，但也只有極少數的人從此開始摸索自己的生存方式。

這些學生們將來會以何種形式和亞洲產生關係，值得觀察。

這項運動還有後話。為數不多的參加學生各自提供存款，招待菲律賓人來日本，提供他們獎學金，及收集舊衣並整理乾淨，去菲律賓時就帶過去。這讓當地人很感謝。不過我們必須時常自我警惕：施惠行為是否破壞了當地人的主體性。因為要是事情演變成他們一伸手就能得到些什麼的話，最後就會破壞他們自力救濟的努力，而一個善念，也就容易導致為對方招致惡果的結果。另外，這項運動也有困難之處，當地人經常懷疑我們，擔心我們會不會成為日本政府的馬前卒。在他們看來，只是學生身分就能夠靠打工籌出旅行費用是他們當地不可能發生的事。若是以施惠或者做慈善事業的心態從事這項運動，是不會持續也做不起來的，學生自己必須思考能夠打工去菲律賓這件事情的涵義。

——：透過實踐大學生如何改變了？您剛才為我們介紹了一項非常好的活動。最後請您就高中生的亞洲認識問卷調查結果，給我們一些建議。

戴：要培養年輕人健康的亞洲認識，在充滿虛偽矜飾的現代社會裡，處於被時間，以及被經濟掛帥主義的虛構等追趕的現實生活當中，如何能夠提供年輕人亞洲認識的契機，以校園生活來說，應該就是要看教師是否再怎麼忙，都能夠撥出時間和學生相處而定吧。

就此意義而言，最近，前往韓國、中國畢業旅行的高中有所增加，我想這是件好事。要找回人性，我認為首先可以多嘗試到亞洲去畢業旅行，而非歐洲或者美國。若能透過「亞洲」重新審視日本及自己的生存方式，進而了解這個世界，這是非常好的。年輕人若能在這種累積當中留意亞洲，進而也能重新發現日本，也就是說，我認為他們若能夠掌握到即將被拖曳到無人性狀況中的自己拉回的契機，應該是很好的。

本文原收錄於村井吉敬等編著，《アジアと私たち——若者のアジア認識》，東京：三一書房，1988年2月29日，頁104～111

日帝殖民統治與台灣客家人

——近代有關客家人的問題探討座談會

主辦：客家風雲雜誌．台灣史研究會．新新聞週刊社

時間：1988年1月30日

地點：台北市台大校友會館

與會（主講人）：

松平誠（日籍教授）

林憲（旅日學者）

戴國煇（立教大學教授）

主持：尹章義（輔仁大學歷史系教授）

媽媽做的菜最好

各位鄉親晚安！我是客家人，對於客家我不大研究，我倒是很希望提供資料，獎勵日本朋友或閩南朋友研究。過去我們客家鄉親認為客家人優秀，我卻不這麼認為，任何民族都有優秀也有糟糕的。就像我們吃的習慣，自己講客家菜好，其實只不過是「媽媽菜好」，因為被媽媽養慣了，就認為媽媽做的菜最好。

今天我要談的主題其實是我在1980年替日本一家規模大的山

川出版社寫的一篇論文。當時他們的總編輯對我說：「糟糕，我們高中教世界史的老師碰到客家，不曉得什麼是客家。」我說：「我們客家人很多也不知道自己客家人是什麼？」而且我發現很多日本人把客家人當成廣東人。所以我答應寫下這篇文章。

日本在台灣統治50年，究竟對我們客家了解到哪種程度。一開始我就發現一本好書，是京都大學地理學的名教授小川琢治寫的。他的兒子是日本第一位諾貝爾獎的得主。這個人寫了一本《台灣島治》*，1896年出版。日本人是1895年占領台灣。經過查閱，發現他是在念東京大學三年級時編的。內容很不錯。現在來看，也是很有價值的書。裡面記載客家人相當客觀，可是他沒有來過台灣，他靠的資料是什麼？後來一查，他是根據傳教士的紀錄。

日本統治我們50年，日本人能夠講閩南話或客家話的很少。頭幾年日本警察是學了，其他可以說沒有。殖民地統治是用國家權力來統治，不看重被統治者固有的文化種種。為了統治的方便統治者要了解被統治者的習慣、風俗、宗教、語言，但是統治者他們本身是不學的。歐美的傳教士就不一樣了，為了要打進民間，他一定要懂得他教區住民的語言文化、風俗習慣，才能與人溝通。小川先生書中所說的「哈家」，可能是從英文或德文翻過來的。

* 應為《台灣諸島誌》。

為了統治方便而研究

由記載中得知這本書一推出後幾個月便銷了1,000本，在1896年時能銷1,000本的書是不得了的。表示日本人來台為侵略、統治或做生意，要了解台灣就利用這本書。

日本談客家的第二本書是日本參謀本部所編的《台灣誌》，比小川先生早一年出版。這本書內容還可以，主要是日本官方侵略台灣用的。要統治殖民地並要掌握戶籍、要戶口登記，因為怕被統治者反抗、打游擊。這本書裡頭對客家人的認識有些突然斷掉，並不完整，而且把客家人當廣東人，把客家話當廣東話，這是一大問題。

本文節錄自《客家風雲雜誌》第5期，1988年3月，頁49～52。原副題「松平誠、林憲、戴國煇等專題演講」

華僑的家族文化・經營文化：與日本比較

——「家」的重新考慮座談會

◎ 吳元淑譯

時間：1987年10月5日

地點：新大谷飯店

與會：戴國煇（立教大學教授）

游仲勳（國際大學教授）

宍戸壽雄（建設經濟研究所理事長）

愛知和男（日本經濟研究會理事長）

主持：樋口久喜（評論家）

看似了解但實則不了解的華僑問題

樋口久喜（以下簡稱樋口）：為何將議題命名為「家的再思考」，此乃由於愛知理事長在出馬競選國會議員時所提出的訴求，即為政治的原點在於「家」。常言修身齊家治國平天下，因此把家庭視為政治原點的這種發想，想改變在日本既有的「家」的概念，至於打造新的「家」的應有狀態，則是希望藉由各位先進的討論得到一些啟示，所以訂下此議題。今天理事長臨時因公務無法參與前半的討論，在此先開始今天的座談會。

戴教授曾於著作中提及，華僑在其所歸屬的國家中存有少數者（minority）的意識。我們日本人在國家中出生，所謂的國民意識似是理所當然，然而相對於此有所謂少數者的觀點。此觀點並不是國民意識，是不是與住民意識相通？

在國家的架構下，我們在思考家庭究竟是什麼，而最近特別是「國家究竟是什麼」的議題在日本人之間被廣泛討論著。當論及所謂的國家是什麼時，從華僑的觀點，即少數者立場出發的國家觀，其根本的家族觀、人生哲學、生活方式等，這些對今後日本人的生活方式具有相當大的啟發性。

然而華僑對我們來說，似乎了解但其實是全然陌生。在拜讀了戴教授的著作後，得知這類問題必需放在歷史的框架中來思考。

另外戰後出現了所謂「從華僑到華人」的趨勢。究竟所謂的華僑是如何而來的。包含自身經歷在內，以及所謂「從華僑到華人」的歷史背景，首先請戴教授來為我們說明。

華僑的歷史背景及地域性

戴國煇（以下簡稱戴）：華僑這個用語終將成為不再被使用的名詞，對我個人或至少是我仍在亞洲經濟研究所服務時是持此種看法的。然而自從中國的文化大革命結束後，新的華僑逐漸形成。

之所以會出現中國人以華僑的形式出國的狀況，說穿了是因為中國內部不甚安定才出國去的。若以此觀點來看，乃如同近代日本出國工作賺錢，是為了能回國過安定的生活而出國的。然而中國人的情況則是像槍彈一樣，一出去若無巨大變動就不會回來。

雖概說為華僑，若從歷史面來看，其形成可以回溯到相當早的時期，若要將其視為現代問題來探討的話，則時間可以鴉片戰爭前後為起始點。

在其時期的前階段，由伊比利亞半島上的葡萄牙、西班牙，從西班牙獨立出來的荷蘭，來到東南亞的時期以及同時期由中國出發到東南亞的人們，以東南亞為中心定居下來，逐漸形成初期的華僑，此時點是一個分界。此時期是乘坐順季節風而行的船隻，或從一個島嶼到另一個島嶼，沿著島嶼過去或頂多是從陸地相連交界處，如越南、緬甸，及中國大陸邊境經由陸路而去。當時前去的人數仍很少，而鴉片戰爭是一大分水嶺。

其一，船隻的規模漸大，航海技術亦較為穩定。所謂資本主義的生產方式，以驚人的氣勢造出殖民地。而這些殖民地上的勞動力需求乃急速擴增。因此，在世界史上同時期出現所謂的印僑（出國謀生的印度人）及華僑。

日本的日裔問題也同樣有此世界史的背景，然若也將其放入今日的討論中的話，恐怕會將問題變得相當複雜，故今天只將焦點放在華僑社會出現的話題。

實際上，現在北美大陸的「華僑」已經遠比日裔人數多。美國的人口調查採用自我申告方式，自己申告所屬族群。申告為中國裔的人將近百萬人，超過日裔而占亞裔人口的首位。此為新的狀況。

然而，若是回溯北美大陸華僑的根源，與淘金熱潮有明顯的關係。會與淘金熱潮有關，係因當時中國華南謀生不易，一方面在中國內部形成將勞動力往外推的力量，而北美大陸正巧有往內拉的力量，在此狀況下形成了美國式的華僑社會。

因此，華僑雖同樣名為華僑，但實際上乃因其國度或是區域的不同，其樣貌亦大相逕庭。勉強來說，可稱作是華僑式的生命循環（life cycle）吧，的確是有其生命循環的。我經常被問及，中國人即所謂的華僑對故鄉所懷抱的歸屬意識，為何比同樣是出國謀生的日裔來的強烈。

而這又是為何呢？此問題在我拜訪美國期間也經常被問及。我想包含此問題在內應會在後面有很多的討論。基本上，所謂的華僑，在第二次世界大戰結束的時點面臨了新的狀況。

亞洲各國的獨立及華僑的悲劇——從華僑到華人

上述的新狀況所指為何，其一乃指在《世界人權宣言》公布的同時，以往接納華僑的東南亞各國開始達成獨立。所謂的獨立意指於政治或法律層面上，皆已無法允許華僑再以過去的身分型態生活下去。與此相關，在印尼及馬來西亞等地發生了好幾起虐殺華僑事件。同時，在1949年的階段，除了台灣，中國掀起了社會主義革命。本來馬克思主義的古典理論中，最後階級終將消滅，國家亦會消失。

若真如此演變，這裡所謂的民族問題的本質乃是階級問題，理論上階級都應該消失殆盡。而現實卻非如此。在此，越南發生了難民問題。民族問題及階級問題以錯綜的形式展開。

因此，越戰時期，我在亞洲經濟研究所從事的研究，也就是從華僑到華人，即圍繞國籍問題所衍生出的新問題，我意識到必須從政治・法律的概念上好好著手整理歸納。也注意到中華人民共和國自建國以來，竟一直都無國籍法，這點實在令人費解。

關於此我本身並未實際調查過，亦未曾寫過相關論文，列寧的著作中有國家論的章節，然毛澤東的國家論則無法在公開的資料中找到，這到底是怎麼一回事？該不會是將此部分藏匿起來了吧。（笑）將其當成祕密，不公諸於世。若是真有此部分，我倒是對毛之國家論究竟為何感到相當有興趣。

另外，在我們所謂的學術領域當中，近代政治學中所稱的國家，即如丸山真男教授所言，是在歐洲文明圈、基督教文明圈中衍生出的概念，而中國人民共和國，或說是呈現混亂狀況的中國大陸，其自身就是一個世界，中國人的國家意識與近代政治學上的概念是相當迥異的。

因此，與其勉強以國家論，即以歐洲文明圈的民族國家論，硬是將中國放進此框架來解釋是否適當，是否能與法國革命後所產生的概念簡單地做出結論。我雖私底下曾與丸山教授周邊的人進行討論，然若是胡亂增加研究種類的話，擔心範圍太廣以致最後無法收尾，所以目前對此並沒有進行更深入的探討。

在亞洲經濟研究所的後期，我主張華僑自身要把政治上的定位或法律上的定位分清楚以確立其位置。若無法將此明確化，華僑會一直成為虐殺的對象，並且陷於連東南亞國家本身也不知道該如何處理此問題，只好形成某種悲劇性的惡性循環。

特別是東南亞的華僑問題，不論是日本人教授或是日本的新聞媒體所寫相關報導或研究，這樣說雖嫌失禮，但那些人所寫的東西給人一種客觀的第三者虛構的幻想，實際上是不符現實的。而這些失真的描寫有給予東南亞當地的人們曲解事實的可能性。

當地人們乃藉著因為日本人是這樣說的，從表面上以對自己最有利的方式，「政治」性的解釋華僑，並做出殘酷的事。對於此，我擔憂若不想辦法，恐怕會再次重現如「奧斯威辛集中營」的悲劇。所以在亞洲經濟研究所的時期，便嘗試著手做一些疏通整理，即我所提出的從華僑到華人的苦悶與矛盾之路的圖式。

然而，之後越南出現了船民，在文革結束以後，中華人民共和國終於制定了國籍法，我心想至此終於能夠進行一較完整的討論。（笑）實際上，那是因彼時年紀尚輕，對古巴的情形不甚了解。若是詳知古巴的狀況，所謂走社會主義道路的國家，華僑問題以何種形式解決、是可行或是不可行，大致存在我的問題意識中，但怎麼說都是因為當時了解不深。

在西伯利亞一帶，所謂蘇維埃的華僑問題，因為其中牽涉不少間諜事件，實情究竟為何仍不得而知，華僑數量也相對較少。

但是越南的華僑人數眾多。越南的情況演變是我最關注的。然而，存在我心中的某種圖式卻如同白日夢般完全崩解了。總之，社會主義政權完全無法解決「華僑問題」。船民約八成以上幾乎為「華僑」。在美國，當我去加州進行觀察時，雖然並未將其寫成論文，此悲劇已成現代世界史上的悲劇遺留著。

從華僑到華人的過渡期——華僑400萬人，華人2,000萬人

樋口：關於此問題請游教授來談談。

游仲勳（以下簡稱游）：座談會一開始便提及國家與「家」的大題目，若將範圍限定為華僑・華人問題的話，不論是中華人民共和國政府還是台灣政府，所謂華僑問題亦即戴教授所指出的，即為國籍問題。

此部分當然涉及政府及政府間的關係，此所謂的中國籍，從台灣的角度來看，是將持有台灣的國籍者涵蓋在內，視持有台灣籍者為華僑。若非如此，而是持當地國籍的話，因中華人民共和國或是台灣政府的權限則不能及於此，便視為當地人。因此，持有當地國籍者則稱為華人。

所以通常以法律，或是以剛才提及的國籍做區隔，如果以政府間的層次，如此的定義也算可以。然而，我的看法是如果從學術領域探討此問題，最好從民族，或者以目前流行的用語來說，是為種族性的觀點來探討。

而華僑的廣義定義是中華民族，狹義則為漢民族。而漢民族並不等同於中華民族，在此我們暫不深究此問題，中華民族或是俗稱的漢民族皆可，這些人終究是有其共通的特性，譬如會說中國話等。

然而，如眾所周知，中國各地方言（dialect）相當迥異，完全不能互通。所以對學者來說，此為一種語言（language）而非方言。若視dialect為方言，彼此則可相通，然language就如同是某

種國語（national language）般，彼此是不能互通的。一般視中國各地方言差距之大幾乎如同language。

雖然如此，至少用書寫的方式就可溝通，所以我認為在語言上仍是有其共通性，總之語言也好或文化也好，是有此共通性的人們，而具這些共通特質的人們去了海外。

這麼一來，這些人逐漸喪失中華民族的特徵。首先當然是已無法說中文，但是風俗習慣等由於受到父母影響，仍保留中國式的風俗習慣，不過也逐漸喪失身為中華民族的特徵。相對地開始擁有當地民族的特徵，這意味著從中華民族轉化融入成為當地民族，而目前其正處於過渡期。

較為極端的例子，就是已完全融入變成當地民族。有人說融入成為當地民族者是絕大多數，但在我看來，就整體而言仍處於過渡期。當中也有完全保留中華民族特徵的人。具體來說，此較常出現在第一代。當中極端的例子是至第五代、六代時，已經完全被當地民族同化融入其中，我想華僑皆有此種融入當地的過程。

最後容我再介紹一些相關的數據。中華人民共和國如同早先已提及的，若以擁有國籍的人來計算的話，華僑人數大約為400萬左右。而此數字我認為應該包含擁有台灣國籍的人在內。

另一方面是擁有當地國籍。此處有一較為麻煩的問題，即雙重國籍，就是擁有兩邊的國籍。這裡的計算稍嫌複雜，如同剛才所提及，大略計算擁有中國籍的人數約為400萬；而擁有當地國籍的華人，則大約為2,000萬人。

家鄉意識強於國家意識的華僑

樋口：關於這部分，戴教授也曾在著作中提及，艾利克生的自我認同（identity），這是指自我同一性，這是由於他有一個猶太血統的繼父。聽社會心理學界的人說，由於艾利克生是屬少數族群的猶太人，探索自我確認的自我認同問題對他來說是再清楚不過的。

相對地，對日本人談及自我認同卻總是很難體會，就如同戴教授所說的，華僑的自我認同是做為中華思想的、文化的自我認同，這樣的自我認同不論是華僑或是華人都流失得非常厲害。

宍戶壽雄（以下簡稱宍戶）：剛才提及猶太人的話題，猶太人的狀況乃是國家滅亡，只以自我認同在生存。中國人的話，其國家仍繼續存續著，所以中國人是有國家意識的吧。但是剛才聽到戴教授討論，中國人的家鄉意識則是比較薄弱的，日本人相對來說此意識是非常強烈的。

戴：並非如此，情況正好相反。中國裔的人相對於日裔人來說，對家鄉的意識明顯得濃厚多了。

宍戶：您說的家鄉是指如廣州？抑或指中國這個國家意識呢？

戴：中國人的國家意識是比不上日本人的。

宍戶：對。因此在這一點上國家與家鄉雖皆與「家」這個問題有所連結，但是所謂的國家意識中國人似乎較少，在我的感覺上是有中華意識，有世界觀，再來就是家鄉，而沒有國家。

戴：剛才我說的是對國家意識的感覺不同。

宍戶：是不同的。在國家的概念上也大相逕庭。您剛剛已經說明過。

戴：所以說，近代政治學所謂的國家，皆出自歐洲文明圈的概念，中國人由於有其高度的文明圈，故以其觀點所認知的國家，與歐洲的概念是迥異的。因而毛澤東等人就算再怎麼研究馬克思主義，也難以得到能夠適用於中國的概念。

所以，我有時突然會這麼想，好像其中隱瞞著什麼。（笑）

宍戶：只是，我們最關心的還是中國文化。或許沒有國家意識，但中國文化是相當根深柢固的。

戴：倒是如此。

宍戶：因此，這是文化及國家的範疇相同時產生的必然性。對日本人來說，日本文化只存在於日本這個國家。一旦跨越了此國界，日本文化就會蕩然無存，這種意識過於強烈。

相對於此，中國裔的人大概是國家意識較為薄弱，反而是對中國文化、中華文化的文化意識較為強烈。

猶太人及華僑的種族性

戴：也可以這麼說。最近我所導進的是種族性的概念。

所謂的種族性，本來是美國社會學的概念，就是艾利克生等所謂的猶太人性，此是否可視為民族意識？當然，討厭猶太人的人會用那是選民意識的說法，但若從好的意義的個人主義，亦即伴隨近代市民社會成立，所形成的個人、自我的覺醒。我所說的並非所謂自我主義（me-ism），或利己主義的、狹義負面的個人主義，而是正面的個人主義（individualism）。

然而這是我個人的解釋，對人來說並無法選擇其出生，出生是命運注定的。也就是說不管是什麼人都無法具有在事前選擇父母的權利與機會。因此，若是照艾利克生理論解釋的話，這全都是在宿命中早被註定的自我認同。人都必須從這樣的起點出發。

實際上生為猶太人就成為被迫害的對象的時期持續了很長一段時間。這麼說來，一開始問題出在於猶太人性究竟是什麼的問題。因此，並非將猶太人的問題視為民族問題、民族概念，或是人種概念的問題，而正是討論人的心、靈魂的精神分析或深層心理學的研究對象。我是從這個觀點來理解艾利克生所主張的關於自我認同的諸課題。

然而，艾利克生的主張範疇並不限於剛才所提及的部分，還包含從ego identity發展至positive identity，並期待new identity能偶然朝wider identity這個方向，並能夠成長發展，尋求人類共同規模的自我認同。此概念絕不只是停留在ego上，當然也並不只限於猶太人。

因此，若以此概念來看華僑的話，其最終是否還是會留存呢？近代的中國民族主義是在對抗日本的侵略戰爭下的反應而出現，若與日本的關係好轉，就會變得薄弱吧。因此最終將自己稱為Chinese。總之相當於猶太人般，他們仍舊保留帶有中華意識的屬性，我乃將此稱做為是中華人特質（Chineseness）。

人類共同體意見形成共識（consensus），能成為普遍接納所有人的概念的話，問題就會有別的發展。最好的事例就是我在與在日朝鮮作家李恢成的座談會中所指出的，在日韓國人・朝鮮人皆反應日本人歧視朝鮮民族。

然而，我想請大家注意的是，在歧視逐漸消褪的階段中，各位所主張的朝鮮人特質，朝鮮人的民族性，或是韓國人的民族性。韓國這個名詞當中包含了「國」這個字，我個人並不喜歡，然而在這樣的主張下，究竟如何保持、能不能保持？在此我所點出的是，不要等到此種情況才要求再給我歧視的理論，現在若不展開防止這樣的理論發生的話是很奇怪的。（笑）

宍戶：可是，以此意義來說，華僑為了維持種族性，就不去持有當地的國籍了嗎？

戴：並不是如此。

強烈的同族・同鄉人的集團意識

宍戶：雖說如此，對我們來說，關於華僑所包含的意思，華僑的僑字意謂homo economica嗎？即此字包含經濟人或是商人的義涵在其中吧。

游：原本是所謂客居的意思。

宍戶：然而，在我們的感覺中，總覺華僑的屬性是經濟人的，具相當強烈的homo economica的性格。我們外行人有這種看法。（笑）

戴：好像大部分的日本人都這樣覺得。

宍戶：就算是同住在東南亞的華僑，也是各色各樣，但我們對華僑卻是以集團式的統一概念來加以思考。姑且不論華僑是否這樣看待自身，但不只是剛才所提及的國籍問題而已，而是擁有某些共通性、自我認同，還有現在所定義的華僑及華人的差別——成為當地人的就是華人，但我覺得並不只是這樣而已。

游：在這裡想要回到剛才所談的國家問題，華僑和華人，姑且不談較具當地人性格的華人，至少華僑性格較強的人應該是較無國家概念的。原本中國若以國家的角度來看過於強大，感覺起來與一般庶民是有距離隔閡的，所以其常被當成是被剝削的對象，因而讓這些庶民皆想要從國家逃脫至海外。

因此，與其說是國家，這裡成為論點的是稱作「家」的同宗族，這也與剛才所提及的方言有所關係，同鄉對此的自我認同，集團意識是相當強烈的。

我們雖把這樣的集團稱作是同鄉人集團，在中國也同樣是如此稱呼，但若從歐美人的角度來看，稱為方言集團才是較適切的。因此，會說同一種語言，到海外去形成集團，總之是對國家沒有所謂的歸屬意識。

也因此不管是取得哪國的國籍都無所謂。極端的說，主要是考量到方便做生意，只要是對其有利才會去取得。雖然對國家的歸屬意識程度只到此，但對故鄉的歸屬意識則是另當別論。

以家族為單位移民的歐美人及單身移民的華僑——歸國率低的歐美移民

游：我調查了一下關於海外移民的歸國比率，雖不知其反映了多少真實情形，但在其中發現值得注意的有趣結果。據此調查，歐美移民的歸國比率偏低。例如從歐洲到美國的移民，這些人的歸國比率很低。換句話說，就是在當地穩定下來的定居比率高。相對於此，印度、中國移民的歸國比率則是相當高的。

這究竟是怎麼一回事呢？還是與所謂的「家」有關係，在這層意思上，中國或印度都是在社會最底層打滾的人出國謀生。當然，歐洲也是由比較底層的人出國去，但平均來說，多是比最底層再稍稍高一些層級的人到海外，從歐洲移民到美國、拉丁美洲、加拿大等地。

為何這樣說呢？到此為止不論是從哪一個國家出去，大多都為農民。人口眾多的中國也好，歐洲也好，社會最底層的就是農民，賣掉土地、房產，帶著整個家族移居海外。這是歐洲人的作法。由此可知，他們並無回到自己故鄉的想法。

中國人則是隻身赴海外。因此多是由社會最底層出去的。歐美人則非社會最底層，是起碼擁有房屋土地者移居海外。如同剛才所述，帶著家族，賣掉房產土地後移居。到達移居地最先做的事情，是建造自家居住的房子，至少具有這樣的財力。建好住房後，原本務農者則開始繼續務農。

中國人的話，一到達海外當地就必須開始工作。總之是從要能夠吃得飽，從賺錢開始。在這層意義上就如同剛才宍戸先生所提及，商人的部分是帶著歷史因素的。

宍戸：總之稱其為勞工似乎並不貼切，是帶有商人屬性。

游：關於商人屬性，出國掙錢乃是在歷史的經緯當中形成此種性格，所以有所謂中國人原本就是很會做生意的民族，在我看來並非如此。

為何中國人對國家無歸屬意識，但對故鄉卻有強烈的歸屬意識，是因為他們將家族留在家鄉的緣故。

兩頭的家及運送遺體回鄉

游：中國人移居海外後，在當地娶妻，此被稱作是「兩頭的家」。即雖在故鄉留有妻小，但由於前往海外的關係，無法長期保持單身，在當地娶妻生子，故被稱作是兩頭的家。儘管如此，終究還是想要回到家鄉，更進一步想要衣錦還鄉。

想要衣錦還鄉的想法，帶有商人的色彩。

歐洲人則較無此部分。雖然這是一般的看法。當然也有所謂的繼承家業，或守護家園的部分，然更具體來說是守護祖墳。後代子孫仍然要守護或祭祀祖墳。

因此，在彌留之際，會留下要將自己的遺體送回故鄉的遺言。雖然現在如此做的人逐漸少了。但在以前是有就這麼將遺體放置在船上送回故鄉，在故鄉安葬。像這樣回鄉安葬、守護祖墳，在這些事情上與歐洲人不同。進一步說，此乃歐洲人與亞洲人在思想、宗教觀上的不同。中國人相信死後的歸依終究得是在自己的家鄉。

這裡有一個極端例子，在某文化人類學者的研究報告書當中寫道，同姓氏的華僑們在東南亞立墳，然在該墳墓當中並未放入任何人的遺體或遺骨。如同剛才所述，大家皆將其運回家鄉，只要遇有較重大的節日，還是會相偕去祭拜。

如同先前說明的，由於同姓，特別是同族間彼此都有互為親戚的認知，故同姓間盡量不通婚。目前此原則已漸漸崩解。第一代時同姓氏的人並不通婚。然而如眾所周知，日本人的姓氏有兩個字，如宍戸教授姓宍戸，但中國人多只有陳或李等單姓，故同姓氏的人數眾多，大家卻認定同姓即同宗。

回到先前所言，墳墓中並無置放任何東西，而華僑看到文化人類學者的姓氏被告知彼此為親戚，被帶往祭拜祖墳，受到大家的熱烈款待，詢問之下才知道墓中並無一物。

宍戸：空的墳墓啊。就算是空無一物也沒有關係，有靈魂就好。（笑）

游：的確如此。因此雖對國家無歸屬意識，但對故鄉懷抱的歸屬意識，歐洲人與亞洲人是大相逕庭的。只是，我原以為印度也是如此，詢問之下才發現並無一定要守祖墳的習俗。因此這部分仍屬於我的研究課題，但至少確知在此點上是與歐洲人不同，但與日本人相似。

宍戸：不，與日本人的墓也不同。日本人的墓非空無一物。（笑）

游：守墓這點是相同的。在此例中，墳墓乃是連結同宗族的象徵。

戴：只是，在此游教授所提及的問題中，我認為還需要考慮一項。不論是印僑或是華僑，去到海外時都不曾握有主導權。因此，在當地很多情況下都不能當主人，然中國及印度皆為文明古國，對自身文化皆懷自豪驕傲之感，因此也容易有無法融入當地而回鄉的情況。

前面所講的情形，以及與家族問題有關臍帶相連的部分，歐洲文化圈所形成的、伴隨資本主義生產形式所產生的近代市民社會，即個體的確立。此所謂個體的確立，實際上是在與雙親的關係當中，自己將如何自立的課題，這在佛洛伊德（Sigmund Freud）的解釋當中即為弒父，並不是實際上的弒殺，而是在觀念上的操作。

實際上觀察日本的家族有所謂的隱居制度〔譯註：係指戶主辭退戶主之地位。亦即戶主為使戶主繼承人承繼而拋棄其戶主權之單獨行為〕。有家的形式，以么子或戶主繼承家的型態來看，意義上也是守護延續此家族。守護家的人留下來，其餘的人則出去。在中國的話則是均分繼承，並無所謂的隱居。

包含皇帝在內，毛澤東主席也一定到死都是主席。蔣介石也是如此，現在其子（蔣經國總統已於1988年1月13日逝世）雖非常努力，但此仍是非常耐人尋味的事情。思考起來，同樣是東亞國家卻有著這些差異。勉強說來，距中國較近的朝鮮半島居民的習俗與中國較接近。

宍戶：韓國和中國相當接近。

戴：由於與日本人相當不同，我以為應該將其更加釐清明確化。

從台灣華僑的留學生文學反映出的家族崩解

樋口：以下的議題與剛才有些不同，華僑的幫具有強大的組織力量，其基礎是依賴強烈家族意識所連結的同族關係。特別是基於同族意識下所組成的相互扶助組織。台灣在儒教的影響下，治安看來不錯。

另外，對小孩的教育也相當重視。後面也有寫到日本人、猶太人，以及華僑對其子弟教育也相當重視，在此想請各位談談極具代表性的華僑家族文化特徵。例如「孝順」〔譯註：日語漢字為孝行〕這個用語在日本已幾近等同消失，孝順一詞已逐漸不再被使用。

戴：孝順父母嗎？

樋口：是的。孝順父母。在華僑社會是如何呢？

戴：最近赴台灣參加學會時，最令我驚訝的是其急速的變化。某種程度可視為由經濟成長所帶來的社會病態，離婚率也變得相當高，與美國的型態類似。

而剛提及台灣的治安不錯，實非如此。現在台北市的犯罪就如同紐約般。我在台灣被邀請至某報社演講時也曾提及。日本的治安比較好。90%的日本人擁有社會中層階級意識，因此雖然在生活上多少懷抱不滿，但日本實際上是相當安定的。

「家」的概念上，日本的「家」與中國的「家」，雖然用字看起來相同，但內涵是不同的。台灣社會的變動急速，這意味著什麼呢？

台灣經濟的急速發展，最多是從近20年前才開始的。在此20年前是空白的，是受日本的殖民地統治。試圖以儒教文化圈說明亞洲四小龍的人中，有人說韓國和台灣皆是因受過日本殖民統治才有經濟發展的荒唐過分的話。（笑）我認為此乃關係到被殖民地化前的社會經濟基礎問題。

目前我所能說的是，關於孝順父母的習俗被保留到何種程度，所謂的淳風美俗，台灣內部並不如日本人前往台灣旅行時所受到的感動般來看待此事。現在台灣文學中有所謂留學生文學的流派，一大堆人跑去美國留學，這些留美學生後來並未回到台灣，而是留在當地謀職，孕育下一代，大概與我同輩的人應是最老的一輩，因而形成一個新的社會。現在出現了以這些留學生為題材的小說。

這些題材中出現了什麼呢，就是關於孝順父母的問題。若是娶外國人為妻則另當別論。即情境是夫婦倆都是留學生，婚後妻子的父母來同住，或先生的父母來同住的時候，所出現的大問題。

的確在最近的日本也是有此趨勢，畢業後留學生相對來說是比較容易求職的。然而問題是當留學生結婚後，夫婦倆都必須共同出去賺錢，這就是美國的經濟型態。即車貸、保險等所有的一切都是夫婦共同負擔，夫婦不以一個組合去做是無法過活的。在此問題就出現了。

當父母親過去同住時又是如何呢？這些父母親期待孩子們能完全依儒教的方式來孝順他們。當孩子們在美國拿到博士學位後，父母們帶著些許的驕傲期待在美國共同生活。然而，當媳婦在拚命工作一天回家後，又要照顧小孩，在飯桌上端出速食來打發等，諸如此類的日常瑣事，婆媳問題雖然自古就存在，但此時以新型態顯現出來。

因此不只引發離婚問題，與父母間也無法好好相處。於是就以先生每月固定寄多少錢回家的方式說服父母回家鄉，或是表明不能讓兄弟們也一起過來等各式各樣的問題發生。

如此一來，所謂孝順父母的問題也對居住在美國國內華僑的生活型態，或生活循環上產生影響。若是仍抱持既有的傳統觀念，就會對在美的生活帶來不小的困擾。在此狀況下，經濟情況較為富裕的人，仍舊可以遵循中國的、儒教的孝順父母的方式，然而實際上在巨大的社會變動當中，身在其中的每個人都是隨之搖擺、身不由己的，這才是現實。

現在仍留存在東南亞華僑家庭的孝順父母之道

最近，我注意到一個有趣的現象，除了戰爭時期赴美的族群，與我同世代在美就職的人，現都已屆退休年紀。退休後在加拿大或是美國當地都可以拿到年金，因此現在皆屬退休前族群；於大學內任職的教員則不算在內。

這些人從美國或是加拿大拿到年金後，近來出現以義工的型態回到中國大陸工作的趨勢。這非常有趣，是所謂愛鄉意識，同時也是由於美中關係轉好的緣故吧。然若再次掀起如麥卡錫任意指控人親共對美不忠的麥卡錫主義（McCarthyism）的話，後果將不堪設想。

總之，中國大陸的經濟建設若順利進行的話，相信世界的經濟也會朝正向循環，對美國也是有利的。由此，我的朋友正一邊進行組織化，一邊嘗試將這樣的力量巧妙匯入中國大陸中。

我認為這個新趨勢相當值得注意。不知道有多少人意識到此，這是極有趣的現象。

這些人在美國已無工作，屆臨退休而生活無虞，是銀髮族義工。日本人對於銀髮族義工總是會與第三世界聯想在一起，但在此情形下，他們乃是基於自己的歸屬意識來行動的。中國仍然相當貧窮，所以要回去貢獻。此新趨勢的出現，關於此點各位有何看法呢？

游：現在戴教授所提的是台灣的例子。關於此點，東南亞的華僑・華人社會畢竟與台灣稍有不同。這是由於在台灣，某種意義上大家可以自己做主，但在東南亞，方才也曾提及，某種意義上終究是客人，或是異質者。雖然在很多層面上已經被當地人同化了。

最糟的情況時，最近還有發生虐殺事件。在這角度來看，彼此間需要相互幫助的意識是非常強烈的。

因此，關於父母的問題也是，就算不使用孝順這個語彙，有不能不照顧他們的這種意識，相當程度被保留著。只是到底是由儒教而來的呢，抑或近代化之後是否消失，這個部分需要被當成另一議題來加以討論，總之這種意識被遺留下來了。

與此相關，在治安的部分，關於華僑・華人，有人說中國城是流氓、毒品之窟，也有人說治安相當好。

然而此並非是治安好，而是不自己來維持秩序的話，若有什麼事件發生鬧上法院，必須要配合某些事或公開某些部分，令人倍感困擾。因此不如在自己的圈子中，以一個倫理、秩序加以規範，這某種意義上由於是客居該地的外人，上述的意識相當強烈。故在自律的規範下，表面上看來就好像是治安相當好。

眾所周知，香港由於將在1997年回歸中國，故香港的資本家乃大舉遷居逃避，同時流氓們也有志一同逃往海外。

此舉使得其遷居地的美國、澳洲、加拿大等，皆形成相當大的問題。大概是前年左右，這樣的故事被搬上大螢幕，拍成名為《龍年》（the year of dragon）的電影。在此時期的美國，敘述黑手黨〔譯註：美國最大犯罪組織〕的電影在某些層面上已有些過時，香港出身流氓的電影雖然還不能成為主流，但也許會是一相當重要的時代。（笑）

所以，一方面雖然提及中國人就會想到詐欺倒閉、善於經商鑽營、毒品、賭博等，這都是剛才所提及的，由於所在社會階層的條件，其區域中的治安雖然表面上看來良好，實際上其中仍充斥著各種犯罪，由他們自己加以仲裁規範，在此層面上也意味著國家是不存在的。

繼承人問題所點出的父性（Papaism）——根深柢固的儒教文化

戴：在電腦業界相當出名的王安，當他還在公司時的最後階段，撤除其夥伴，任命其子為公司總裁。因此引起大糾紛，他本人的傳記也出版了。

關於此，去年在台灣有儒教及近代化問題的國際研討會，對於王安進行了一些討論。王安，眾所周知出身上海交通大學，在哈佛大學拿到物理博士學位。他銷售某種專利之後進軍電腦業而獲致成功。

這個人創立了世界知名的公司之後，無視於自己夥伴的感受，而讓自己的兒子繼承公司，這是否是儒教的教導，此議題被熱烈討論。（笑）提及此事並非是要諷刺愛知理事長。（笑）

之所以要特別提出討論的是，在自然科學的領域，王安其實是受美國教育的訓練，雖然大學教育是在上海交通大學完成。

關於基本的處世哲學，在儒教倫理的教導上，對應孝順父母，父母也該留下些什麼給子孫，這是不存在於美國的邏輯。在美國，是將所有權與經營權切割的方式，留下股票給下一代。然而王安卻是交接其經營權。我提出應該去了解之間的差異究竟從何而來。

對於此，大家將焦點放在王安的生活型態。其妻也是中國裔的人，小孩則是受美國教育長大，皆以英語為母語。因此，討論的重點就在於，像王安這樣的企業家雖在工作方面完全按照歐洲近代化方式進行，然而在處世哲學上，卻仍舊沿用儒教思維來處理。

問題的歸納大致如上。為何處世哲學並沒有跟著改變呢？為何不以經營權及股權分開的方式來處理此問題呢？

其次成為焦點的是，新加坡李總理的新儒學狂熱。為提倡新儒學，李總理特別選在中國大陸慶祝自己的生日，到曲阜訪祭孔廟，並邀請哈佛教授以英語講授新儒學。他企圖將新儒學當作在新加坡打造一個新國度時的精神支柱。

愛知和男（以下簡稱愛知）：英文版的儒教嗎？

戴：是的。英文版的新儒學。中國人不用儒教這個詞。因為日本人把其視為是一種宗教故稱其為儒教，然而中國人將重點放在其教導上。

關於儒學與儒教的論述在此暫且不談，倒是受邀的香港學者有一相當引人注目的發言。他說，基本上李總理是個不懂儒教的人。不懂儒教的人，卻在自己的政權要轉移的那一刻提倡父性。（笑）我說此話的用意，當然不是在諷刺愛知理事長。

愛知：沒有關係。請便。（笑）

戴：我雖對自民黨的第二代繼承制度沒有研究，但我認為此是自民黨政權得以安定下來的重要因素之一，是個耐人尋味的制度。

愛知：其實，自民黨存在所謂的八光會。這就是第二代議員所組成的。名稱由來是父母的光為七道光〔譯註：日文有句俗語「父母的七光」諷刺第二代自身沒有能力，總靠著父母的名聲〕，加上自己的一道光，總合起來稱為八光會。

宍戶：承認父母的光為七道光。這頗具有幽默感呢。

戴：原來如此。話說回來，據參加完研討會的香港學者說，李光耀在劍橋大學時期都拿雙A的成績，他原本不會說中文，完全受英語教育長大，是為了選舉的關係才去學中文與北京官話，此外由於新加坡的華僑多為福建人，也去學閩南語，再加上自己是客家出身，所以也去學客家話，不過程度太難的也不會說，大概是能夠演講的程度。

這樣的人被迫面臨的即是接班人問題。第一個浮現在他腦海的是兒子李顯龍。聽說李顯龍是一個難得的人才，所以覺得他有些可憐。

台灣的蔣經國也是這樣。就算是反對蔣經國的意識形態也無妨，但他個人是相當優秀的人。他現在77歲，因為糖尿病無法行走所以坐輪椅。在身體狀況欠佳的狀況下，其精準的判斷力依舊令人折服。（1月13日過世）

與此相同，李顯龍聽說也是相當有能力之人。然而由於他們都接班繼任成為第二代，所以皆被批評是世襲。

世襲就是所謂的父權主義，若是將其視為儒教的話，甘地的狀況又是如何呢？金日成的情況我知道，他是儒教。

愛知：正因金日成是儒教，所以是由兒子金正日接班！

戴：這只是順便提到而已。（笑）

存有差異的東南亞華僑繼承人選任

樋口：在中國是均分繼承，沒有長輩的隱居制度，與此是否相關呢？另外有關同宗族的共同經營與繼承也請一並談談。

戴：我認為沒有隱居制度的影響將會很大。雖然有這樣的用語存在。漢文當中有所謂「出藍」的比喻，即「青出於藍勝於藍」，但沒有所謂弑父的意識。從儒教孝順父母的倫理來看，佛洛伊德所謂的弑父，並不是真正的弑殺。而是接管（take over），意即超越父親。然而無法在家庭關係中表現出來。雖在師徒關係中有所謂徒弟成就更勝師父的出藍比喻，但是兒子超越父親，較父親從事更為偉大的事情，傳統中國則沒有這個概念。

反觀日本，由於有隱居制度，父親在某個階段就可退居其後。父親住在相同土地上的另一間小房子，保持一定距離下關心兒子。而母親也是在此情況下與父親夫唱婦隨共享晚年，將兒子交由媳婦照顧。中國的話則是到死都不將權力下放，令人困擾。

愛知：日本最近好像也有這樣的趨勢。（笑）

宍戶：大老們都不太願意退居幕後。

戴：原來如此。所以在這樣的狀況下，中國只能遵循舊習。最多只能將此種循環擴大，但是無法有飛躍性的發展。

提供所謂飛躍性發展的正是毛澤東，即運用馬克思主義。我認為實際上並非毛澤東不好，而是他被中國的社會結構所拖累。也可以假設如下：他就算拚命的想要改造群眾，群眾卻不為所動，中國人深陷在此泥沼當中。他也是中國社會的一員，結果就是回到原本的狀況，依舊只循著原本的同心圓打轉。

上述只是我的假設，目前還沒有什麼確切的證據。（笑）

游：從東南亞人的角度來看，方才提及的，雖然居住於當地但若是不會說當地的語言，在該地的生意就無法順利發展。如此一來，如同剛才所說的第一代華僑，儘管在工作上沒有問題，但由於受限於無法流暢運用當地語言，所以真正有辦法將生意做好的多為第二代、三代，因此第一代多將舞台讓給他們，很多部分都交接給他們處理。

當中最好的例子就是被稱為是東南亞最大的華僑・華人財團的盤谷銀行，該財團核心人物陳弼臣，雖出生於泰國但從小就被送回中國，被教導要好好念書後再回來泰國。然而，他去參加了政治活動，由於在戰爭當中抵抗日軍，在情況相當危急下潛逃至香港。

後來他以香港為據點擴大了陳弼臣財團，當時談及以誰為繼承人留在泰國時，一般通常會想到是同鄉出身者，當然最好是親戚，但他並無親戚。

由於下一代尚年幼，一般來說會考慮同鄉出身的人，但由於當中沒有適任的人選。故後來拔擢了當時的菁英來做自己的繼承人，即同為華僑的黃聞波（海南人），後來成為副首相，時任職泰國中央銀行。

這在泰國成了一件大事，如同剛才所提，他一手建立了東南亞最大的華僑‧華人財團。戰後日軍撤退，陳弼臣從香港回到泰國以後，由於那時下一代都已長大了，終究還是讓自己的孩子來繼承。

對應當地狀況的東南亞華僑的均分繼承

游：結果從我們的角度看來覺得非常不可思議的是黃聞波沒有被任命。如同剛才所提到其後來在政界成為副首相，就算是現在也是相當具有影響力。故由此看來華僑還是同宗族中心主義，最終還是讓子孫來接班。

其背景之一，華僑到了第二代、三代，誕生很多畢業於歐美大學的菁英，因此也出現了覺得儒教觀念古老，反而會成為阻礙近代化要因的聲音。像是從歐洲，特別是畢業於美國的MBA的人覺得父親的經營方式是不對，出現由「我來做吧」這樣的人，於是陳弼臣終究在一兩年前退休，將業務都交接給兒子。（最近去世〔1988年〕）

其子最近在泰國被視為最優秀的經濟人。雖然我並未直接與他見過面，但聽說他的泰語說得不太好，反而比較擅長中文。另外他也並非長子，長子在香港。如同剛才所提及，因為陳弼臣早期在香港開辦事業之故，故讓長子留在香港接掌該地業務，從此面向看來，他是讓兒子當中最優秀者來繼承大位。

剛才曾提及繼承問題，如眾所周知，在東南亞包含女性在內對所有子女皆均分繼承。在中國的話，還是以兒子為中心。如此一來，如同剛才所提及的，若在東南亞想因襲中國的繼承方式，就意謂將女兒排除在外，但這樣並不符合東南亞的風俗習慣，我稍加參考了之前所提文化人類學者的研究報告，故其會在女兒結婚時給予豐厚的嫁妝。

因此在父親過世後的財產繼承，東南亞的習慣是包含女兒在內，所有人平均分配，因此也會分遺產給女兒。如此一來，兄弟間會質疑姊妹，妳那時候不是已經有很多嫁妝了嗎，而讓女兒自己提出放棄繼承。

因此，若依中國人的想法是不分配給女兒，但東南亞的想法則必須分給女兒，若是不這麼做的話，自視為新加坡人、泰國人的他們，因而會被視為中國系遭受歧視。因此他們找到折衷的方法，就是讓女兒自己提出「我不用分遺產」以放棄繼承。

在文化人類學者的報告中讀到類似上述的例子其實有好幾個，這是苦肉計的一種，但整體來說還是巧妙的將中國及東南亞的繼承制度融合在一起。

宍戸：的確是。

游：我也這麼認為。

宍戸：諸如此類的習俗意外延續了很長一段時間，或說是接觸異地文化後也仍遺留下的部分吧。

游：只是，如同大家所知的東南亞均分繼承制度，在這層意義上雖被視為是女性地位的提高，但也出現因為財產都分散了，而無法將其用以發展經濟的說法，這的確也是問題。

宍戶：沒錯。

戴：就中國的傳統來說，五四運動以前也都只是兒子間的均分繼承；國民黨的新民法制訂公布後，在法律上男女平等。在台灣，也大多會將女兒包含在內來平均分配遺產。

核心家庭化所改變的家族關係

愛知：現在在日本也是均分繼承。

樋口：表面上而已。

戴：好像變成如此。我們應該從日本學習的是，在資本主義如此發達的國度裡，日本人還保留具有日本傳統中好的家族關係，婆媳之間的隔閡也漸漸消失。消失並不是因為婆婆變得開明，而是因為孩子愈生愈少，只生了一女一男，甚至只生了一個女孩。

因為疼孫子，所以也就不再故意欺負為難媳婦，因此形成了新的家庭結構。（笑）從前是因為生很多小孩，對這個媳婦不滿意的話就排擠她，因為還有很多其他的替代者。現在只有一個小孩的關係，就會比較珍惜。在這樣的狀況下，我認為新的問題在核心家庭是普遍的。

伴隨核心家庭化，實際上我們現在所思考的傳統家族觀、家族主義的倫理觀、道德觀等概念逐漸被修正，而我們必須去適應。

在這層意義上，日本是相對較安定成長。在世界史上，日本在百年間經歷了巨大的變革，但與東南亞各國相較之下還是比較安定的。台灣也有非常急速的變化，但在這個情形中產生很多的矛盾、困境，我認為台灣可說比日本更加煩惱該如何因應此類問題。

現在在中國也發生了問題。中國採一胎化政策，一胎化政策實際上已經造成連環效應。由於是獨生子女的關係，過度的寵溺不知不覺使得小孩皆成小皇帝般，兩邊的祖父母都爭相寵愛，把孩子都寵壞了。

這裡就如同愛知先生所言，以家族為單位該如何建立起新的倫理及國家，中國目前正進行著這樣的實驗。這是為了避免經濟成長被自然人口增加率所吃掉的數字性計算，以進行人為的控制，並不是基於原本人類社會的自然調節。

日本戰後並不一定只是自然調節，但由於民眾中產階級化，覺得生兩個孩子就夠了。

宍戶：日本的人口增加率實際上是已從大正末期開始有變化。人口增加率已經停止了，即小孩愈生愈少，所以日本人口學上所謂的近代化，並不是指戰後。只是因為戰後墮胎簡單多了，因此人口數減少。

戴：是的。以前還曾經歷過因孩子過多，養不活而「疏苗」的時期。

宍戶：事實上是有的。只是「疏苗」與墮胎之差而已，如同你剛才所提，日本是花了120年在變化，台灣只花25年。實在是不容易的事啊。

戴：另一點很重要的是，日本社會相對安定，小孩子不用生很多也沒有關係。還有衛生狀況也很好，所以能撫養長大。

在中國的話，孩子對父母來說就是一種保險，不多生的話，如果不幸夭折，父母會很困擾。並且，由於有一種不知以後將會變成如何的不安感，於是把全部賭注都押在孩子身上。若這樣的狀況逐漸消失，社會經濟也成為正向循環的話，或許人口就可以自然調節了。因此現在中國實行一胎化政策實在過於強硬，是由上往下推行的政策。

對華僑來說宗教是權宜

樋口：愛知先生，您有無特別與華僑往來呢？

愛知：我並無特別與華僑往來，所以不是十分清楚，但感覺華僑與猶太人兩者間應有什麼共通點。也就是說，離開國家後，到新的土地上展開新生活時，終會意識到並且覺得要好好珍惜自己的民族、文化、血緣等。

所以，有關於儒教云云的話題，我認為並非以此連結，應該有所謂原點之類的。我和猶太人似乎特別有緣，因為他們在美的人數較多，我常感到他們和華僑有著共同點。

樋口：剛才在對談中也有出現，華僑的國家意識好像比較薄弱，雖不是竹下登先生（笑），但家鄉意識卻非常強烈。所謂的鄉愁指的不是對國家——中國，而是其所出身的縣，例如廣東等。

宍戶：所以猶太人所抱持的應是民族意識吧。

樋口：還有宗教。

宍戶：所以竹下先生的家鄉概念，由於會削弱國家意識，所

以非常適合。（笑）

愛知：對華僑而言，宗教信仰有各自的自由，但仍是以儒教為中心吧。

戴：不，應該只是出於權宜而已。

愛知：因為不像猶太人的猶太教所扮演的宗教角色。

戴：且讓我舉一例來說明。基本上在文明圈架構下思考問題時，我們至今都是以歐洲文明圈、基督教文明為基礎，在文藝復興或是近代科學的延長線上來看待宗教。我認為應該在這上面稍作修正。

我們所思考的宗教，是以現代歐洲宗教的型態，並以其為模式思考問題。如此一來，我們就無法理解柯梅尼（Ruhollah Khomeini）的主張了。我們認為政教分離是一種進步。所謂宗教就應該脫離政治，人類最終是以自己的頭腦來思考宗教，用形而上的方式來對應就好了。然而，伊朗和伊拉克之間持續了好幾年的戰爭，並著力推廣伊斯蘭教義真理的運動，我們也不知該從何理解此情況。

而中國人的宗教生活又是如何呢？這是愛知先生所點出的問題。例如儒教教導學生應該聽從老師說的話，應該要孝順父母等。另一方面，在生活中也祭拜道教的神以及關羽，特別是福建人會拜海神媽祖，客家則是供奉土地神，如祭祀大伯公的型態。

愛知：就像祭祀地方的守護神般是吧。

戴：中國人並沒有如猶太人般有著規定繁複的教義，並以此為基準來約束自己的形式。

台灣台北有間寺廟龍山寺，寺中同時供奉有儒教及道教神明，這種混雜奉拜神明的情形，該去如何解釋呢？庶民只能由此尋求保佑，因為國家一直不安定，無法只信仰一個宗教，所以透過多個宗教尋求庇佑求平安。

愛知：這或許和日本一樣。（笑）日本也是，八方諸神什麼都拜。

華僑的危險分散法

游：只是日本終究是一個國家，國家也好政府也好，人民可以依賴並獲致保護。關於此點，重複剛才已提過的部分，中國是沒有此情形，在此層面上猶太人也一樣，很久以前就遠離祖國，所以沒有能夠依靠的國家。結果流落到其他的國家，反而在該國家及政府中具有相當的影響力。

但是華僑・華人的情況，在居住國為客的意識相當強烈，所以會想要分散風險。因此，就算讓自己的長子有了這個國家的國籍，還是會讓次子取得香港的國籍，又讓老三再拿其他國家的國籍。

另外，與剛才的繼承有關，華僑很少只從事單一事業。在日本，多會從事單一事業，壯大此事業之後，才會從事與其相關的事業以分散風險。但華僑企業多半從規模較小的時候就進行多角經營，也就是所謂的風險分散。

另外，繼承的部分也是。因為大家族中都是由大家共同經營，分配時，會採用讓每個人分擔一種企業的方式。因此雖然是財團，與其說是像日本般的大企業集團，不如說是採風險分散的小型企業集團。

因此，日本因為國家或政府都強而有力，日本人如果到了海外，會是如何呢？

樋口：由於時間關係，今天的座談會就在此告一段落。

本文原刊於《日本の選択》第12卷第30號，東京：財団法人日本経済研究会，1988年3月20日，頁18～33

譯者簡介

吳元淑

1977年生。政治大學歷史系畢業，日本一橋大學商學研究科碩士。曾任職日商野村總合研究所、日商網路公司。翻譯領域主要為企業管理、行銷策略、通訊等，題材廣泛。

李毓昭

1961年生。中興大學社會學系畢業。曾任出版社編輯，現為專職譯者。譯有：《銀河鐵道之夜》（晨星）、《顏面考》（晨星）、《霍去病》（實學社）等。

林琪禎

1978年生。文化大學日文研究所碩士，現就讀於日本一橋大學大學院言語社會研究科博士後期課程。譯有：〈戰後初期台灣的「國語教育」（1945-1949）〉、〈故宮博物院所藏1848年兩件浩罕文書再考〉等。

蔡秀美

1981年生。台灣師範大學歷史所博士候選人，專攻日治時期台灣社會史。譯有：〈殖民地統治法與內地統治法之比較：以日本帝國在朝鮮與台灣的地方制度為中心的討論〉、〈關於《隈本繁吉文書》——殖民地教育資料之介紹〉等。

蔣智揚

1942年生。台灣大學外文系畢業，美國西海岸大學電腦學碩士。曾任職大同公司，現專業翻譯。譯有：《不老——新世紀銀髮生活智慧》（遠流）、《閒話中國人》（馥林）等。

劉淑如

1970年生。淡江大學日文系畢業，日本北海道大學文學研究所博士。研究領域爲日治時期台灣文學、日本近代文學，現任南台科技大學應日系助理教授。譯有：《夢境366天——現代解夢手記》（遠流）、《透析企業價值組合策略》（遠流）；〈動畫／動作／物語〉等。

劉靈均

1985年生。現爲台灣大學日文所碩士生，專攻日本殖民地時期詩歌，並任中國文化大學推廣教育部、台北市立成淵高中等兼任講師，兼職日語口譯及筆譯工作。譯有：《第九屆亞洲兒童文學大會論文集日文版》（共譯，台東大學）、《歐洲統合史》（共譯，五南）。

（以上依姓氏筆畫序）

日文審校者．校訂者簡介

◆日文審校

吳文星

1948年生。台灣師範大學歷史研究所博士。曾任美國哈佛大學及史丹佛大學訪問學人，東京大學、京都大學等校外國人客員研究員及招聘外國人學者，歷任台灣師範大學進修部教務主任、歷史學系主任、文學院長，現為台灣師範大學歷史學系教授、台灣教育史研究會會長。研究專長為台灣近現代史、中日關係史。

著有：《日據時期在台「華僑」研究》、《日治時期台灣的社會領導階層》、《台灣史》等；〈東京帝國大學與台灣「學術探檢」之展開〉、〈札幌農學校と台灣近代農學の展開——台灣總督府農事試驗場を中心として——〉、〈京都帝國大學與台灣舊慣調查〉等論文一百餘篇。

林水福

1953年生。日本東北大學文學博士。曾任輔仁大學外語學院院長、日文系主任、所長；高雄第一科技大學副校長、外語學院院長；興國管理學院講座教授；東北大學客座研究員等，現為台北駐日經濟文化代表處台北文化中心主任。專攻平安朝文學、近現代文學，兼及台灣文學、翻譯學。

著有：《他山之石》、《現代日本文學掃描》、《源氏物語的女性》等；譯有：遠藤周作《影子》、《沉默》等；谷崎潤一郎《夢浮橋》、《細雪》等。並於《文訊》雜誌開設東京見聞錄，《聯副》開設東京文化現場專欄。

林彩美

1933年生。中興大學農經系畢業，日本東京大學農經系博士課程修畢。旅日長達40年，中華料理研究家，曾主持梅苑中華料理研究室（日本）二十餘年。致力於梅苑書庫的保存與研究，長期投入《戴國煇全集》的編譯工作。

著有：《中菜健康瘦身法》（文經社）、《新灶腳的健康料理》（文經社）等；主編：《戴國煇文集》；策劃：《戴國煇全集》等。

邱振瑞

作家和日本思想文化研究者，現任教於文化大學中日筆譯班，並從事翻譯及創作。

著有：短篇小說集《菩薩有難》；譯有：山崎豐子、松本清張、宮本輝等小說，鶴見俊輔《戰爭時期日本精神史》（行人）。

張隆志

1962年生。台灣大學歷史系碩士，美國哈佛大學歷史與東亞語言研究所博士。現爲中央研究院台灣史研究所副研究員。研究專長爲台灣社會文化史、平埔族群史、比較殖民史、台灣史學史及方法論。

著有：《族群關係與鄉村台灣：一個清代台灣平埔族群史的重建和理解》；《坐擁書城：賴永祥先生訪問紀錄》（合著）、《曹永和院士訪問紀錄》（合著）；〈殖民現代性分析與台灣近代史研究〉、〈殖民接觸與文化轉譯：一八七四年台灣「番地」主權論爭的再思考〉與“Re-imagining Histories from Different Shores”等中英日文學術論文多篇。

（以上依姓氏筆畫序）

◆ 校訂

邱振瑞

（簡介略，見前述）

戴國煇全集 25
【採訪與對談卷八】

著作人　戴國煇
策劃／總校　林彩美

編輯製作　財團法人台灣文學發展基金會
10048台北市中山南路11號6樓
02-2343-3142
編輯委員　王曉波　吳文星　張錦郎　張隆志
陳淑美　劉序楓（依姓氏筆畫序）
主編　封德屏
執行編輯　江侑蓮　王為萱
美術設計　不倒翁視覺創意

出版　文訊雜誌社
發行人　王榮文
發行所　遠流出版事業股份有限公司
10084台北市中正區南昌路二段81號6樓
（02）2392-6899
http：//www.ylib.com

排版　浩瀚電腦排版股份有限公司
印刷　松霖彩色印刷事業有限公司
初版　民國100年（2011）4月
定價　全27冊（不分售）精裝新台幣16,000元整
ISBN　978-986-6102-08-0（全集25：精裝）
978-986-85850-4-1（全套：精裝）

國家圖書館出版品預行編目（CIP）資料

戴國煇全集．18-26，採訪與對談卷／戴國煇著．
－－初版．－－台北市：文訊雜誌社出版；遠流發行，2011.04
冊；　公分
ISBN　978-986-6102-01-1（第1冊：精裝）．－－
ISBN　978-986-6102-02-8（第2冊：精裝）．－－
ISBN　978-986-6102-03-5（第3冊：精裝）．－－
ISBN　978-986-6102-04-2（第4冊：精裝）．－－
ISBN　978-986-6102-05-9（第5冊：精裝）．－－
ISBN　978-986-6102-06-6（第6冊：精裝）．－－
ISBN　978-986-6102-07-3（第7冊：精裝）．－－
ISBN　978-986-6102-08-0（第8冊：精裝）．－－
ISBN　978-986-6102-09-7（第9冊：精裝）

1. 史學　2. 文集

607　　100001715